De zaak Morales

Eduardo A. Sacheri

Karakter Uitgevers B.V.

Oorspronkelijke titel: La pregunta de sus ojos
© 2005, 2009 Eduardo Sacheri
© 2009 Aguilar, Altea, Taurus, Alfaguara de S.A. Ediciones
Vertaling: Tanja Timmerman/Vitataal
Redactie en productie: Vitataal tekst & redactie, Feerwerd
© 2011 Karakter Uitgevers B.V., Uithoorn
Zetwerk: Erik Richèl
Omslagontwerp: Select Interface

ISBN 978 90 6112 786 4
NUR 302

Voor mijn omaatje Nelly.

Omdat ze me heeft laten zien
hoe waardevol het is
om herinneringen
te koesteren en te delen.

Afscheid

Benjamín Miguel Chaparro blijft plotseling stilstaan en besluit dat hij niet gaat. Hij gaat niet, punt uit. Ze kunnen de pot op allemaal. Ook al heeft hij beloofd dat hij komt en ook al zijn ze al drie weken met de voorbereidingen van zijn afscheid bezig en ook al is er een tafel gereserveerd voor tweeëntwintig personen in El Candil en ook al hebben Benítez en Machado gezegd dat ze van heinde en ver zullen komen om de pensionering van deze ouwe rot te komen vieren.

Hij staat zo abrupt stil dat de man die achter hem loopt door de Calle Talcahuano naar de Avenida Corrientes bijna tegen hem opbotst en hem met de grootste moeite weet te ontwijken door net op tijd van de stoep op de weg te stappen. Chaparro haat die smalle, sombere en altijd rumoerige stoepjes. Hij loopt er al veertig jaar overheen, maar hij weet dat ze een van de dingen zijn die hij vanaf maandag zal missen als kiespijn. En met de trottoirs heel veel andere dingen in die stad die hij nooit als de zijne is gaan beschouwen.

Hij kan hen niet laten zitten. Hij moet gaan. Al is het maar omdat Machado met al zijn kwalen en toestanden speciaal voor hem helemaal uit Lomas de Zamora komt. Hetzelfde geldt voor Benítez. Het mag dan van Palermo naar Tribunales ook weer niet zo'n heel lange reis zijn, de arme man is er behoorlijk beroerd aan toe. Maar Chaparro wil niet. Er is heel veel wat hij niet zeker weet, maar dit is een van de weinige dingen die geen enkele twijfel lijden.

Hij kijkt naar zichzelf in de winkelruit van een boekhandel. Zestig jaar. Lang. Grijs. Haviksneus, mager gelaat. Verdomme zeg, kan hij niet anders dan concluderen. Hij bekijkt de weerspiegeling van zijn eigen ogen in de ruit. Een vriendinnetje dat hij had toen hij nog jong was, lachte hem altijd uit omdat hij zichzelf zo vaak in winkelruiten bekeek. Noch aan haar, noch aan een van de andere vrouwen in zijn leven heeft Chaparro ooit de waarheid opgebiecht: hij kijkt niet naar zijn spiegelbeeld omdat hij nou zo weg is van zichzelf. Zijn gewoonte om zichzelf te bekijken is niets meer en niets minder dan een poging om te begrijpen wie hij nou verdomme is.

Daarbij stilstaan maakt hem alleen nog maar neerslachtiger dan hij al is. Hij loopt verder, alsof beweging hem zou kunnen bevrijden van de sporen van die extra bedroefdheid. Hij kijkt nog af en toe in de winkelruiten terwijl hij zonder haast verder loopt over die stoep die de middagzon niet kent. Als hij de straat oversteekt, ziet hij het bord van El Candil al, dertig meter verderop, aan zijn linkerhand. Hij kijkt op zijn horloge: kwart voor twee. Ze zullen er inmiddels bijna allemaal wel zijn. Hijzelf heeft de mensen van kantoor al om twintig over een weggewerkt, om zich niet zo te hoeven haasten. Zij hebben pas de volgende maand weer dienst, maar hebben nog genoeg zaken liggen van de vorige keer dat ze dienst hadden. Chaparro is tevreden; het zijn goeie mensen. Ze werken hard. Ze leren snel. Zijn volgende gedachte is: ik zal hen missen, en omdat Chaparro niet met een klap in de nostalgie wil donderen, blijft hij opnieuw stilstaan. Deze keer is er niemand achter hem die tegen hem op loopt: de mensen die hem tegemoetkomen, hebben genoeg tijd om die lange man in blauwe blazer en grijze broek die nu naar zichzelf kijkt in de etalage van een loterijkantoor te ontwijken.

Hij draait zich om. Hij gaat niet. Hij gaat niet, punt. Als hij een beetje opschiet, kan hij mevrouw de edelachtbare misschien nog aantreffen voordat ze bij het afscheid aankomt, want ze werd opgehouden omdat ze nog een preventieve hechtenis moest afhandelen. Het is niet de eerste keer dat hij het idee krijgt, maar wel de eerste keer dat hij erin slaagt de benodigde moed te verzamelen om het ook daadwerkelijk uit te voeren. Of misschien is het wel simpelweg dat het alternatief, dat van naar zijn eigen afscheid gaan, een hel is waarin hij niet wenst te branden. Lekker aan het hoofd van de tafel zitten? Met Benítez en Machado aan weerszijden, als een trio eerbiedwaardige fossielen? De geijkte vraag van die sukkel van een Álvarez aanhoren van 'Vinden jullie het goed als we de rekening delen?', om vervolgens een flinke hoeveelheid kwaliteitswijn achterover te kunnen slaan? Laura die iedereen vraagt wie er een portie cannelloni met haar wil delen omdat ze niet te veel wil afwijken van het dieet waarmee ze afgelopen maandag net is begonnen? Varela die zich zorgvuldig tot een van zijn melancholische deliriums zuipt, waarna hij in tranen vrienden, kennissen en de obers omhelst? De beelden van die nachtmerrie doen hem zijn pas versnellen. Hij loopt de treden van het gebouw aan de Calle Talcahuano op. De hoofdingang is nog niet gesloten. Hij pakt de eerste de beste lift. De liftbediende hoeft hij niet uit te leggen dat hij naar de vijfde verdieping moet, want in het paleis van justitie kennen zelfs de stenen hem.

Hij loopt met stevige pas; zijn zwarte mocassins weerklinken op de zwarte en witte plavuizen van de gang die parallel loopt aan de Calle Tucumán, tot hij bij de hoge, smalle deur van zijn griffie komt. Hij staat in gedachten even stil bij het bezittelijk voornaamwoord 'zijn'. Ja, en wat dan nog? Ze is van hem, heel wat meer van hem dan van griffier García, of van welke van de voorgangers van García dan ook, of van degenen die nog na hem komen.

Terwijl hij de deur opendoet, klinkt zijn enorme sleutelbos in de stilte van de lege gang. Hij doet hem vrij hard weer dicht, zodat de rechter in de gaten heeft dat er iemand is binnengekomen. Wacht eens even: waarom 'de rechter'? Omdat ze dat is, natuurlijk. Maar waarom niet gewoon 'Irene'? Daarom niet. Hij vindt het al moeilijk genoeg om haar te vragen wat hij haar gaat vragen; als hij het ook nog aan Irene moet vragen, en niet gewoon aan de edelachtbare Hornos, krijgt hij echt het gevoel dat hij wel door de grond kan zakken.

Hij klopt tweemaal zacht op de deur en hoort: 'Kom binnen.' Als hij de deur opent en naar binnen loopt, kijkt ze verbaasd op en vraagt hem wat hij daar nog doet en waarom hij nog niet in het restaurant is. Wat ze in werkelijkheid vraagt, is: 'Wat doe jij hier nog?' en 'Waarom ben je nog niet in het restaurant?' en dat is niet hetzelfde. Maar Chaparro wil niet verstrikt raken in de kwestie van het tutoyeren, want die kan ook weer een bron van verwarring vormen voor zijn plan en zijn voornemen doen mislukken om haar de vraag te stellen waartoe hij heeft besloten ergens op de Calle Talcahuano, bijna bij Avenida Corrientes. Het is nogal ontmoedigend dat hij voor de ogen van die vrouw zoveel verwarring voelt opkomen, maar Chaparro dwingt zichzelf tot uiterste discipline en komt tot de conclusie dat hij die koste wat het kost te boven moet komen door zichzelf een schop onder zijn kont te geven, voor eens en voor altijd op te houden met die flauwekul en eindelijk te vragen wat hij te vragen heeft. 'De machine,' flapt hij eruit, zonder omhaal en inleidingen. Bruut, stakker, lomperik. Geen inleidende subtiliteiten. Geen 'Weet je, Irene, ik zat te denken, misschien, ooit een keertje, dat we zouden kunnen, wat zou je ervan zeggen als', of een van de vele andere standaarduitdrukkingen die het Spaans rijk is en die juist bedacht zijn om te voorkomen wat Chaparro ziet in het gezicht van Irene, of van de edelachtbare, of van de rechter: die verbijstering, dat niet weten wat te zeggen door de verrassing van zoveel doortastendheid.

Chaparro ziet in dat hij voor de verandering weer eens een blunder heeft begaan. Dus gaat hij terug naar het begin en probeert hij antwoord te geven op de vraag die de dame hem heeft gesteld over de afscheidslunch waarbij hij op dat moment in het zonnetje gezet zou moeten worden. Hij spreekt over zijn angst om weemoedig te worden, om met dezelfde ouwe collega's van altijd over dezelfde onderwerpen te moeten praten, om in een pathetische melancholie te verzinken, en aangezien hij dat allemaal zegt terwijl hij haar in de ogen kijkt, komt er een moment waarop hij het gevoel krijgt dat zijn maag zich omdraait, dat er koud zweet over zijn rug loopt en dat zijn hart zo tekeergaat dat het bijna struikelt over zichzelf. Omdat het een zo diepe, zo oude en zo nutteloze emotie is, besluit Chaparro halsoverkop het raam van het kantoor dicht te doen om zich los te rukken van die twee kastanjebruine ogen. Maar het raam is al dicht, dus doet hij het maar open. Er komt echter een kou van heb ik jou daar binnen, dus besluit hij maar het te sluiten. Hij kan niet anders dan terug-gaan naar zijn plek, maar hij is wel zo slim om te blijven staan, zodat hij haar niet zo direct boven haar bureau en haar dossier hoeft aan te kijken. Irene volgt zijn bewegingen, blikken en stem-buigingen met de opperste aandacht van altijd. Chaparro zwijgt, omdat hij weet dat als hij zo doorgaat, hij dingen gaat zeggen die hij niet terug kan nemen. Nog net op tijd komt hij terug bij het onderwerp van de typemachine.

Hij zegt tegen haar dat hij hoewel hij nog geen idee heeft van wat hij vanaf nu gaat doen, zin heeft om zijn oude voornemen om een boek te schrijven weer eens op te pakken. Maar hij heeft het nog niet uitgesproken of hij voelt zich al een volslagen idioot. Oud, tweemaal gescheiden, gepensioneerd, met aspiraties om schrijver te worden. De Hemingway onder de bejaarden. De Gar-cía Márquez van de westelijke voorsteden. En dan ook nog die blik van plotselinge interesse in de ogen van Irene, of liever gezegd de edelachtbare, of bij voorkeur de rechter. Maar het kwaad is al geschied, dus doet hij er nog maar een schepje bovenop en vertelt dat hij zin heeft, nu hij meer tijd heeft, eventueel, waarom ook niet, om nog maar eens een poging te wagen. En daar verschijnt de typemachine ten tonele. Chaparro begint zich meer op zijn gemak te voelen, want hij komt nu op bekender terrein. 'Stel je voor, Irene, ik kan op mijn leeftijd toch niet meer aan een com-putercursus beginnen? En die Remington is met mijn vingers ver-groeid als een vierde kootje.' Vierde kootje?! Waar haalt hij dat soort idioterie vandaan? 'Ik weet wel dat het een soort tank lijkt met dat vijf millimeter dikke staal en die olijfgroene kleur en dat geluid als van een geweerschot elke keer dat je een toets indrukt, maar ik weet zeker dat er anders weer niks van komt. En natuurlijk zou het in bruikleen zijn, een paar maanden, drie hooguit, want ik was nu ook weer niet van plan om een heel dik boek te schrijven, stel je voor, zeg.' Het is weer zover hoor: hij is zichzelf, zoals gewoonlijk, belachelijk aan het maken. 'Aan de andere kant, die nieuwe jongens gebruiken toch allemaal computers en boven in de kast staan eventueel nog wel drie oude typemachines. In het ergste geval laten jullie het maar weten en dan breng ik hem meteen terug,' zegt Chaparro, maar hij kan niet verdergaan, want zij heft een hand op en zegt: 'Rustig maar, Benjamín, neem hem gerust mee, dat is wel het minste wat ik voor ik je kan doen.' Chaparro moet even slikken, want er zijn verschillende manieren om te praten en te zeggen, en dan bedoelt hij niet alleen maar dat 'je' – dat heel, maar dan ook echt heel erg 'je' klinkt – maar ook dat er tonen en tonen zijn, en die toon van nu is de toon van bepaalde gebeurtenissen die Chaparro een voor een koortsachtig in de monotone horizon van zijn eenzaamheid heeft gegrift, hoezeer hij ook evenzovele nachten heeft geprobeerd ze te vergeten als ze zich te herinneren, en daarom stapt hij uiteindelijk op haar af, bedankt haar, steekt zijn hand naar haar uit, accepteert de heerlijk geurende wang die ze hem aanbiedt, sluit zijn ogen terwijl zijn lippen haar huid beroeren, zoals hij altijd doet wanneer hij de kans krijgt om haar een kus te geven om zich beter te kunnen concentreren op dat onschuldige en schuldige contact, en haast zich dan bijna rennend naar het belendende kantoor. Hij pakt de typemachine met twee snelle bewegingen op en vertrekt zonder om te kijken door de hoge, smalle deur.

Opnieuw loopt hij door de gang, die nu meer verlaten is dan twintig minuten geleden, hij neemt lift nummer acht naar beneden, loopt door de gang naar de Calle Talcahuano en gaat naar buiten door de kleine deur. Met een knik van zijn hoofd groet hij de beveiligingsmensen en loopt in de richting van de Calle Tucumán, steekt over, wacht vijf minuten en stapt in lijn 115. Als de bus de hoek van de Calle Lavalle omslaat, draait Chaparro zijn hoofd naar links, maar vanaf die afstand kan hij uiteraard het uithangbord van El Candil niet zien. Irene, of liever gezegd de edelachtbare, of nog beter de rechter, zal die kant nu wel op lopen om tegen de gasten te zeggen dat het onderwerp van de huldiging ertussenuit gepiept is. Zo erg is dat niet. Ze zijn allemaal bij elkaar en hebben waarschijnlijk allemaal trek.

Hij voelt aan de achterzak van zijn broek, haalt zijn portemonnee tevoorschijn en stopt hem in zijn binnenzak. In de veertig jaar dat hij dit werk doet, is hij nog nooit gerold, en hij was niet van plan om voor het eerst gerold te worden op zijn laatste werkdag voor de rechtbank. Hij komt aan bij station Once en stapt zo snel mogelijk uit. De eerste trein die gaat, vanaf perron drie, is de stoptrein naar Moreno. In de laatste wagon, de eerste om in te stappen, zijn alle zitplaatsen bezet, maar vanaf de vierde wagon is er plek genoeg. Hij vraagt zich zoals altijd af of de mensen die in de achterste wagons blijven staan, dat doen omdat ze er toch zo weer uit moeten, omdat ze de benen willen strekken of omdat ze gewoon dom zijn. Hoe het ook zij, hij is blij dat ze het doen. Chaparro wil naast het raam zitten, aan de linkerkant, zodat hij geen last heeft van de middagzon, en nadenken over wat hij vanaf nu in vredesnaam met zijn leven aan moet.

1

Ik weet niet precies waarom ik het verhaal van Ricardo Morales na zoveel jaar nog op wil schrijven. Je zou kunnen zeggen dat wat die man overkwam mij altijd op duistere wijze gefascineerd heeft, alsof ik in dat door pijn en tragedie verwoeste leven de kans zag de spoken van mijn eigen angsten gereflecteerd te zien. Tot mijn grote verbazing heb ik in mezelf regelmatig een zeker verwerpelijk genoegen weten te ontwaren ten opzichte van de ellende van anderen, alsof de omstandigheid dat anderen vreselijke dingen overkomen een manier was om dat soort tragedies ver verwijderd van mijn eigen leven te houden. Het geluk van een soort vrijbrief gebaseerd op lompe statistiek: als Pietje zoiets is overkomen, is de kans heel klein dat de kennissen van Pietje, onder wie ik mezelf reken, hetzelfde meemaken. Niet dat ik me kan beroemen op een leven vol succes, maar als ik mijn ellende vergelijk met die van Morales, dan kom ik er toch heel wat beter uit. Maar goed, het gaat nu niet om mijn verhaal, maar om dat van Morales, of dat van Isidoro Gómez, dat hetzelfde verhaal is maar vanuit een ander perspectief, andersom zeg maar, of zoiets.

Dat is niet het enige wat me ertoe aanzet om deze pagina's te schrijven. Hoewel dat soort ziekelijke verwondering natuurlijk wel meespeelt. Ik denk dat ik het verhaal schrijf omdat ik tijd heb. Veel, te veel tijd. Zo veel tijd dat de dagelijkse futiliteiten waaruit mijn leven bestaat binnen de kortste keren verdwijnen in het monotone niets dat me omringt. Gepensioneerd zijn is nog veel erger dan ik had gedacht. Ik had het moeten weten. Niet hoe het is om gepensioneerd te zijn, maar dat de dingen die we vrezen in het echt vaak nog veel erger zijn dan in onze verbeelding. Jarenlang zag ik hoe mijn collega's van het gerecht stopten met werken met het naïeve optimisme dat ze nu dan toch eindelijk konden gaan genieten van hun vrije tijd en hun hobby's. Ik zag hen vertrekken in de overtuiging dat ze zo ongeveer het paradijs gewonnen hadden. En ik zag hen gebroken terugkomen, veel te snel verslagen door de teleurstelling. Binnen twee weken, drie hooguit, hadden ze alles gedaan wat ze gedurende jaren van routine en werk hadden uitgesteld. En waarvoor? Om te pas en te onpas de rechtbank binnen te lopen, als iemand die nog steeds in de ontkennende fase is, om een praatje te maken, een kopje koffie te drinken of zelfs een helpende hand te bieden bij wat complexere zaken.

Daarom, om al die vele keren dat ik zulke door lege ouderdom verwoeste types voor me had, om al die vele gelegenheden waarin ik hun ogen zag smeken om een onmogelijke redding, heb ik mezelf gezworen om als mijn tijd gekomen was, me nooit tot dat niveau te verlagen. Niks eeuwige tijd, niks nostalgische tripjes om te zien hoe het met de jongens gaat. Niks treurige toestanden om gedurende vijf seconden op de compassie te werken van hen die het geluk hebben te mogen blijven werken.

Welnu, twee weken geleden ben ik dus met pensioen gegaan en ik heb zeeën van tijd. Niet dat ik geen dingen kan verzinnen om die te vullen; ik kan genoeg bedenken, maar alles lijkt even zinloos. Wellicht het minst zinloze is dit: een paar maanden lang schrijvertje spelen, zoals Silvia ooit zei toen ze nog van me hield. Eigenlijk haal ik nu twee verschillende perioden door elkaar en twee verschillende manieren om me te noemen. Toen ze nog van me hield, beloofde ze me een toekomst waarin ik schrijver zou zijn, waarschijnlijk een beroemd schrijver ook nog eens. Daarna, toen haar liefde was versmolten met de sleur van onze relatie, had ze het over schrijvertje spelen vanuit die hooghartige ironie en venijnige minachting waarachter ze had verkozen zich te verschansen om mij onder vuur te nemen. Ik mag niet klagen, want ikzelf heb mijn portie laaghartigheden ook wel tot me genomen. Jammer. Dat wat er overblijft van een relatie van tien jaar vooral de gênante lijst van pijn is die je elkaar hebt aangedaan. Maar met Silvia kon ik in elk geval nog ruziemaken. In mijn eerste huwelijk, met Marcela, konden we niet eens over dat soort dingen praten. Ook niet over andere dingen trouwens. Een goed deel van mijn leven heb ik met twee vrouwen gedeeld en van beiden kan ik slechts met veel moeite een handvol wazige herinneringen oproepen. Die eindeloze diepte waartoe beiden in mijn herinnering zijn gezonken bewijst eens te meer – alsof ik daar behoefte aan heb – hoe oud ik ben geworden. Ik heb twee lange relaties overleefd met nog genoeg tijd om voort te leven op die eindeloze hoogvlakte van vrijgezellen. Het leven is lang, per slot van rekening.

Maar ook ikzelf heb mezelf als schrijver nooit heel serieus genomen. Niet toen Silvia het nog vol bewondering tegen me zei, en ook niet toen ze het me later sarcastisch toebeet. Wel droomde ik – sommige dromen dringen zich nu eenmaal zelfs nog aan de meest sceptische zielen op – van dat idyllische tafereel van een schrijver in zijn werkkamer, bij voorkeur met een enorm raam en bij voorkeur met uitzicht op zee en bij voorkeur op een hoge, door de elementen geteisterde klip.

Het is wel duidelijk dat men de monnik niet altijd aan zijn pij kent. Want het was niet voldoende dat ik de living van mijn huis aanpaste aan het stereotiepe 'heiligdom van een schrijvende schrijver' (wat afschuwelijk, dat gerundium in 'schrijvende schrijver' voelt als een trap in je pens, wat een beeld heb ik van mezelf). En terwijl die toch heel mooi is. De zee en het barre weer ontbreken, dat is een feit. Maar ik heb een opgeruimd bureau. Een bijna nagelnieuw pak papier aan een kant. Een aantekeningenschrift zonder enige aantekening aan de andere kant. In het midden de typemachine, een indrukwekkende olijfkleurige Remington, nauwelijks in omvang onderdoend voor een tank en gemaakt van net zulk dik staal, zoals ze jaren geleden in de rechtbank plachten te grappen.

Ik loop naar het raam, dat zoals gezegd niet uitkomt op een klip en niet hoeft te beschermen tegen de invloeden van de oceaan, maar op een keurig tuintje van vier bij vijf, en ik kijk naar de straat. Er komt niemand langs, zoals gebruikelijk. Dertig jaar geleden waren deze straatjes nog vol mensen en spelende kinderen. Maar nu zijn ze uitgestorven. De kinderen zijn vertrokken en de ouderen zitten binnen. Zoals ikzelf. Het klinkt geestig: misschien zijn er wel meer die hun bureau klaar hebben staan voor de bevlieging van een roman die geschreven moet worden.

In werkelijkheid en diep vanbinnen vermoed ik dat deze pagina die ik voornemens ben te vullen uiteindelijk, net zoals de negentien die eraan vooraf zijn gegaan, als een prop in de tegenoverliggende hoek van de kamer zal belanden. Want naarmate ik meer kladversies afkeur, kan ik de sportieve verleiding niet weerstaan om ze met een zwierige worp vanuit de pols en met wisselend succes naar de wilgentenen paraplubak te gooien die ik van ik zou bij god niet meer weten wie geërfd heb. Ik word zo enthousiast wanneer ik scoor en zo aangemoedigd door de minuscule frustratie die ik voel als ik mis, dat ik bijna meer geïnteresseerd ben in mijn volgende poging dan in de onwaarschijnlijke mogelijkheid dat het wel degelijk, eindelijk, het begin van het verhaal zou zijn dat ik wil vertellen. Het is overduidelijk dat ik met mijn zestig jaar nog net zo ver verwijderd ben van een carrière als schrijver als van een als basketbalspeler.

Gedurende enkele dagen probeer ik antwoorden te vinden op een aantal voor het werk cruciale vragen voordat ik dat ook maar durf te gaan schrijven, omdat ik precies datgene vrees wat me nu overkomt: dat mijn laatste restje moed vervliegt terwijl ik achter de typemachine achter mijn eigen staart aan zit te rennen. Het eerste wat ik dacht, was dat ik niet genoeg fantasie heb om een roman te kunnen schrijven. De oplossing daarvoor vond ik in het schrijven zonder iets te verzinnen, dat wil zeggen, een waargebeurd verhaal vertellen, iets waarvan ik, al was het maar indirect, getuige was geweest. Daarom besloot ik het verhaal van Ricardo Morales op te schrijven. Om wat ik aan het begin zei en omdat het een verhaal is waar ik niets aan hoef toe te voegen. En omdat ik het, wetende dat het waar is, misschien tot het eind aan toe durf te vertellen zonder bang te zijn voor de schaamte vanwege het opvullen van hiaten met leugens, het eindeloos rekken van de plot of het proberen de lezer ervan te overtuigen om het niet al na vijftien pagina's in een hoek te smijten.

Als eenmaal besloten is wat het thema wordt, is het eerste concrete probleem: in welke persoon ga ik het verhaal schrijven? Als ik het over mezelf heb, zeg ik dan 'ik' of 'Chaparro'? Het is behoorlijk triest dat dat obstakel al voldoende is om mijn literaire aspiraties tot stilstand te brengen. Stel, ik kies de derde persoon voor het verhaal. Misschien is dat beter, om niet in de verleiding te komen al te persoonlijke indrukken en belevenissen te schetsen. Dat heb ik heel duidelijk voor ogen. Het is niet mijn doel om met dit boek een catharsis te bereiken, of met dit boek in embryofase, om precies te zijn. Maar bij de eerste persoon voel ik me lekkerder. Uit gebrek aan ervaring neem ik aan, maar ik voel me er gewoon lekkerder bij. En wat doe ik met delen van het verhaal waar ik niet direct getuige van ben geweest, die delen die ik wel aanvoel maar niet helemaal zeker weet? Vertel ik die toch gewoon? Verzin ik ze van het begin tot het eind? Of negeer ik ze?

Laten we stapsgewijs te werk gaan en het vooral niet te moeilijk maken. Ik zal in de eerste persoon beginnen. Ik heb al genoeg andere problemen om me druk om te maken. En het is beter om te vertellen wat ik weet en ook wat ik aanneem, anders snappen de lezers er geen kloot van. Ikzelf ook niet. En dan nog iets lastigs: het taalgebruik. In de vorige zin doemde het woord 'kloot' op als een reclamebord met neonletters in de mist. Gebruik ik dat soort grove en platvloerse woorden of schrap ik ze uit mijn schrijftaal? Wat een klotevragen. Daar heb je hem weer, die lastpak. Ik vrees dat ik uiteindelijk zal moeten concluderen dat ik een vuilbek ben.

Iets anders, erger nog: ook al weet ik dan zeker dat ik het verhaal van Morales op ga schrijven, dan nog moet dat wel bij het begin beginnen. Maar wat is het begin? Mijn narratieve technieken mogen dan waardeloos zijn, ik ben nog wel in staat om te zien dat het ouderwetse 'Er was eens' hier geen hout zal snijden. Wat dan wel? Wat is het begin? Het is niet zo dat dit verhaal geen begin heeft. Het probleem is dat het wel vier of vijf mogelijke en verschillende beginnen heeft. Een jongeman die met een kus afscheid van zijn vrouw neemt in de gang die naar de straat leidt, voordat hij naar zijn werk gaat. Of twee figuren die boven een bureau in slaap vallen en opschrikken wanneer het schrille gerinkel van een telefoon klinkt. Of een pas afgestudeerde onderwijzeres die poseert voor een groepsfoto. Of een medewerker van een rechtbank, ik dus, die bijna dertig jaar na al die mogelijke beginnen een handgeschreven brief ontvangt van een zeer onverwachte afzender.

Welke moet ik kiezen? De kans is groot dat ik ze allemaal kies, en dat ik een willekeurige uit het rijtje kies om de boel in gang te zetten en de rest er daarna omheen plaats in de volgorde die me het minst willekeurig lijkt of die gewoon al schrijvende in me opkomt. Misschien is het helemaal niet zo erg als het mislukt. Ik heb er nu al een aantal middagen aan gewijd en in het ergste geval, als ik maar voldoende kladversies tot een prop verfrommel, verbeter ik in elk geval mijn langeafstandsworp.

2

30 mei 1968 was de laatste dag dat Ricardo Agustín Morales ontbeet met Liliana Colotto, en de rest van zijn leven herinnerde hij zich niet alleen waarover ze het hadden gehad, maar ook wat ze hadden gegeten en gedronken, wat de kleur was van haar nachthemd en het prachtige effect van een zonnestraal die zijdelings op haar linkerwang scheen terwijl zij daar in de keuken zat. De eerste keer dat Morales het me vertelde, dacht ik dat hij overdreef. Dat hij zich al die details nooit zo goed kon herinneren. Maar mijn inschattingsfout kwam voort uit het feit dat ik hem nog niet zo goed kende en niet wist dat Morales, met dat onnozele gezicht, een man was met een intelligentie, geheugen en observatievermogen zoals ik nog nooit had gezien en ook nooit weer zou zien. Het waarheidsgetrouwe geheugen van Morales diende een duidelijk doel: de man kon zich zo elk detail dat met zijn vrouw te maken had gehad blijven herinneren.

Later, toen Morales de vrijheid nam om met mij over zichzelf te spreken, hoorde ik hoe hij zichzelf omschreef als een saaie, grijze muis met bijbehorend lot. Morales classificeerde zichzelf zonder enig zelfmedelijden als een man die in zijn leven langs familie, scholen en werk trekt zonder ook maar een spoor van herinnering na te laten bij anderen. Hij had nooit iets goeds gehad, noch iets bijzonders, en dat had hem altijd terecht geleken. Totdat Liliana in zijn leven kwam. Want zij was beide dingen geweest. Dat was ze heel erg geweest. Daarom koesterde hij die ochtend in zijn herinnering, en niet omdat het de laatste was geweest. Hij koesterde hem zoals hij alle eerdere ochtenden had gekoesterd van het jaar en een beetje dat ze getrouwd waren geweest. Toen hij me later heel gedetailleerd vertelde hoe het ontbijt verlopen was, deed hij dat niet zoals de gemiddelde sterveling zou doen als die op basis van bijna ingebeelde sporen of flarden van herinneringen aan gelijksoortige gebeurtenissen probeert een reconstructie te maken van situaties of sensaties die voor altijd verloren zijn gegaan. Morales niet. Omdat hij voelde dat het bij zich hebben van Liliana een ongehoord geluk was dat helemaal niets te maken had met wat zijn leven tot dan toe was geweest. En dat, omdat de kosmos nu eenmaal neigt naar evenwicht, hij haar vroeg of laat zou moeten verliezen opdat de orde der dingen hersteld zou worden. Al zijn herinneringen aan haar waren verweven met dat gevoel van de ophanden zijnde schipbreuk, die ramp die om de hoek van de straat op hen lag te wachten.

Hij had nooit ergens in uitgeblonken. Niet op school, niet in sport, zelfs in de familie had hij niet meer dan een incidenteel schouderklopje gekregen voor in feite onbeduidende eigenschappen. Maar op 16 november 1966 had hij Liliana leren kennen, en daarmee was zijn leven voorgoed veranderd. Met haar, door haar, dankzij haar was hij iemand anders geworden. Vanaf het moment waarop hij haar door de draaideur van de bank had zien komen, haar aan een bewaker had horen vragen wat de rij voor geldstortingen was en haar met korte, stevige pasjes naar loket vier had zien komen, had hij gevoeld dat die vrouw zijn leven ging veranderen. Zich vastklampende aan de wanhopige zekerheid dat die vrouw zijn lot in handen had, had Morales het aangedurfd om zijn verlegenheid te boven te komen, een gesprek met haar aan te gaan terwijl hij het geld telde, met zijn hele gezicht te glimlachen, haar in de ogen te kijken en haar blik vast te houden, hardop de wens uit te spreken dat ze gauw weer zou komen, in het archief te kijken om te achterhalen bij welk bedrijf de lopende rekening hoorde waar ze geld op had gestort, een smoesje te verzinnen om het te bellen en wat voor informatie dan ook los te peuteren over die jongedame.

Een tijd later, toen ze al officieel verloofd waren, had Liliana hem opgebiecht dat ze die roekeloze, dappere manier om achter haar aan te lopen zonder zich neer te leggen bij haar afwijzingen maar wat aantrekkelijk had gevonden; zozeer zelfs dat ze uiteindelijk had besloten op zijn uitnodigingen in te gaan. En dat ze toen ze hem beter leerde kennen, en zijn verlegenheid, zwijgzaamheid en eeuwige schaamte beter leerde kennen, die ongebruikelijke moed die hij had opgevat, was gaan interpreteren als het beste bewijs van ware liefde. Liliana zei dat een man die uit liefde voor een vrouw in staat is zijn manier van zijn te veranderen, het verdient om zijn liefde beantwoord te zien. Ook dat gesprek was Ricardo Morales nooit vergeten, en hij besloot voor altijd en voor haar zo te zijn. Nooit had hij zich iets waardig gevoeld, al helemaal niet een vrouw zoals zij. Maar hij wist dat hij er zoveel mogelijk van zou genieten. Totdat de betovering verbroken zou worden en alles weer zou veranderen in muizen en pompoenen.

Daarom zou Morales zich altijd blijven herinneren dat Liliana op 30 mei 1968 haar turquoise nachthemd droeg en haar haar in een eenvoudige knot had samengebonden waaruit wat plukken kastanjebruin haar waren ontsnapt. En dat de zon die in een schuine straal door het keukenraam naar binnen kwam, op haar linkerwang scheen, deze verlichtte en haar nog mooier maakte. En dat ze thee met melk dronken en toast met boter aten. Dat ze praatten over welke meubels goed zouden staan in de woonkamer, en dat hij was opgestaan van tafel om uit de eetkamer een paar plattegrondjes te halen die hij had getekend om de meubels zo harmonieus mogelijk te verdelen, en dat zij moest lachen om zijn obsessie om alles tot in de puntjes te plannen en hem diep in zijn ogen had gekeken en naar hem had geglimlacht en tegen hem had gezegd dat hij niet zoveel moeite hoefde te doen voor zulke oude meubels, arme jongen, want dat ze de zitkamer vroeg of laat toch als slaapkamer nodig zouden hebben. En hij, traag en verstrooid, of liever gezegd vertroebeld door de aanbidding van deze vrouw die van een andere planeet leek te komen, had daar niets tegenin te brengen en kon niet anders dan haar bij haar middel pakken en samen met haar naar de deur aan de straat lopen, om haar op de drempel langzaam te kussen en met zijn hand te groeten bij het weggaan, niet wetende dat het voor altijd was.

Bioscoop

Benjamín Chaparro drukt meerdere keren op de spatiebalk van de typemachine om het vel papier los te maken. Hij pakt het met slechts de toppen van zijn vingers bij de randen beet en legt het als ware het een granaat zonder pin op de andere zestien of zeventien die het lot van een vlucht in propvorm richting mand bespaard is gebleven. Het ontroert hem een beetje dat het stapeltje beschreven vellen al enige dikte begint te krijgen, een zekere lijvigheid.

Hij staat tevreden op. Twee dagen geleden nog was hij wanhopig door de zekerheid dat hij zijn boek nooit zou schrijven, verstikt door de mist van het begin. Nu is het begin geschreven. Goed of slecht, maar het is geschreven. Dat stemt hem tevreden, hoewel hij er ook onrustig door wordt. Onrustig omdat hij verder wil, omdat hij wil vertellen wat die personen is overkomen. Hij vraagt zich af of dat het gevoel is dat schrijvers hebben wanneer ze aan het schrijven zijn. Die bescheiden almacht om te kunnen spelen met het leven van hun personages. Hij weet het niet zeker, maar als het zo is, vindt hij dat gevoel maar wat aangenaam.

Hij kijkt op de klok en ziet dat het al zeven uur is. Zijn rug doet zeer. Hij heeft daar bijna de hele dag gezeten. Hij besluit zichzelf te belonen en te vieren dat de eerste opzet er is. Hij zoekt zijn portemonnee op een plank, controleert of hij nog geld heeft en gaat naar de bioscoop. Wat hem het meest aanspreekt van dat plan is niet zozeer dat hij die of die film kan gaan zien, maar de wetenschap dat hij Irene er daarna over kan vertellen, wanneer hij haar weer ziet. Hij zal het terloops opmerken, zijdelings, onwillekeurig bijna. En zij zal naar de film vragen. Ze praten graag over films. Ze hebben min of meer dezelfde smaak. En iets zegt Chaparro dat Irene het leuk zou vinden als ze eens samen gingen. Dat kan niet, natuurlijk. Dat hoort niet. En misschien haalt hij het zich uiteindelijk ook alleen maar in zijn hoofd. Waar baseert hij het op dat zij graag met hem naar de bioscoop zou willen? De wens is de vader van de gedachte. Wie zegt dat het zo is? Niemand. Nooit. Nimmer.

3

Toen de telefoon ging in het kantoor van de rechter, op 30 mei 1968 om vijf over acht 's ochtends, was ik zo moe dat ik droomde dat er gebeld werd. Pas toen de telefoon voor de vierde of vijfde keer overging, deed ik mijn ogen open. Ik nam niet gelijk op, alsof mijn abrupte ontwaken te traumatisch was geweest om onmiddellijk een telefoongesprek te kunnen voeren.

Maar al meteen werd ik teruggeworpen in de realiteit door het gespring en geschreeuw om me heen van Pedro Romano. Hij juichte om dat telefoontje en ik, met een zekere perverse logica, accepteerde mijn aandeel in zijn feestje door een geërgerd gezicht op te zetten terwijl ik mijn ogen uitwreef alvorens op te nemen. We waren de hele nacht daar geweest, in het kantoor van de rechter, soms lui onderuitgezakt in de fauteuils van donker leer, dan weer met het hoofd in de handen slapend op het bureau. Toen hij was gaan springen, was Romano op het dienblad met de borden van het avondeten gaan staan, en een van de kopjes die we als glazen hadden gebruikt, was eraf gevallen en helemaal tot aan de boekenkast gerold. Ik wachtte nog een seconde langer met opnemen en maakte gebruik van dat moment om in mezelf die imbeciel van een rechter te vervloeken, die erop stond dat we tijdens de vijftiendaagse periode waarin we dienst hadden de hele nacht op kantoor bleven. De ene week was de griffie van Romano aan de beurt, de andere week die van mij, maar hoe loste je dan het probleem van de vijftiende dag op? Die idioot van een Fortuna Lacalle had heel spitsvondig besloten om het dan voor ons allebei te vergallen. De zaken werden verdeeld naar het politiebureau waar ze oorspronkelijk vandaan kwamen, behalve de ernstige delicten, zoals moord. Die zaken moesten op de vijftiende dag van de dienst verdeeld worden tussen de twee griffies volgens het tijdstip waarop de politie ons de melding deed. Romano juichte met zijn armen in de lucht en schreeuwde: 'Vijf over acht, *Chaparrito*, vijf over acht!', want dat de telefoon in het kantoor van de rechter op dat tijdstip ging, was inderdaad om ons op de hoogte te stellen van een moord, en het feestje van Romano betrof niets meer en niets minder dan het feit dat het na achten was, want de oneven uren waren voor hem en de even uren voor mij, en hij had zich net vijf zuinige minuten geleden losgerukt van een dik en complex dossier.

Nu ik eraan terugdenk, nu ik erover schrijf, weet ik weer hoe in- en incynisch die hele situatie was. Alsof het om een sportief duel ging. We stonden geen enkel moment stil bij het feit dat de telefoon ging, of dat nu vijf minuten voor of vijf minuten na achten was, omdat er ergens iemand was vermoord. Voor ons was het gewoon een kantoorcompetitie: werk jij of werk ik. Eens kijken wie hier de man is, eens kijken wie van beiden het meeste geluk heeft. Dat was Romano dus. En hoewel ik in die tijd nog geen pesthekel aan hem had, dat kwam niet lang daarna, toen ik begon te zien wat voor verachtelijk wezen hij was, voelde ik toch een brandende behoefte om hem met de telefoon op zijn kop te rammen. Maar in plaats daarvan zette ik het gezicht op van iemand die zich gewonnen geeft, schraapte mijn keel, nam de hoorn op en zei met ernstige stem: 'Instructierechtbank, goedemorgen.'

4

Ik liep de trappen aan de Calle Talcahuano af en vervloekte mijn lot. In die tijd vroeg ik me nog sterk af – of eigenlijk verweet ik het mezelf – waarom ik mijn rechtenstudie niet had afgemaakt. En bij gelegenheden als deze klonken mijn verwijten me behoorlijk overtuigend in de oren. Als ik mijn studie had afgemaakt – zei ik tegen mezelf – had ik met mijn achtentwintig jaar en tien jaar ervaring op zak al griffier van een rechtbank kunnen zijn, en zou ik niet nog steeds, stilstaand, vastgelopen, met punaises vastgeklonken in die verdomde instructierechtbank, als ondergriffier werken. En daarna had ik officier van justitie kunnen worden, waarom niet? Of advocaat, wat maakt het uit. Was ik het niet zat om een heel leger sukkels door de gerechtelijke gelederen te zien trekken die wel carrière maakten, die promotie maakten, die vlogen, die wél los konden komen van posities als de mijne? Ja, dat was ik. Dat was ik zeker.

'Een promotiecomplex.' Mijn leed zou een wetenschappelijke naam moeten hebben. 'Wordt gezegd van gerechtelijk medewerker die, omdat hij niet gediplomeerd advocaat is, in zijn promotiemogelijkheden beperkt is tot het worden van administratief hoofd van een griffie. Hij oefent een grote macht uit over klerken, kantoorhulpjes en stagiairs, maar zal nooit in zijn verrekte leven van die hiërarchische positie afkomen en bouwt heel nauwgezet een grote lading frustratie op door te moeten toekijken hoe anderen, sommigen meer getalenteerd, maar heel veel anderen ook oneindig veel stommer dan hij, hem als meteoren voorbijschieten richting het tribunale sterrendom.' Mooie definitie, tenminste voor publicaties gespecialiseerd in forensisch materiaal. Misschien zou ze verworpen worden vanwege dat 'verrekte' of dat 'stommer'. Of, waarschijnlijker, omdat degenen die over dat soort publicaties gaan, zelf wel advocaten zijn.

Adalberto Rivadero, het eerste hoofd dat ik als chef had toen ik als stagiair binnenkwam, zei me een waarheid als een koe: 'Kijk, *Chaparrito*: rechtbanken zijn net eilanden; je kunt op Tahiti terechtkomen, maar ook op Singsing.' Het gezicht van die oude meester, die me aankeek vanuit zijn grijze, jarenlange ervaring die ikzelf nu mis, legde me heel duidelijk uit dat hij zich eerder een bewoner van het laatste voelde. 'En nog iets, knul,' voegde hij toe terwijl hij me aankeek met de trieste blik van iemand die weet dat hij de waarheid spreekt, maar die ook weet dat die waarheid nergens toe dient, 'het eiland hangt af van de rechter met wie je van doen krijgt. Als je te maken krijgt met een gave gast, ben je binnen. Als het een klootzak is, wordt het allemaal een stuk lastiger. Maar het ergste zijn de onbenullen, Chaparro. Kijk uit met onbenullen, jongen. Als je met een onbenul te maken krijgt, kun je het wel schudden.'

Die stelregel van Adalberto Rivadero, die een ereplek zou moeten krijgen, in bronzen letters, naast het geblinddoekte standbeeld voor het paleis van justitie, zeurde door in mijn hoofd terwijl ik de trappen afliep in een poging te bedenken welke bus ik het best kon nemen. Want dat 30 mei 1968 verloren was, had ik inmiddels wel begrepen. Ik werkte voor een rechtbank die altijd goed had gefunctioneerd, maar die nu in handen was van een onbenul. Een onbenul van de ergste soort ook nog: een onbenul met de ambitie om zijn ster heel snel te zien rijzen. Want de onbenul die zich op het hoogtepunt van zijn mogelijkheden waant, krijgt de neiging zijn handelingen tot het minimale te beperken. Hij voelt, althans diep vanbinnen, wel aan dat hij een onbenul is. En als hij zichzelf aan de top beschouwt, voelt hij voldoening. En daarom is hij bang. Bang dat de anderen zo doorhebben dat hij een onbenul is. Bang om de boel te verprutsen, waardoor de anderen, als ze het niet al wisten, zien wat een onbenul hij is. Dus neemt hij zijn toevlucht tot kalmte. Hij beperkt zijn bewegingen tot het uiterste en laat het leven aan zich voorbijgaan. En daardoor kunnen zijn medewerkers rustig werken, doen waar ze goed in zijn, en zelfs hun kennis combineren met de passiviteit van hun leidinggevende en hem daardoor intelligent doen overkomen, of in elk geval een beetje minder onbenullig.

Maar de onbenul die wil stijgen op de maatschappelijke ladder, stuit op twee problemen: om te beginnen voelt hij zich bruisen van energie, van enthousiasme, overlopend van initiatieven. Energie, enthousiasme en initiatieven die als aan een bron aan hem ontspruiten en die hij openlijk wenst te tonen aan zijn meerderen, opdat zij eindelijk zullen zien dat ze een ruwe diamant in handen hebben die ze eigenlijk laten verpieteren in een lagere functie dan zijn morele en intellectuele verdiensten zouden rechtvaardigen. En daar komt het andere probleem om de hoek: die specifieke categorie onbenul maakt niet alleen overmoedig, maar ook nog eens gewetenloos. Want als de onbenul de droom koestert om promotie te maken, dan is dat omdat hij denkt dat hij dat verdient, en hij kan zich zelfs onrechtvaardig behandeld voelen door het leven en door zijn medemens wanneer die aspiratie die hijzelf zo vreselijk terecht vindt, hem wordt ontzegd. Zijn gewetenloosheid en zijn gedrevenheid maken de onbenul dan gevaarlijk. Hij wordt een bedreiging, niet zozeer voor zichzelf als wel voor anderen. En die anderen zijn, om precies te zijn, de mensen die onder hem werken. Een van hen, om maar iets te noemen, moet dan bijvoorbeeld de warme gastvrijheid van de griffie verlaten om naar een plaats delict te gaan. En om die reden daalt hij de trappen van de ingang aan de Calle Talcahuano af met een heel spectrum aan verwensingen brandend op zijn lippen.

Diegene was ik, de gedupeerde die in de krochten van zijn ziel vermoedt dat de enige onbenul uit de geschiedenis niet de rechter is die zich als het slimste jongetje van de klas staat uit te sloven voor zijn meerderen van de Kamer van Beroep, maar die onbenul die uit lafheid, uit laksheid, uit gebrek aan toewijding zijn rechtenstudie niet afmaakte en als gevolg daarvan nooit van zijn leven verder komt dan een baan als ondergriffier, als een trein die op het eindstation is aangekomen en voor zich die enorme stootblokken van hout en ijzer ziet, een onmiskenbaar teken van 'Hier houdt het op, kerel. Doodlopende weg, eindstation, dit was het'. En vanaf dat punt zal hij eindeloze rijen griffiers aan zich voorbij zien trekken, die hem orders geven die hij wel moet opvolgen, want ze zijn zijn meerderen, ze zijn raadsmannen, en eindeloze rijen rechters die hun griffiers orders geven, die deze weer doorgeven, zoals deze order die ik nu aan het opvolgen was. De order die zei dat in elk geval van moord dat zich voordeed terwijl we dienst hadden, de eerste ambtenaar van de griffie die aan de beurt is, zich naar het plaats delict moest begeven om toe te zien op de uitvoering van de taken van de politie.

Slechts één keer, de eerste keer, had ik, zonder arrogant over te willen komen, durven vragen aan mijn sublieme rechter wat het nut was van zoveel vlijt, aangezien de federale politie de instantie was die was belast met het aansturen van de eerste fase van het gerechtelijk vooronderzoek. Zijne Excellentie had me geantwoord dat dat er niet toe deed en dat hij wilde dat het gebeurde. Dat was het hele antwoord, en ik voelde me, in de stilte die erop volgde, een schooier die zijn mond moest houden over iets wat algemeen bekend is, namelijk dat je nieuwe rechter een idioot is maar dat de griffiers hun mond niet gaan opentrekken. Dat de griffier van nr. 18 niet van plan is zich te verzetten omdat hij reeds ruimschoots heeft gemerkt dat zijn nieuwe baas een rasonbenul is en dat hij als gevolg daarvan alle mogelijke invloeden in zal zetten om het anker te lichten en koers te zetten naar een ander eiland waarover betere winden waaien. En dat Julio Carlos Pérez, die van nr. 19, dat wil zeggen die van jou, jouw directe leidinggevende, moeilijk kan zien dat de rechter een onbenul is omdat hij er zelf ook een is, eentje van een nog ergere soort, en dat je het dus wel kunt vergeten. Wat kun je dan nog? Niets. Je kunt helemaal niets. Goed, misschien kun je een novene richten tot de heilige

Calixto, opdat het de grootste onbenul lukt snel zijn droom uit te zien komen en te promoveren tot kamerlid. Misschien dat hij dan kalmeert, misschien dat hij zich dan geslaagd voelt en overgaat naar die andere categorie van onbenullen, die van de geslaagde, binnengelopen, vreedzame en beschouwende onbenullen die enkele van de befaamdste kantoren van justitie bevolken.

Maar dat was niet gebeurd, en dus was ik daar. Ik, die aan een kioskhouder vroeg welke bus ik het best kon nemen naar Niceto Vega en Bonpland. Die al bij voorbaat misselijk werd bij de gedachte aan wat ik zo te zien zou krijgen. Die probeerde mezelf moed in te spreken, al was het alleen maar uit schaamte. Die vond dat ik niet mocht bezwijken voor al die smerissen die zich zouden samendringen in dat huis, al vond ik het nog zo verschrikkelijk om een lijk te zien, een vers lijk, een nieuw lijk, een lijk dat niet was voortgekomen uit de natuurlijke wetten van leven en dood maar uit de radicale en wilde beslissing van een moordenaar die daar ergens los rondliep, terwijl ik mijn kaartje uit de automaat haalde, het bewaarde om het bij terugkomst als gemaakte onkosten op te geven, achter in de bus ging zitten, want het duurde wel even voor ik in Palermo was, en binnensmonds bleef vloeken omdat ik niet dat beetje discipline, dat minuscule doorzettingsvermogen, die minimale wilskracht had gehad die ik nodig had om advocaat te worden.

5

Vanaf het moment dat ik de hoek omsloeg, begon mijn maag al op te spelen vanwege het steriele circus dat de politie bij dit soort gevallen ontvouwt. Drie surveillanten, de ambulance, een dozijn agenten, die kwamen en gingen zonder iets te doen te hebben maar die beslist niet van plan waren zich terug te trekken. Omdat ik hun de lol niet gunde om mijn slappe knieën op te merken, liep ik hen met rasse schreden tegemoet terwijl ik aan de achterzak van mijn broek voelde. Zodra de eerste van die club halve zolen naar me toe kwam, hield ik hem mijn insigne onder de neus en zonder me te verwaardigen hem aan te kijken zei ik dat ik ondergriffier Chaparro van instructierechtbank nr. 41 was en dat ik wenste dat hij me naar degene bracht die de leiding over de zaak had. De man in uniform handelde volgens de ijzeren logica waarmee hij pijnloos het politiële traject kon doorlopen: alles wat een streep meer op zijn mouw heeft dan hij moet gehoorzaamd worden; alles wat een streep minder heeft, moet als vuil behandeld worden. Mijn dwingende toon plaatste mij – ook zonder strepen – in de eerste categorie, zodat hij me na onhandig te hebben gesalueerd vroeg hem 'naar binnen' te volgen.

Het was een oud gebouw, dat was verdeeld in verschillende appartementen, waartoe een lelijke maar nette gang, waarin om de zoveel meter een vergeefse poging was gedaan om hem wat op te fleuren met een pot geraniums, toegang bood. Twee of drie keer moesten we ons tegen de wand drukken om niet tegen agenten op te botsen die uit het voorlaatste appartement kwamen. Ik rekende snel uit dat er in totaal wel meer dan twintig agenten aanwezig waren, en het morbide genot dat veel mensen ervaren bij het aanschouwen van een tragedie begon me weer enorm tegen te staan. Net als bij treinongelukken, waar ik of ik wilde of niet aan had moeten wennen toen ik elke dag met de Sarmiento reisde. Ik heb nooit een bal begrepen van die mensen die op een kluitje rondom zo'n stilstaande trein gaan staan om tussen de wielen en de rails te gluren naar het verminkte lichaam van het slachtoffer en het bloederige werk van de brandweermannen. Op een gegeven moment vermoedde ik dat wat me in werkelijkheid dwarszat, mijn eigen slapheid was. En dus dwong ik mezelf om naderbij te komen. Maar wat er gebeurde, was dat ik definitief gruwde, niet eens zozeer van het wrede beeld van de dood, maar eerder van de uitbundige, verrukte uitdrukking op het gezicht van sommigen van die pottenkijkers. Alsof het een gratis voorstelling voor hun vermaak was, of alsof ze zelfs de kleinste details moesten zien op te pikken om het verhaal later aan hun collega's te kunnen vertellen, stonden ze daar in vervoering, zonder met hun ogen te knipperen, en met de mond in een flauwe glimlach gefascineerd toe te kijken. Goed, ik was ervan overtuigd dat ik wanneer ik over de drempel van het appartement zou stappen meer dan een van dat soort blikken zou aantreffen onder die blauwe petten.

Ik kwam binnen in een nette woonkamer vol snuisterijen op het wandmeubel en aan de wanden. De eethoek, die bestond uit zes stoelen en een tafel en zo goed en zo kwaad als het ging tussen de wanden gedrukt stond, was heel anders dan de kleine fauteuils in de zithoek, en leek qua stijl totaal niet op de snuisterijen. Pasgetrouwd, gokte ik. Ik liep een paar meter verder in de richting van de deur naar de rest van het huis, maar stuitte daar op een blauwe muur van uniformen die in een kring stonden opgesteld. Je hoefde niet al te slim te zijn om te weten dat daar het lijk lag. Sommigen zwegen, anderen gaven luidkeels commentaar om te tonen dat ze als echte kerels tegenover de dood stonden, maar allemaal hadden ze de ogen op de grond gericht.

'Wie heeft hier de leiding.' Ik vroeg het niet, ik zei het, zoekend naar het juiste register, enigszins streng, een beetje vermoeid, dat deze troep nietsnutten eraan zou herinneren dat ze me een respectvolle houding verschuldigd waren omdat ik een hogere instantie vertegenwoordigde. Ik wilde op deze groep met net zoveel gezag overkomen als op die klerenkast die ik op de stoep tegen het lijf was gelopen. Ze draaiden zich om en keken naar me. Vanuit bijna achter in de kamer antwoordde de stem van inspecteur Báez. Hij zat op het echtelijk bed, zoals ik kon zien toen enkele agenten een stap opzij deden om mij door te laten.

Desondanks lukte het me niet om bij hem te komen, omdat het bed bijna de hele ruimte in beslag nam, en naast het bed lag het lichaam. Toen ze de kring openden, veronderstelde ik dat als ik niet voor watje wilde doorgaan, ik even zou moeten stilstaan om naar de levenloze vrouw te kijken.

Ik wist dat het een vrouw was, omdat de politieagent die om vijf over acht naar de rechtbank had gebeld me had verteld, in dat vreemde jargon dat politiemensen schijnbaar met een bepaalde genoegdoening gebruiken, dat het om een 'jonge vrouwelijke NN' ging. Die vermeende neutraliteit van het taalgebruik, die aanname dat er in forensische termen gesproken werd, vond ik soms wel grappig, maar vaker heel irritant. Waarom zeiden ze niet meteen dat het slachtoffer een jonge vrouw was wier naam nog niet bekend was en die nauwelijks ouder dan twintig jaar leek te zijn?

Ik vermoedde dat ze heel knap was geweest, want behalve de lelijke paarsige kleur die haar huid had aangenomen toen ze werd gewurgd, en de te verwachten vervorming van het door doodsangst en zuurstofgebrek verstijfde gelaat, bezat dit meisje een gratie die zelfs een afschuwelijke dood niet had kunnen uitwissen. Ik had de beschamende zekerheid dat het groeiende aantal politieagenten dat er rondhing precies daarmee te maken had, met het feit dat ze beeldschoon was, en dat ze naakt was, op een vreselijke manier op haar rug op de grond naast het bed op het lichte parket van de slaapkamer gesmeten, en met het feit dat verscheidenen van de mannen die er waren het heerlijk vonden om straffeloos naar haar te kunnen kijken.

Báez was opgestaan en kwam langs het tweepersoonsbed naar me toe lopen. Hij stak zonder te glimlachen zijn hand naar me uit. Ik kende hem goed genoeg om te weten dat hij van zijn werk hield, maar dat hij niet bepaald genoot van de pijn en het verdriet waaruit dat vaak voortkwam. Dat hij die pottenkijkers in blauw er nog niet uit gegooid had, kwam simpelweg doordat hij nauwelijks acht op hen had geslagen, of doordat hij wist dat ze nu eenmaal bij de politiefolklore hoorden, of een beetje om beide redenen. Ik vroeg hem of de lijkschouwer al was geweest. De tijd zou uitwijzen dat ik nooit in mijn leven een politieman zou leren kennen die ook maar half zo oprecht en capabel was als Alfredo Báez, maar die ochtend wist ik dat nog niet, zoals ik zoveel dingen toen nog niet wist, en dus nam ik de vrijheid om me op te winden over zijn, in mijn ogen, onzorgvuldige omgang met de sporen op het plaats delict. Als ik hem wat beter had gekend, zou ik begrepen hebben dat wat bij Báez laksheid leek, in werkelijkheid de berustende integriteit was van iemand die probeert tegen de stroom in te zwemmen van een horde naïevelingen op eeuwige heenreis. Báez draaide enkele vellen papier in zijn map om en informeerde me over zijn bevindingen tot dan toe.

'Ze heet Liliana Colotto. Drieëntwintig jaar. Onderwijzeres. Sinds begin vorig jaar getrouwd met Ricardo Agustín Morales, kassier bij de Banco Provincia. De buurvrouw van hierachter zei dat ze om kwart voor acht geschreeuw hoorde. Ze keek door de deurspion. Haar deur, de laatste, is niet naast maar schuin tegenover die van hier en biedt zicht op de hele gang. Ze zag een jonge vent naar buiten komen, een opdondertje. Ze meende met donker haar, of donker kastanjebruin. Daar zat ze een beetje over door te zeveren toen ze probeerde donker te onderscheiden van donker kastanjebruin. Je merkt dat ze niet met zoveel mensen praat, die oude dame. Het was haar opgevallen, omdat haar man 's ochtends altijd heel vroeg vertrekt. Tien over, kwart over zeven. En dat lawaai hoorde ze daarna. De man die naar buiten kwam, deed de deur van het appartement niet achter zich dicht. Daarom wachtte ze heel even tot hij de deur naar de straat sloot en toen ging ze de gang op. Ze riep het meisje, maar kreeg geen antwoord.' Báez draaide het laatste velletje om. 'Dat was het. Nou ja, laten we aannemen dat ze naar binnen is gegaan en vanaf de deur het meisje doodstil zag liggen op de plek waar u haar nu kunt zien, en ons gebeld heeft.'

'Die man die naar buiten liep, zou dat de echtgenoot kunnen zijn?'

'Volgens de buurvrouw niet, nee. Ik heb het haar heel specifiek gevraagd en ze zei van niet. Ze zei dat de echtgenoot blond en lang is, en deze man was klein van stuk en had heel donker haar. Bovendien was ze meteen beginnen te roddelen over het meisje, dat haar echtgenoot de deur nog geen twintig minuten uit was of ze ontving al herenbezoek. Ik heb hem trouwens nog niet op de hoogte gebracht. Als u wilt, gaan we samen. Hij werkt in het filiaal… hier heb ik het… hier in Capital.'

Ze hoorden voetstappen bij de voordeur en enkele gemompelde groeten.

'Ah, daar ben je,' zei Baéz tegen een gezette man met een koffertje in de hand. 'Kom maar verder, wij hebben hier geen flikker meer te doen.'

Het leek erop dat de man niet ging reageren, want hij nam de tijd. Hij bekeek het lichaam uitvoerig. Hij hurkte. Ging weer staan. Hij zette het koffertje op het bed en haalde er wat instrumenten en een paar latex handschoenen uit.

'Waarom donder je dan niet op, Báez?' antwoordde hij tot slot, echter zonder al te veel nadruk.

'Omdat ik hier als een domme sukkel op jou zit te wachten, Falcone.'

De lijkschouwer vond het blijkbaar niet nodig om het gesprek voort te zetten. Hij ging aan het werk en bekeek het lichaam van de vrouw. Hij spreidde haar benen licht, heel voorzichtig, alsof ze er nog iets van zou kunnen merken. Hij tastte op het bed en trok het koffertje naar zich toe. Hij haalde er een soort injectienaald en een reageerbuis uit. Ik wendde mijn blik af om niet al te geschokt te raken. Op de ladekast stond een vaas met kunstbloemen en een foto van een ouder echtpaar. Zijn of haar ouders? Boven het bed hing een kruis. Op beide nachtkastjes een lijstje in de vorm van een hart met daarin een foto van het bruidspaar met gespannen, ingehouden gezichten.

Ik stelde me hen voor op de huwelijksdag, in de fotostudio. Je kon duidelijk zien dat ze het niet breed hadden, maar zij had er vast op gestaan dat ze zich aan dat soort rituelen zouden houden. Ik voelde me een schaamteloze indringer die de ornamenten en het verleden van die vrouw zat uit te pluizen, bijna alsof ik naar haarzelf stond te kijken, naakt en koud op de vloer van haar slaapkamer. Falcone stond uiteindelijk puffend en steunend op.

'En?' vroeg Báez.

'Ze is verkracht en gewurgd. Ik zal het nog schriftelijk bevestigen, maar het staat vast.'

Falcone had geantwoord terwijl hij de tweedehands kledingkast opendeed. Hij haalde er een dunne deken uit, die het pasgetrouwde stel vast in de zomer zou gebruiken en die daarom nu netjes opgevouwen in de kast lag. Hij spreidde hem met snelle, zekere bewegingen uit over het lichaam van het meisje. Ik nam aan dat de arts wel alleen zou wonen, of dat hij van zijn vrouw het bed op moest maken. In elk geval was ik hem erkentelijk voor dit blijk van respect.

'De mannen van het sporenonderzoek zijn onderweg. Zou er nog wat over zijn, of heeft die rukker die ik bij de deur tegenkwam inmiddels alles al aangeraakt?'

'Hou op, Falcone, zo achterlijk ben ik nu ook weer niet.' Báez schoot in de verdediging, maar dat leek hij meer uit verveling dan uit ergernis te doen. 'Ik ga de echtgenoot op zijn werk bezoeken.' Hij wendde zich tot mij. 'Gaat u mee?'

'Ja, ik ga mee,' accepteerde ik zijn uitnodiging, en ik probeerde mijn stem niet zo wanhopig te laten klinken dat duidelijk werd dat ik alles aangreep om hier zo snel mogelijk vandaan te komen.

De deur werd door drie of vier agenten geblokkeerd, die hardop aan het kletsen waren.

'Oké, mannen!' bulderde Báez, die zoals alle politiechefs elke kans greep om tegen zijn ondergeschikten te schreeuwen, alsof dat een buitengewoon effectieve en makkelijke manier was om hen eraan te herinneren vooral wel nederig en onderdanig te blijven. 'Wegwezen hier, ga wat nuttigs doen, verdomme! Als ik iemand zie lanterfanten, kan hij het hele weekend wachtlopen!'

De mannen gingen gehoorzaam uit elkaar.

6

Toen we de bank binnenliepen, bekroop me een vreemd gevoel. Het was een grote vierkante ruimte met brede, koude marmerpanelen aan de muren. Vanuit het hoge plafond liepen op regelmatige afstanden van elkaar dunne zwarte buizen omlaag met daaraan stokoude tulpvormige lampen die het vertrek slecht verlichtten. Een doorlopende rij hoge balies van grijs formica met daarboven glazen panelen scheidde het deel van de employés van de openbare ruimte. Een bode maakte verveeld het glas schoon ter hoogte van het ronde gat waardoor de klanten konden spreken. Ik haatte dit soort enorme zalen en ik bedacht hoe vreselijk het moest zijn om elke dag op een plek als deze te moeten werken. Het was zelfs bijna een troost voor me om het beeld van de griffie van de rechtbank op te roepen, met haar van vloer tot plafond volgepakte planken met dossiers, haar smalle gangen, haar vage geuren van oud hout.

Maar het rare gevoel dat ik had, kwam ergens anders door. Ik was nog niet achter Báez aan de deur door gelopen of ik zag met een snelle blik door de ruimte het twintigtal medewerkers, die op dit tijdstip weliswaar nog niet bezig waren met het helpen van klanten, maar al wel in zichzelf gekeerd over hun bureaus gebogen zaten. Het was alsof het afschuwelijke nieuws dat we brachten nog geen definitieve bestemming had. Althans niet zolang de beveiligingsmedewerker die de deur voor ons had opengedaan, ons niet voorging naar het achterste deel, de klep van een van de balies omhoog deed, langs het bankpersoneel liep en ons naar de aangegeven man leidde. Ik vroeg me af wie Morales zou zijn terwijl ik mijn blik over de hoofden liet glijden. Ik probeerde me de trouwfoto op het nachtkastje te herinneren, maar het lukte niet, misschien door de haast of het onbestemde gevoel waarmee ik ernaar had gekeken.

Ik had het gevoel dat de tragedie nog boven deze twintig hoofden cirkelde en nog niet besloten had op wie ze zou landen. Dat was natuurlijk van den zotte, want er was er maar een die Ricardo Agustín Morales kon zijn. De rest kon het niet zijn. De rest was veiliggesteld van het drama waarvan we hem op de hoogte kwamen stellen. Maar zolang de beveiliger niet stilstond bij een van de mannen die daar werkten, leken ze allemaal (in elk geval de jongeren) mobiele doelwitten, slachtoffers van de vreselijke willekeur waarmee ze (tegen alle waarschijnlijkheid in, over de grenzen van alle voorspellingen heen, alle zekerheden overstijgend waarmee wij mensen de huiveringwekkende beklemming met ons meedragen van de wetenschap dat alles waar we van houden van het ene op het andere moment kan ophouden te bestaan) nieuws konden krijgen dat hun leven volledig zou ontwrichten.

De beveiliger liep tussen verschillende bureaus door en boog zich voorover naar een jonge vent die cheques aan het optellen was met een grote rekenmachine. Ik stond al op het punt van een afstandje medelijden met hem te krijgen toen – alsof de gebeurtenissen zich plotseling aanpasten aan mijn theorie dat het drama nog aan het wikken en wegen was alvorens te landen op de schouders van zijn bestemming – de jongeman met zijn hand in de richting van een deur achter in de enorme ruimte wees. Het was of het gebaar van die uitgestrekte arm de cheques tellende jongeman had gered van het naderende onheil van het op afschuwelijke wijze hebben verloren van zijn vrouw.

Báez en ik volgden het gebaar van de arm en bijna als in een geplande theatrale actie ging de deur achterin open en zagen we een lange jongeman, het haar met brillantine heel glad naar achteren gekamd, een serieus snorretje, een blauw jasje en een stropdas met een smalle knoop, in zijn laatste momenten van onschuld naar het bureau lopen waarvandaan de beveiliger en de employé van de cheques hem nieuwsgierig in zich opnamen.

De politieman gaf hem een teken dat we hem zochten. Nu,

dacht ik. Precies op dit moment is deze jongeman een doodlopende tunnel in gelopen waar hij waarschijnlijk de rest van zijn leven niet meer uit komt. Hij hief zijn blik naar ons op. Hij keek ons eerst verrast aan, maar zijn blik werd al meteen achterdochtig. De beveiliger zou ons allebei wel als politieman aangekondigd hebben. Altijd hetzelfde liedje. Zelfs het simpelste plaatje weten ze nog te vereenvoudigen. Een politieman is voor iedereen een bekend begrip. Een ondergriffier van een instructierechtbank is een stuk meer exotisch. En dus stonden we daar, de messen geslepen om ze langzaam in de hals van de jongeman te laten glijden, die ons nog steeds aankeek alsof hij niet kon besluiten of hij zich zorgen moest maken of niet.

Ik liep naar de openklapbare balie waarlangs de jongeman haastig op ons afliep. Ik had besloten me met mijn naam voor te stellen maar Báez het woord te laten voeren. Er zou nog tijd genoeg zijn om hem uit te leggen wie er van de politie en wie er van justitie was. Bovendien leek Báez meer ervaring te hebben met slechtnieuwsgesprekken. En ik had per slot van rekening eigenlijk geen enkele reden om daar te zijn, verdorie, en om getuige te zijn van het verwoesten van het leven van een jonge bankemployé. Dat ik er was, was volledig en alleen te danken aan die klootzak van een Fortuna Lacalle en zijn dringende ambitie om zo snel mogelijk op te klimmen tot appelrechter.

7

Terwijl Báez en ik met de kersverse weduwnaar in het piepkleine keukentje van de bank plaatsnamen, bedacht ik dat het leven maar raar was. Ik voelde me triest, maar wat was het eigenlijk precies waardoor ik me zo voelde? Het konden toch moeilijk de verwarring, het lijkbleke gezicht, de wijd open ogen en de stuurloosheid van die jongeman zijn tegen wie Báez net had gezegd dat we waren gekomen om hem te vertellen dat zijn vrouw in hun eigen huis vermoord was. Het kon ook het verdriet van die knaap niet zijn. Verdriet kun je niet zien. Dat kun je niet zien om de doodeenvoudige reden dat verdriet niet zichtbaar is, nooit. Op zijn best kun je enkele van de uiterlijke tekenen van verdriet zien. Maar die heb ik altijd eerder als maskers dan als symptomen gezien. Hoe kan een mens de gruwelijke pijn van zijn ziel uiten? Door tranen met tuiten te huilen en te krijsen en te schreeuwen? Door onsamenhangende woorden te stotteren? Door te zuchten? Door slechts een traantje weg te pinken? Voor mijn gevoel waren al die mogelijke uitingen van verdriet alleen maar in staat om dat verdriet te beledigen, te verachten, te onteren en het tot goedkoop sentiment te degraderen.

Terwijl ik naar het verlamde gelaat van de jongeman keek en luisterde naar wat Báez te vertellen had over identificeren in het mortuarium, meende ik te begrijpen dat wat ons soms aangrijpt in andermans verdriet de panische angst is dat dat verdriet ons ook ten deel valt. In 1968 was ik drie jaar getrouwd en ik dacht, of ik wilde graag denken, of ik wenste met heel mijn hart dat ik dacht, of ik probeerde wanhopig te denken dat ik verliefd was op mijn vrouw. En toen ik dat gebroken lijf aanschouwde op dat aftandse bankje, die kleine ogen gericht op de blauwe vlam van het fornuis, die stropdas met die strakke knoop die als een schietlood tussen zijn gespreide benen viel, die verkrampte handen tegen zijn slapen, probeerde ik me in die verminkte man te verplaatsen die zijn leven was kwijtgeraakt, en dat bezorgde me een ontstellend gevoel.

Morales tuurde wezenloos in het vuur dat hijzelf vijf minuten geleden had aangestoken met het idee om maté te maken, voordat wij op wrede wijze zijn bestaan binnendrongen. En ik dacht te begrijpen wat die jongen allemaal door het hoofd schoot terwijl hij op de automatische piloot en met eenlettergrepige woorden de vragen beantwoordde die Báez hem systematisch stelde. Hij kon niet zeggen hoe laat hij die ochtend van huis was gegaan, hoeveel mensen precies over een sleutel van zijn huis konden beschikken, of hij een verdachte persoon had zien rondhangen bij zijn huis. Het leek me waarschijnlijker dat hij midden in zo'n enorme catastrofe aan het inventariseren was wat hij die ochtend allemaal kwijt was geraakt.

Zijn vrouw zou vanmiddag, en geen enkele middag, niet meer met hem meegaan om de boodschappen te doen, zou hem nooit meer haar ivoren lichaam aanbieden, zou niet zwanger worden van hun kinderen, zou niet naast hem oud worden, zou niet met hem over het strand van Punta Mogotes lopen, zou niet tot tranen toe lachen om een extra grappige aflevering van *Los Tres Chiflados* op Canal 13. Ik kende die details niet (die Morales me in de loop der tijd beetje bij beetje zou vertellen), maar wat ik wel in het gebroken gezicht van die jongen kon zien, was hoe zijn toekomst in duizend stukjes uiteengespat was.

Toen Báez vroeg of hij wist of hij een vijand had, kon ik bijna niet anders dan diep vanbinnen een sarcastisch lachje op voelen borrelen. Dat zou dan iemand moeten zijn die hij per ongeluk te weinig geld had teruggeven of bij wie hij vergeten was een stempel van 'betaald' op de bon te zetten... Wie kon er nu iets tegen deze knul hebben die nadat hij zonder al te veel nadruk zijn hoofd geschud had zijn onbewogen blik weer weg liet zinken in de vlam van het fornuis?

Minuten verstreken en de vragen van Báez richtten zich nu op details die op Morales en op mij als totaal onbelangrijk overkwamen. Ik zag hoe de uitdrukking op het gezicht van de jongen leeg werd, hoe zijn trekken langzaam in een neutrale uitdrukking gleden en hoe de tranen en het zweet die in het begin op zijn huid waren verschenen, definitief opdroogden. Alsof Morales, toen hij eenmaal verkild was en geen emoties en gevoelens meer leek te ervaren, toen de stofwolk van zijn tot puin geslagen leven eenmaal was gaan liggen, vooruit in de tijd kon kijken en kon zien hoe zijn toekomst eruit zou zien, en overduidelijk, zonder enige twijfel, vast kon stellen dat zijn toekomst inderdaad leeg was... bestond uit niets.

8

'Het is opgelost, Benjamín, zaak gesloten.'

Pedro Romano gooide die zin eruit met een triomfantelijk gezicht, zijn ellebogen op mijn bureau, terwijl hij me een papier onder de neus schoof met daarop twee handgeschreven namen. Hij had net de telefoon opgehangen. Ik had hem een lang gesprek zien voeren waarbij hij wild gebrul (opdat niemand eraan zou twijfelen dat hij iets heel belangrijks in handen had) had afgewisseld met lange uiteenzettingen in een samenzweerderig gefluister. Aanvankelijk had ik me naïef afgevraagd waarom hij in vredesnaam in mijn griffie kwam bellen in plaats van in zijn eigen te blijven. Maar toen ik zag dat rechter Fortuna in het kantoor van griffier Pérez was, snapte ik dat Romano probeerde op te vallen. Omdat ik mezelf zag als een invoelend type en uiteraard absoluut niet op de hoogte was van alle gevolgen die de feiten van deze dagen voor de komende jaren zouden hebben, vond ik het eerder komisch dan irritant hoe Romano zich uitsloofde om onze meerderen te imponeren. Niet zozeer vanwege zijn poging om te schitteren, maar vanwege het morele en intellectuele niveau van de man bij wie Romano probeerde op te vallen. De ideale medewerker uithangen voor de rechter vond ik al redelijk zielig, maar dat doen zonder in de gaten te hebben dat de rechter in kwestie een idioot van jewelste was die die hele uitsloverij niet eens zou merken, vond ik werkelijk onbegrijpelijk. Maar meer nog verbaasde het me hogelijk dat Pedro Romano, nadat hij zijn telefoongesprek had beëindigd, tegen me zei dat de zaak was opgelost terwijl hij me een papier toeschoof met daarop de twee namen en me aankeek met een blik van 'kijk eens, ik heb je een gunst verleend, al had ik dat niet hoeven doen, want het is een zaak van jouw griffie'.

'Bouwvakkers. Aan het werk in appartement nummer drie. Vloeren aan het vervangen.'

Blijkbaar vond Romano dat zijn met theatrale stiltes doorspekte telegramstijl zijn nieuws extra drama gaf. Ik vroeg me af hoe zo'n beperkte figuur het tot ondergriffier had weten te schoppen. En antwoordde mezelf dat goed trouwen wonderen kan verrichten. Zijn vrouw was niet bepaald mooi, noch bepaald sympathiek, noch bepaald intelligent. Maar ze was bepaald wel de dochter van een kolonel van de infanterie, en dat was in het Argentinië van president Onganía een meer dan buitengewone verdienste. Ik dacht terug aan de huwelijksceremonie, waarbij het wemelde van de groene baretten, en mijn ergernis al maar groeide.

'Ze zagen haar langslopen. Ze beviel hun wel. En toen vatten ze het idee op.' Romano was van de identificatie van de onbetwistbare daders overgegaan op een reconstructie van de misdaad. 'Dinsdagochtend vroeg zagen ze de echtgenoot het huis verlaten. Ze vatten moed. Ze gingen op pad.'

Als hij zo door bleef praten in telegramstijl zou ik tegen hem zeggen dat hij naar de hel kon lopen. Ik verheugde me al ten onrechte op dat moment toen hij niet langer voorovergebogen met zijn handen op mijn bureau leunend bleef zitten. Hij kwam echter niet overeind om te vertrekken, maar om zich in de dichtstbijzijnde stoel te laten zakken. Met een paar flinke zwiepen van zijn heupen rolde hij de stoel dichterbij en kwam weer uit met zijn ogen vlak bij de mijne.

'Ze sloegen volledig door en lieten uiteindelijk niets van haar over.'

Toen hield hij zijn mond. Wellicht wachtte hij op een staande ovatie of op het geflits van verslaggevers van de krant.

'En hoe weet jij dit?' vroeg ik, om onmiddellijk daarna het antwoord te geven waarvan ik vermoedde dat hij het zou geven: 'Sicora?'

'Precies.' In de stem van Romano klonk voor het eerst een zweempje van twijfel door. 'Hoezo?'

Zou ik hem nog een beetje sarren of zou ik het zo laten? Ik koos voor de vreedzame variant. Hulpofficier Sicora van Moordzaken was een specialist in het drukken van zijn snor. Hij had er een grondige hekel aan contact met mensen op te nemen, verfoeide het werk op straat en verafschuwde het werk van een onderzoeker. De enige overeenkomst tussen hem en Báez was mijns inziens dus het wit in hun ogen. Sicora formuleerde zijn hypotheses vanuit zijn eigen woonkamer en wees de eerste de beste klaploper die hij in het vizier kreeg als moordenaar aan. Waar ik me het meest over opwond, was niet die Sicora, maar dat die slappeling van een Romano niet beter oplette. Dat Sicora een pummel en een slampamper was, wisten zelfs de nonnen in het klooster. Hoe kon deze kerel dat dan niet inzien, die, al was het maar van horen zeggen, verplicht was te weten hoe een strafrechtelijk onderzoek behoorde te verlopen?

Desondanks wilde ik me niet opwinden. Per slot van rekening was Romano een collega en ik had genoeg ervaring bij justitie om te weten dat verbale wonden maar moeilijk genezen.

En dus gaf ik mijn vragen een kleine wending.

'Maar los daarvan… was Báez niet degene die het onderzoek leidde?'

Mijn fijngevoeligheid werd niet gewaardeerd. Romano antwoordde met koele ironie.

'Báez is nu ook niet bepaald Spencer Tracy. En het wordt allemaal ook wel een beetje veel voor hem, vind je niet?'

Hij zat me enorm te provoceren en mijn laatste restje geduld glipte me door de vingers.

'Nee, dat vind ik niet. En al helemaal niet als het alternatief is dat de zaak in handen is van zo'n slapjanus en klootzak als Sicora.'

De belediging die ik hem zojuist toe had geslingerd, was voor Romano geen reden om de handschoen op te nemen. In plaats daarvan vond hij blijkbaar dat hij me verder op de hoogte moest stellen, want hij pakte de vingers van zijn linkerhand en begon op te sommen.

'Het zijn er twee. Bouwvakkers. Ze waren aan het werk in een appartement ertegenover, of bijna. Ze komen niet uit de wijk; niemand kent hen. Vat je hem?'

Romano stopte even, alsof hij er volledig op vertrouwde dat hij me met zijn argumenten inpakte. Tot slot voegde hij toe, hoofdschuddend en met zijn kin vooruit, alsof hij zich opmaakte om het definitieve argument uiteen te zetten: 'En daarbij zijn het van die zwarten met boeventronies, als je begrijpt wat ik bedoel.'

In die tijd kon ik de mensen die ik kende maar moeilijk als klootzakken bestempelen, omdat ze daar nog veel te jong of oner-varen voor waren, of beide. Maar Romano maakte het me steeds lastiger om die mildheid te blijven betrachten. Meer dan eens had ik hem buiten zijn boekje zien gaan met een arrestant die donker was en er arm uitzag. Ook had ik hem enorm zien lopen slijmen bij in het wereldje min of meer bekende advocaten. Wat ik zei, kwam uit de grond van mijn hart.

'Aha. Als je hen wilt vervolgen omdat ze zwart zijn, zeg het me dan.'

Ik wilde eigenlijk toevoegen: 'Geef me dan heel even, dan zoek ik voor je uit welk artikel uit het Wetboek we tegen hen kunnen gebruiken,' maar ik besloot dat die ironie te zeer voor de hand zou liggen en het effect teniet zou doen. Ik zag in elk geval dat Romano een verwoede poging deed om me niet te beledigen, en toen hij weer begon te spreken was er in zijn stem zelfs geen laat-ste spoortje meer te merken van de slappe sympathie waarmee hij was begonnen.

'Ik ga naar het hoofdbureau. Sicora zei dat hij hen klaar had voor het verhoor.'

'Klaar?' Ik barstte bijna van de irritatie. 'Dan hebben ze hen dus zeker al in elkaar getrapt. Ík ga. Vergeet niet dat het mijn zaak is.'

In het algemeen hield ik niet van de gerechtelijke ijver waarmee sommige bekenden bezittelijk voornaamwoorden gebruikten om naar dossiers te verwijzen, maar mijn geduld met deze figuur was helemaal op. Ik had thuis geleerd om mensen niet uit te schelden. Daarom hield ik me in, pakte mijn jasje en groette met een droog 'Tot ziens'. Het enige wat ik me wel permitteerde, was de deur sluiten met aardig wat meer kracht dan nodig was.

9

Ik kwam het politiebureau binnen met de houding van een blaas-kaak die ik me meestal aanmat voor mensen in uniform en die me over het algemeen goede resultaten opleverde. Ik wachtte twee minuten nadat ik mijn komst had aangekondigd, tot Sicora met een tevreden glimlach naar me toe kwam. Zijn vriend Romano had het blijkbaar niet nodig geacht hem in te lichten over mijn woede.

'Ze zijn klaar om een verklaring af te leggen.' Hij wapperde met twee kartonnen mappen waar de nodige stukken uit staken. 'Sebastián Zamora. Paraguayaan, achtendertig jaar. Bouwvakker. Woont in Los Polvorines. De ander is José Carlos Almandós, zes-entwintig jaar. Ook bouwvakker. Deze is in elk geval Argentijn, maar hij woont in Ciudad Oculta.'

Ik probeerde zo neutraal mogelijk te klinken.

'Bent u de mensen langsgelopen?'

Sicora keek me met halfopen mond aan.

'Klopt dit spoor met wat getuigen zeggen? Ik heb het over de getuigenverklaringen van Báez.'

Sicora hield een beginnend gestotter onder controle en ant-woordde: 'Nog niet. Ik heb de rechtbank gebeld en ondergriffier Romano zei dat ik de boel in werking kon gaan zetten, en dat hij ervoor zou zorgen dat de echtgenoot gewaarschuwd werd en dat...'

'Ik heb het niet over de echtgenoot,' onderbrak ik hem, 'maar over de buurvrouw van het laatste appartement, die de moorde-naar naar buiten heeft zien komen en de politie heeft gebeld. Of de bewoners van de andere appartementen, ook die van nummer drie, waar die kerels aan het werk waren.'

Toen ik de verwarde uitdrukking op het gezicht van Sicora zag, begreep ik dat die vent nog achterlijker was dan ik ooit zou kunnen bevatten. Ik ging verder: 'U gaat me toch niet vertellen dat u deze kwestie niet naast het werk van Báez hebt gelegd, hè?' Weer een stilte. 'Haal de papieren van Báez en breng me naar de verdachten.'

Sicora was zelfs te stom om te protesteren of zich te beklagen over een burger die hem orders gaf. Hij ging de verklaringen halen, maar bracht me niet naar de gevangenen. Dat was een slecht teken. Ik installeerde me zo goed en zo kwaad als het ging aan een bureau vol met uitpuilende dozen papieren dat bijna dwars in de gang stond die naar de cellen voerde. Ik was nog maar nauwelijks begonnen met het nakijken van de akten of ik stuitte op een verklaring van een zekere Estela Bermúdez, die ik aandachtig doorlas, uit de map haalde en opzij legde. Ik wierp Sicora een blik toe met ogen die, gok ik, vuur spuwden.

'Hebt u deze verklaring van Estela Bermúdez bekeken?'

Sicora keek een moment weg, alsof hij in zijn geheugen groef, of om tijd te winnen om te overwegen wat hij het best kon antwoorden, keek me toen weer aan en fronste zijn voorhoofd.

'Wie is die Bermúdez?'

Die vraag had ik al verwacht.

'De eigenares van appartement nummer drie, Sicora.'

De politieman wist dat hij goed fout zat.

'Toen Báez een verklaring bij haar afnam,' zei ik, terwijl ik mijn best deed om vriendelijk te klinken, dat leek me de beste manier om hem te vernederen, 'vertelde die vrouw dat ze twee bouwvakkers voor zich aan het werk had, maar dat ze noch maandag noch dinsdag waren gekomen. Maandag niet omdat het de hele dag regende. En dinsdag niet omdat, aangezien ze aan het werk waren op het terras, alles eerst goed moest drogen voor ze met de teerlaag bezig konden. Om die reden hadden ze haar gebeld en ze hadden afgesproken dat ze die donderdag weer zouden komen.'

Ik reikte hem het papier aan waarop hij alles zelf kon lezen, maar Sicora, die zijn laatste restje waardigheid probeerde te redden, ging in de tegenaanval.

'En wat heeft dat ermee te maken? Zou het misschien niet zo kunnen zijn dat ze dat gezegd hebben als dekmantel, toch gegaan zijn, het meisje vermoord hebben en ervandoor zijn gegaan?'

'En vertelt u eens, Sicora, hebt u niet zowel in deze verklaring als in die van andere bewoners gelezen dat de deur van de ingang, die van de straat naar de gang, altijd op slot wordt gedaan en dat de bewoners hun appartement uit moeten om bezoekers binnen te laten en weer uit te laten? Dat staat in alle verklaringen. Ik bedoel, om nog maar te zwijgen van de verklaring van de buurvrouw die de politie belde en die volhoudt dat er sprake was van slechts één dader.'

Ik pakte het stapeltje papieren met alle getuigenissen en schoof ze over het bureau heen naar hem toe, maar Sicora maakte geen aanstalten om ze aan te pakken. Hij bleef me aankijken, steeds verwilderder. De rillingen liepen over mijn rug toen ik inzag waarom. Ik gaf hem een dwingend bevel: 'Breng me naar de gevangenen.'

Sicora stond op alsof hij op een veer had gezeten.

'Die, eh... zijn nu aan het middageten. De rats wordt op dit moment geserveerd.'

Ik drong aan.

'Ik kan niet wachten en ook niet later terugkomen. Ik wil hen zien. En ik wil dat u me heel snel in contact brengt met Báez.'

Sicora aarzelde nog even. Toen riep hij een achternaam en van achter in de gang naar de cellen doemde een agent op.

'Begeleid deze meneer naar de cel van die... van die twee.'

Ik liep door een gang waarop de tralies van vier paar cellen uitkwamen. Voor de laatste aan de linkerkant hielden we stil. Het rook er niet naar eten. De agent deed de deur van slot en die ging piepend open. Het licht was aan. Twee mannen lagen op hun brits langs de lange wanden van de cel. Een van hen lag te slapen en kwam zelfs niet in beweging toen we binnenkwamen. De ander, die op zijn rug lag en met zijn armen zijn ogen bedekte, draaide zich om om ons te zien. Ik groette en hij mompelde iets terug. We keken elkaar kort aan.

'Roep Sicora,' beval ik de agent die bij me was. Hij aarzelde.

'Ik mag u niet alleen laten in de cel.'

Ik had er genoeg van. Ik drong erop aan en deze keer verhief ik mijn stem.

'Roep hem of u krijgt ook een gerechtelijk onderzoek aan uw broek!'

De agent vertrok. Ik besloot te proberen de woede en afschuw niet in mijn stem te laten doorklinken.

'Hoe voelt u zich?'

De man leek te glimlachen onder de korst van opgedroogd bloed onder zijn neus. Hij miste zijn voortanden en ik wist zeker dat dat nog maar sinds kort was. De man probeerde me duidelijk te maken dat de pijn nu wel wat minder werd, maar dat zijn collega heel veel trappen in zijn ribben had gehad en dat hij uiteindelijk had liggen huilen totdat hij, een tijdje terug, in slaap was gevallen.

De agent kwam terug. Hij zei dat Sicora was vertrokken.

'Breng me de commissaris dan.'

'Die is aan het lunchen.'

'Dat zal me een rotzorg zijn!' schreeuwde ik. Ik was enorm verontwaardigd. Normaal gesproken liet ik me niet zo snel verleiden tot dit soort taalgebruik en manieren.

Toen ik drie uur later terugkwam bij de rechtbank ging ik in plaats van naar mijn eigen griffie linea recta naar nr. 18. Ik liep door de smalle gangpaden die de bureaus van elkaar scheidden en tussen de joekels van archiefkasten door zonder ook maar iemand te groeten. Toen ik bij het bureau van Romano aankwam, die quasi nonchalant de krant zat te lezen, was het mijn beurt om hem een papier voor de neus te houden.

'Nu moet je eens even goed naar me luisteren. Ik kom bij de Kamer vandaan en heb aangifte gedaan tegen jou en die ongelooflijke eikel van een vriend van je, Sicora, wegens het onrechtmatig afdwingen van een bekentenis. Op mijn bevel worden jouw twee verdachten momenteel onderzocht door forensisch artsen.'

Ik probeerde mijn zelfbeheersing te bewaren. Romano had de krant laten zakken en probeerde na te denken. Ik ging verder: 'Ik durf mijn ballen erom te verwedden dat het idee om die twee in elkaar te timmeren van jou kwam, en niet van die idioot van een Sicora. Hij heeft het uitgevoerd om de held uit te hangen en een wit voetje te halen bij de rechtbank. Stuk stront. Dus ik raad je twee dingen aan. Ten eerste: als je iemand de tanden uit zijn bek wilt slaan, doe het dan voortaan zelf. En ten tweede: als je iemand af gaat ranselen, zorg er dan voor dat je daar een aanleiding voor hebt, want je hebt nu alleen maar een paar arme arbeiders te grazen genomen.'

Ik draaide me om. Ik liet de kopie van de aangifte achter op het dichtstbijzijnde bureau. De andere medewerkers keken me, uiteraard, met ogen op steeltjes aan.

'Als je hem doorgelezen hebt, stuur hem dan naar mijn griffie.'

Het was misschien beter geweest om mijn mond te houden, maar net zo goed als dat ik niet zomaar op de kast zat, kostte het me ook moeite om weer af te koelen als ik eenmaal over de rooie was.

'Ik vond je altijd al een zak van een vent, Romano. Maar nee, ach ja, een zak van een vent ben je ook. Maar wat je vooral bent, is een ontzettende, maar echt ongelooflijke teringlijer.'

Op dat moment realiseerde ik me nog niet voor welke problemen in mijn eigen lot ik die dag de kiem had gelegd en waar ik vroeg of laat keihard tegenaan zou lopen. Ik neem aan dat niemand in staat is in de waas van het heden de signalen van toekomstige rampen te ontwaren.

10

Diezelfde middag, tijdens het eerste gesprek dat ik met hem alleen had, in een bar aan de Calle Tucumán, nam ik het besluit om Ricardo Morales te helpen met alles wat maar mogelijk was. We zaten aan het schuifraam dat ons scheidde van het trottoir terwijl het buiten aan het opklaren was nadat de regen met bakken uit de hemel was gekomen.

Vanaf het moment dat ik tegen Romano was uitgevallen en ik hijgend was gaan zitten om te kalmeren, besefte ik dat die arme weduwnaar zo naar de rechtbank zou komen in de overtuiging dat hij de waarheid te horen zou krijgen. En twintig minuten later was hij er inderdaad. Ik hoorde de twee bescheiden klopjes op de hoge deur van de griffie en het onpersoonlijke 'Binnen!' van een de kantoorhulpen.

'Er wordt naar u gevraagd, chef,' kwam de jongen die hem te woord had gestaan tegen me zeggen.

Ik keek op en stond een ogenblik stil bij het feit dat die nieuwe stagiair me niet had getutoyeerd. Dat moest dan toch wel betekenen dat ik eindelijk voor vol werd aangezien.

'Ze belden me op de bank,' zei Morales toen hij me aan zag komen bij de balie. Wellicht herkende hij me als een van de mannen die hem het nieuws over de dood van Liliana waren komen brengen.

'Ja, ik weet het.' Iets concreters kreeg ik er niet uit.

Ik nam aan dat hij me ging vragen of 'het klopte dat er belangrijke ontwikkelingen in de zaak waren' of dat 'het waar was dat de moordenaars gepakt waren', afhankelijk van of die idioot van een Romano zich de toon van *La Nación* of die van *Crónica* aangemeten had om zich heel wat te voelen terwijl hij zijn primeur bracht. Maar tot mijn verbazing bleef Morales stijfjes staan met zijn handen op de balie en zijn ogen strak op die van mij gericht.

Dat was erger, want ik voelde dat die stilte die van een hulpe-loze man was die ervan overtuigd was dat werkelijk niets ging zoals hij stiekem had durven dromen. Misschien daardoor besloot ik hem mee te nemen voor een kop koffie. Ik was me ervan bewust dat ik een van de meest elementaire regels van de gerechtelijke integriteit aan mijn laars lapte, maar ik troostte me met de gedachte dat ik dat deed uit compassie of om op een of andere manier die belachelijke vooringenomenheid van Romano goed te maken.

We liepen naar buiten door de uitgang aan de Calle Tucumán en werden overvallen door een enorme plensbui die ons recht in het gezicht sloeg door de harde wind. We staken springend de straat over, die al blank begon te staan. Morales kwam volgzaam achter me aan, dicht langs de etalages, onder de markiezen door in een poging nog een heel klein beetje droog te blijven. Met diezelfde tamheid, of apathie, liet hij zich naar het volgende blok leiden, aan de andere kant van Uruguay, naar een tafeltje aan het raam in een bar, en accepteerde hij de koffie ik met een snel gebaar bestelde. Daarna hadden we niets meer te doen.

'Wat een waardeloos weer, hè?' zei ik, in een poging de onge-makkelijke stilte te doorbreken.

Morales staarde lange tijd naar de ondergelopen stoep.

'We hebben u laten komen,' – ik voelde me verplicht om in de eerste persoon meervoud te spreken, al koppelde dat 'we' me onvermijdelijk aan die klootzak van een Romano – 'maar ik heb u iets te zeggen.'

Ik begon weer te hakkelen. Hoe moest ik beginnen? Misschien met een 'Neemt u ons niet kwalijk, maar we hebben u blij gemaakt met een dode mus'?

'Doe geen moeite.' Morales keek me eindelijk aan. Op zijn gezicht verscheen een nauwelijks waarneembare glimlach. 'U hebt het al gezegd.'

Ik keek hem verward aan.

'Dat "maar",' probeerde Morales uit te leggen. Ik deed mijn mond open om antwoord te geven, al begreep ik niet precies wat de weduwnaar me probeerde te zeggen. Hij zag me worstelen en ging verder: 'Dat "maar". U zegt net: "We hebben u laten komen, maar…" Dat was al voldoende. Ik heb het al begrepen. Als u had gezegd: "We hebben u laten komen en…" of "We hebben u laten komen omdat…" zou dat iets betekend hebben. Maar dat deed u niet. U zei "maar".'

Morales keek weer naar de regen en ik nam onterecht aan dat hij uitgepraat was.

'Dat is het meest verschrikkelijke woord dat ik ken.' Morales stak weer van wal, maar ik had niet de indruk dat dit een gesprek was. Meer een innerlijke monoloog waar voor de afleiding stemgeluid aan toegevoegd was. 'Ik hou van je, maar…; Het kan zijn, maar…; Het geeft niet, maar…; Ik heb het geprobeerd, maar… Ziet u? Het is een klotewoord dat alleen maar dient om dat wat was, of wat had kunnen zijn maar niet is, onderuit te schoffelen.'

Ik keek naar het profiel van die man die naar de vallende regen zat te staren. Ik was ervan uitgegaan dat hij een eenvoudige jongen was met een niet al te brede horizon wiens wereld net was ingestort. Maar zijn woorden, en de toon waarop hij ze uitsprak, waren die van een man die gewend was de weg van de pijn te bewandelen. Hij leek iemand die er altijd al op voorbereid was geweest getroffen te worden door de ergste der tegenslagen.

'Dat maakt het me een klein beetje makkelijker.' Hoewel de hele situatie behoorlijk precair was, vond ik in die wijze melancholie een manier om me te ontdoen van een vreemd soort schuldgevoel dat me in zijn greep hield.

'Kom maar op, ik luister.' Morales draaide zijn stoel mijn kant op, als om zijn aandacht beter op mij te kunnen richten, of alsof hij wilde voorkomen dat de regen hem opnieuw zou hypnotiseren.

Ik vertelde het hem. Nu voelde ik me niet verplicht om in de eerste persoon meervoud te spreken die de verantwoordelijkheden van Romano en Sicora zou verdoezelen. Ze konden naar de hel lopen. Ik eindigde mijn verhaal met dat ik zelfs naar de Kamer was gegaan om aangifte tegen hen beiden te doen en dat ik in afwachting was van het verslag van de forensisch artsen over de klappen die de twee bouwvakkers te verduren hadden gehad.

'Arme kerels,' zei Morales. 'Waar zijn die in terechtgekomen...'

Hij zei het op zo'n neutrale toon, zo emotieloos dat hij de indruk wekte te praten over iets wat heel ver van hem af stond. Ik was bang geweest dat Morales mijn handelingen af zou keuren, dat hij zich als een bezetene op het spoor zou storten dat Romano en die andere eikel met de rook van hun eigen stompzinnigheid hadden uitgezet. Ik begon nu te begrijpen dat die jongen veel te intelligent was om troost te vinden in een of ander verhaal dat volledig bezijden de waarheid was.

'Als ze hem pakken, wat staat hem dan te wachten?' Morales sprak zonder zijn blik van de regen te halen, die was overgegaan in een lichte motregen.

Ik kon niet voorkomen dat me woorden uit het Wetboek voor de geest kwamen over levenslange gevangenisstraf, plus eventueel opsluiting voor onbepaalde tijd voor degene die 'dode om een ander delict voor te bereiden, te faciliteren, te plegen of te verbergen'. Er was waarschijnlijk geen enkele waarheid meer die deze man nog pijn kon doen, simpelweg omdat hij geen enkel ongedeerd stukje in zijn ziel meer overhad waar hij nog te raken was.

'Het is gekwalificeerde moord. Artikel 80, 7e lid, in het Wetboek van Strafrecht. Hij krijgt levenslang.'

'Levenslange gevangenisstraf...' Morales herhaalde het, alsof de essentie dan beter bij hem binnenkwam. Het viel me op dat hij niet, zoals bijna iedereen die niets van strafrecht wist maar wel te veel films had gezien, 'levenslange hechtenis' zei. Die man begon me te steeds meer te verbazen.

'Valt dat u tegen?' durfde ik hem te vragen.

Even was ik bang dat ik met die persoonlijke vraag te ver was gegaan. Per slot van rekening waren we onbekenden voor elkaar. Maar Morales keek me weer aan met een plotselinge verbijstering die me oprecht leek.

'Nee,' antwoordde hij ten slotte. 'Het lijkt me rechtvaardig.'

Ik hield mijn mond. Misschien was het mijn plicht om hem uit te leggen dat ook al werd die bijkomende opsluiting voor onbepaalde tijd van artikel 52 van het Wetboek van Strafrecht opgelegd, als de moordenaar geen recidivist was, hij na twintig of vijfentwintig jaar voorwaardelijk vrij zou kunnen komen. Maar iets zei me dat dat zijn pijn wél zou vergroten. Omdat mijn blik op Morales gericht was, en die van hem op de stoep, zag ik dat mijn gesprekspartner zijn voorhoofd ineens nog meer fronste in een gebaar van misnoegen. Ik keek ook naar buiten. Het was gestopt met regenen en de zon scheen op de natte straten en schitterde in de plassen alsof hij voor het eerst scheen.

'Ik haat het wanneer dat gebeurt,' zei Morales plotseling, alsof ik wel zou weten wat hij met 'dat' bedoelde. 'Ik heb het beeld van de terugkerende zon na noodweer nooit kunnen verdragen. Mijn idee van een regendag is dat het tot 's avonds laat moet regenen. Dat de zon de volgende ochtend weer gaat schijnen, prima, maar dit? Niemand heeft de zon gevraagd om zich zo op te dringen… Op regendagen is de zon een onvergeeflijke indringer.' Morales was even stil en liet een afwezige glimlach doorschemeren. 'Maak u geen zorgen. U zult wel denken dat de ramp mijn hersenen heeft aangetast. Maar zo erg is het niet.'

Ik wist niet wat ik moest zeggen, maar opnieuw leek Morales ook helemaal geen reactie te verwachten.

'Ik ben gek op regendagen. Toen ik een jongetje was al. Ik heb het altijd zo krankzinnig gevonden dat mensen het over "slecht weer" hebben als het regent. Slecht weer waarvoor? U zei er zelf ook iets over toen we de rechtbank verlieten, toch? Maar ik vermoed dat u dat deed om het ijs te breken, omdat u zich niet op uw gemak voelde en niet wist hoe u de stilte moest doorbreken. Misschien moet ik er niets achter zoeken.'

Ik bleef zwijgen.

'Serieus. Dat is heel normaal. Ik neem aan dat ík hier de vreemde snuiter ben. Maar ik vind dat regen een slechte naam heeft die hij niet verdient. De zon... ik weet niet. Met de zon erbij lijkt alles veel te makkelijk. Net als in de films van dat joch... hoe heet hij? Palito Ortega. Ik word altijd gek van dat onnozele gedoe. De zon wordt veel te veel gepromoot, vind ik. En daarom irriteert het me als hij zich mengt in regendagen. Alsof het kleine ettertje het gewoon niet kan hebben dat zij die hem niet als een stel dwepers aanbidden heel af en toe zouden kunnen genieten van een volledige dag zonder hem.'

Ik nam hem aandachtig in me op. Het was het langste betoog dat ik hem ooit had horen voeren.

'Een perfecte dag is voor mij een zoals vandaag.' Morales permitteerde zich enkele minieme gebaren met zijn handen, alsof hij de film die hij in zijn hoofd had probeerde te schetsen: 'Een ochtend gehuld in donkere wolken, enkele donderslagen en flink veel regen de rest van de dag. Ik bedoel geen stortbui, want die imbecielen van een zonaanbidders klagen tweemaal zo hard als de hele stad volloopt met water. Nee, gewoon gelijkmatige regenval de hele dag, tot 's avonds aan toe. Echt tot 's avonds laat, dat wel. Zodat je niet kunt slapen van het lawaai van de regendruppels. En als we er dan op het laatst ook nog wat donder bij krijgen, alleen nog maar beter.'

Hij bleef een minuutje stil, alsof hij aan zo'n avond terugdacht.

'Maar dit...' Hij vertrok zijn mond tot een grimas van ongenoegen. 'Dit is pure afzetterij.'

Ik liet mijn blik lange tijd rusten op het gezicht van Morales, die weer naar de straat toe gedraaid zat met een teleurgesteld gezicht. Ik meende altijd dat ik door mijn werk immuun voor emoties was geworden. Maar deze jongeman, die daar als een vogelverschrikker met de ziel onder zijn arm op zijn stoel zat en terneergeslagen naar de straat staarde, had zojuist iets onder woorden gebracht wat ik al sinds ik een jongetje was had gevoeld. Ik denk dat het op dat moment was dat ik me realiseerde dat Morales me heel erg, misschien wel te veel, deed denken aan mezelf, of aan het 'mezelf' dat ik geworden zou zijn als ik, uitgeput, het niet langer had kunnen opbrengen om de zekerheid en kracht voor te wenden waarmee ik me elke ochtend omhulde, meteen na het wakker worden, alsof ze een pak waren, of erger nog, een vermomming. Ik denk dat ik daarom besloot om hem te helpen waar ik maar kon.

11

Hoewel ik wist dat het niet lang meer zou duren voor die zaak in de archieven zou verdwijnen, probeerde ik dat moment uit te stellen met behulp van het oudste en meest nutteloze mechanisme dat ik kende: het verbannen uit mijn geest elke keer als de herinnering eraan als slechte wijn omhoog kroop. En dus, door de nietigheid van mijn verzet en de onvermijdelijkheid der dingen, kwam dat moment met een rigoureuze stiptheid die mijn ontken- en uitstelstrategie genadeloos onderuithaalde.

Ik zat op een dag eind augustus in mijn hoek van de griffie een ontslag uit de gevangenis uit te werken. Ik merkte dat griffier Pérez met een dossier in zijn hand mijn kant op kwam. Hij liet het met een flauw plofje op mijn bureau vallen.

'Hier heb je de moord van Palermo, om te seponeren,' zei hij, en hij liep terug naar zijn kantoor.

In het jargon van ons kantoor betekende 'Hier heb je de moord' dat hij me vroeg om een uitkomst uit te werken, het 'van Palermo' verwees naar het gebied van het delict, bij gebrek aan arrestanten naar wier achternaam we het dossier konden vernoemen, en het 'om te seponeren' had weer te maken met die uitkomst die Pérez me vroeg uit te werken: drie maanden speurwerk zonder dat het iets had opgeleverd, geen enkel gegeven om op voort te kunnen bouwen. Lange halen, gauw thuis. Zeg maar dag met het handje. Ik had al duizenden keren zaken op die manier moeten afronden, of, in het geval van simpeler zaken, door mijn ondergeschikten laten afronden. Maar in dit specifieke geval verzette ik me daartegen, omdat het in mijn ogen niet ging om de moord van Palermo, maar om de moord op de vrouw van Ricardo Agustín Morales, die ik heel toevallig zou helpen waar ik maar kon. En de eerlijkheid gebiedt te zeggen dat ik dat tot dat moment nauwelijks had gekund.

Ik legde de zaak waaraan ik had zitten werken weg en trok het dossier met het blauwe omslag naar me toe. 'Liliana Emma Colotto/moord'. Ik bladerde het door. Het resultaat was voorspelbaar. Het proces-verbaal van de politie, met een verklaring van de eerste agent die ter plaatse was na het telefoontje van de buurvrouw van het laatste appartement. De beschrijving van de vondst van het lichaam. Het verzoek om een lijkschouwing. Het schriftelijk bewijs van het op de hoogte stellen van de instructierechtbank, oftewel van mij. Van mij, die het nieuws half slapend op het brede bureau in het kantoor van de rechter ontving, met die zielenpoot van een Romano dansend en juichend om me heen. De getuigenverklaringen die Báez had verzameld. De foto's van het plaats delict. Ik keek ze snel door, maar niet zo snel dat ik de punt van mijn schoen vlak bij de hand van het slachtoffer niet herkende op een van de schuin van rechts geschoten plaatjes. Ik bladerde snel door het autopsierapport – ik walgde van dat soort beschrijvingen – maar besteedde wel aandacht aan de conclusie.

Verkracht... dood door wurging... en die derde conclusie? Toen ik het rapport een paar weken geleden had ontvangen, had ik er geen acht op geslagen. Hoewel het nauwelijks mogelijk was, was dit verhaal in staat de pijn tot na de dood te vermenigvuldigen. Plotseling gealarmeerd las ik de rest van het dossier door, maar ik kwam niet nog meer onverwachte gegevens tegen. Ik stuitte op de beestachtige parodie van Romano en Sicora met die bouwvakkers: twee zuinige blaadjes met daarop de 'spontane manifestaties' waarop dat stuk ongeluk van een Sicora die twee arme zielen met klappen een bekentenis ontfutselde. Daarna de kopie van mijn aangifte bij de Kamer vanwege dat onwettige afdwingen van een bekentenis. En de rapporten over de verwondingen van de twee arrestanten.

Ik dacht aan Romano, zoals elke keer dat ik zijn lege bureau zag. Ze hadden onmiddellijk na mijn aangifte een onderzoek naar hem ingesteld en hem preventief geschorst. In het begin was ik bang geweest dat zijn medewerkers wrok jegens mij zouden koesteren: per slot van rekening werkten we allemaal voor dezelfde rechtbank. Maar mijn omgang met hen bleef zo vriendelijk dat ik me bijna ging afvragen of ze me soms stiekem dankbaar waren dat ze van die pummel verlost waren. Ik las verder, ik was er bijna doorheen. De overdracht van het politiebureau aan de rechtbank, de verklaringen van dezelfde getuigen bij ons op de griffie, waar ze zich hadden beperkt tot het bevestigen van wat ze eerder al hadden gezegd. Tot slot een aanvullend forensisch rapport (een of andere studie over de ingewanden die helemaal niets toevoegde maar die ik angstvallig toch maar doorbladerde).

Bij de laatste pagina aangekomen las ik dat de datum van die dag met potlood in de kantlijn was geschreven. Die datum was erbij gezet door Pérez, die daarmee de uitdrukkelijke richtlijnen van de rechter aanhield: 'Elke zaak die binnenkomt vanaf het politiebureau en waarvoor geen verdachten of bekende daders zijn, moet in twee maanden afgehandeld zijn. Maximaal drie.' Had Fortuna dat principe maar ondersteund omdat hij zo systematisch te werk ging. Maar nee, dat deed hij alleen maar uit middelmatigheid. Zijn echte devies was: 'Hoe minder zaken, hoe beter.' Vandaar ook die obsessie om zaken zonder verdachten zo snel mogelijk te archiveren, of het nu om diefstal of om moord ging.

Ik stelde me alvast de volgende stap voor. Ik zou een vel papier met briefhoofd in de machine moeten plaatsen, een strenge kop en een uitkomst van tien regels, waarin het sepot van de zaak voorgeschreven wordt, zonder verdachten, en een aanbeveling voor de politie om door te gaan met het onderzoek om de schuldigen te vinden. Dat laatste was om de schijn op te houden. In de praktijk betekende het eigenlijk een sluitingsverklaring voor het dossier: de zaak zou het archief ingaan, tot nooit meer ziens.

Ik liep nog eens de hele map door. Er was echt helemaal niets wat ook maar een minimaal aanknopingspunt bood. Fortuna mocht dan een blaaskaak wezen en Pérez een flapdrol, ze hadden het wel bij het rechte eind, verdomme. Ik kwam bij de autopsie en stond weer stil bij de conclusies. Ik vroeg me af of Morales zou weten waar ik zojuist achter was gekomen. Ik verwachtte van niet. Ik dacht aan die beeldschone jonge vrouw. Jong, prachtig, verkracht, vermoord en als oud vuil achtergelaten op het parket van de slaapkamer.

Ik moest het aan Morales vertellen. Ik wist zeker dat die man eindeloos veel ruimte had voor pijn, maar niet voor bedrog. Aan de andere kant, als ik het hem zou vertellen en hem tegelijkertijd moest mededelen dat de zaak geseponeerd werd, zou dat onverdraaglijk wreed voor hem zijn.

Ik haalde een stuk gum uit de bovenste la van mijn bureau, wiste voorzichtig de datum in de kantlijn van het laatste blad en schreef er met de onvaste hand van iemand die het handschrift van een ander imiteert, een nieuwe datum in, drie maanden later. Ik stond op en legde het dossier op een van de planken waarvan ik uit ervaring wist dat er in decennia tijd niemand een vinger naar zou uitsteken als het niet op uitdrukkelijk verzoek van mij was. Noch de rechter noch de griffier zou meer naar de zaak vragen. Ik keerde terug naar mijn bureau en zat een tijdlang op de dop van mijn balpen te kauwen terwijl ik overwoog wat de beste manier zou zijn om Morales te vertellen dat zijn vrouw op het moment dat ze verkracht en vermoord werd, bijna twee maanden zwanger was.

Telefoon

Chaparro weet dat hij er spijt van krijgt als hij haar belt, maar zoals alles wat met haar te maken heeft, oefent ook de mogelijkheid om haar stem te horen een onweerstaanbare aantrekkingskracht op hem uit. Daarom is hij stapje voor stapje te werk gegaan, en heeft zijn spijt zich geleidelijk kunnen ontwikkelen, vanaf het moment dat het idee zich vormde in zijn hoofd tot het moment waarop hij haar de hoorn hoort opnemen.

Het begint als hij zichzelf wijs probeert te maken dat hij een bepaald exact gegeven uit het gerechtelijk onderzoek nodig heeft. Maar is dat wel echt zo? Aanvankelijk vindt hij van wel, want na dertig jaar vormt die ongelooflijke hoeveelheid minder belangrijke gegevens (data, plekken, de exacte opeenvolging van details) niet veel meer dan slechts een wazige brij in zijn geheugen. Maar eigenlijk meteen al werpt hij zichzelf tegen dat het een obsessieve, buitenproportionele drang is. Is het werkelijk van belang om te weten of de zaak vijf maanden of zes maanden heeft stilgelegen? Hij is geen preventieve hechtenis aan het documenteren, maar een tragedie aan het vertellen waarin hem de twijfelachtige eer ten deel is gevallen een mix te zijn van getuige en hoofdrolspeler. Zoveel nauwkeurigheid is dus onnodig. Die evenwichtige redenering legt het evenwel af tegen zijn halsstarrige voornemen om de zaak nogmaals te bekijken. Hij wacht twee dagen, tijdens welke hij niet veel verder komt dan de opzet van een paar pagina's die nergens toe dienen, en durft dan eindelijk aan zichzelf toe te geven dat de enige reden waarom hij zo in de ban is van dat dossier, is dat het hem een kristalhelder en smetteloos excuus biedt om Irene te bezoeken.

Zij weet – dat heeft hij haar verteld – dat hij bezig is met 'het schrijven van zijn boek'. Goed. Het is heel normaal dat een schrijver bepaalde gegevens die al zo oud zijn wil verifiëren. Fantastisch. Het dossier ligt in het Algemeen Archief, in de kelder van het paleis van justitie. Wat is voor Chaparro de kortste klap om toegang te krijgen tot het oude dossier? Een informeel telefoontje naar de rechter van de rechtbank waarbij deze oude zaak destijds in behandeling was, toch? Kat in 't bakkie. Het biedt hem de kans om koffie te drinken met Irene en zich heel wat te voelen als schrijver-in-actie. Zij is heel geïnteresseerd in het project waar hij mee bezig is. En Irene wordt alleen maar mooier als ze ergens over praat waar ze enthousiast over is. Een perfect excuus dus. Maar waarom wordt hij dan zo nerveus en krabbelt hij steeds terug als hij net de moed verzameld heeft om haar te bellen? Juist omdat het maar een smoes is. Want zo simpel is het. Het hele idee is niets meer dan een excuus om bij haar in de buurt te zijn. En Chaparro heeft alles over voor de minieme mogelijkheid om bij de vrouw te zijn van wie hij houdt.

Hij kent de mensen van het archief wel. De meesten van hen zijn later dan hij bij de gerechtelijke macht gekomen. Als hij zich meldt bij de balie en vraagt of hij een dossier in mag zien, kunnen ze hem dat moeilijk weigeren. En zelfs als ze dat doen, is er altijd nog de mogelijkheid om die knul van García, de griffier, te vragen om vanaf de rechtbank even naar het archief te bellen en het voor hem te regelen. Wat voor zin heeft het dan om Irene te vragen?

Geen enkele, behalve dat het hem een stevig excuus geeft om vijf minuten met haar alleen te zijn. Zonder die dekmantel gaat dat niet. Al zou hij het willen, het zou een ramp worden. Van de gedachte alleen al – zijn maag die zich om zou keren, de woorden waarover hij zou struikelen, zijn trillende knieën en het koude zweet op zijn rug – raakt hij bijna in paniek.

Zijn schaamte is belachelijk. Ze zijn verdorie twee grote mensen. Waarom kan hij haar niet gewoon de waarheid zeggen? Haar kantoor binnenlopen zonder smoesjes en haar vertellen wat hij op zijn hart heeft. Ze zijn volwassen! Een half woord zou genoeg moeten zijn, een werelds gebaar dat haar zijn interesse duidelijk zou maken en dan kan Irene zelf de rest zelf wel invullen.

Waarom kan hij dat niet? Gewoon niet. Daarom niet. Omdat hij al zo veel jaar zijn mond houdt dat hij zijn geheim liever mee het graf in neemt dan dat hij op een verkeerde manier een gezoete, licht verteerbare lightversie geeft van wat hij voor haar voelt.

Hij kan moeilijk naar haar toe gaan en heel luchtig zeggen: 'Luister, Irene, je moet weten dat ik al dertig jaar stapelgek op je ben, met wat minder heftige perioden in de jaren dat we niet samenwerkten.'

Chaparro loopt doelloos door de keuken en eetkamer, als een zombie. Hij opent en sluit de koelkast wel vijftig keer. Hij gaat zo op in zijn dilemma dat hij, ook al leidt al dat geijsbeer vroeg of laat weer naar zijn bureau, maar niet in de gaten heeft dat al die verspreid liggende vellen papier ondanks al zijn fatalistische voorspellingen het embryo van dat verdomde boek van hem zijn.

Hij kijkt voor de honderdste keer naar de telefoon, alsof dat apparaat de knoop voor hem door zou kunnen hakken. Plotseling zet hij een paar stappen in de richting van het toestel en voelt zijn hartslag versnellen. Hij heeft al spijt van wat hij gaat doen nog voordat hij de eerste drie cijfers heeft ingetoetst, maar gaat toch door, omdat hij vastbesloten is zijn wens te vervullen terwijl hij tegelijkertijd al spijt heeft van zijn besluit. Die mix van cynisme en hoop is zijn leven ten voeten uit.

Hij kiest haar directe nummer. Hij zit er absoluut niet op te wachten dat zijn oude medewerkers van het telefoontje weten. Na de derde keer overgaan wordt er opgenomen.

'Hallo?' Het is de stem van Irene. Chaparro is elke keer weer verbaasd over die subtiel uitgedragen onafhankelijke opstelling van de vrouw die hij aanbidt: iedereen die voor het gerecht komt werken, neemt binnen de kortste keren van zijn collega's de kantoorformule over om de telefoon aan te nemen met een eentonig

'Rechtbank' of 'Griffie', eventueel – op een uitzonderlijk goede dag – met daaraan toegevoegd 'Goedendag'. Maar Irene niet.

Vanaf haar eerste dag bij het gerecht heeft ze besloten haar gesprekken te beginnen met dat warme en vertrouwde 'Hallo?', alsof ze elke keer een telefoontje van haar oma verwacht. Chaparro weet dat, want hij was haar eerste baas. Hij was net bevorderd tot eerste ambtenaar toen Irene stage kwam lopen op de griffie. Toen ze aan hem werd voorgesteld tutoyeerde hij haar niet, een beslissing waar hij later een beetje spijt van had. Hij was opgevoed met een onwrikbaar respect voor vrouwen, ook voor jonkies die net van de middelbare school kwamen, met uitgestrekte hand op hem af kwamen lopen en hem begroetten met een laconiek 'Aangenaam'. Daarom antwoordde hij met: 'Hoe maakt u het, het is een genoegen u in ons midden te hebben.' Chaparro was toen achtentwintig jaar, tien jaar ouder dan zijn nieuwe stagiaire, en hij was ervan overtuigd dat een baas altijd duidelijk moet laten blijken hoe de hiërarchische verhoudingen liggen. Hij was een beetje van zijn stuk geraakt toen hij haar aankeek, want dat meisje keek je zo diep in de ogen dat het was of ze met haar pikzwarte iris dwars door je ziel sneed. Hij herstelde zich door onmiddellijk de hand los te laten die zij hem had toegestoken en de klerk te verzoeken haar wegwijs te maken in haar werkzaamheden. Omdat ze dienst hadden en omkwamen in het werk, lieten ze haar de telefoon opnemen. Al na het vierde of vijfde 'Hallo?' van de nieuwe stagiaire had Chaparro gemeend haar uit te moeten leggen dat het bezien vanuit strikte gerechtelijke efficientie vele malen nuttiger zou zijn als ze de telefoon opnam met de woorden 'Griffie nr. 19' in plaats van met die alledaagse, huiselijke begroeting. Dat zou haar tijdens het gesprek namelijk de tijd besparen die haar gesprekspartner nodig had om te bekomen van de verbazing over haar buitenissigheid en om te vragen of hij inderdaad wel met de rechtbank was verbonden. Maar nog voor hij die uiteenzetting had beëindigd, had hij zich al een idioot gevoeld, hoewel hij niet zeker wist of dat kwam door de belachelijkheid van zijn advies of door de ingetogen geamuseerde blik van Irene, die desondanks toch een paar keer knikte, alsof ze de raad voor kennisgeving had aangenomen. Maar toen de telefoon drie minuten later weer ging, nam ze hem net zo hard weer op met het zo vertrouwde en weinig juridische 'Hallo?'. Er klonk geen brutaliteit door in haar stem. Ze werd niet door de minste hang naar provocatie gedreven. Misschien kon Chaparro er daarom niet boos om worden en gaf hij zich gewonnen.

Irene bleef de rest van haar carrière de telefoon zo opnemen, zo ook op deze dag in augustus, dertig jaar na hun eerste ontmoeting, wanneer hij maar door zijn huis loopt te ijsberen, in de buurt van de telefoon rondhangt, de hoorn twintig keer oppakt en weer neerlegt, tot hij uiteindelijk besluit – of niet kan voorkomen, wat bij Chaparro eerder het mechanisme is waaraan zijn diepste besluiten ontspruiten – om haar in haar kantoor te bellen, en dat 'Hallo?' te horen krijgt dat zijn hart doet overslaan.

Smoesjes en spelletjes

Benjamín Chaparro gaat direct naar het kantoor van de rechter. Niet eerst even langs zijn griffie en ook niet langs nr. 18. Hij is er zo beduusd van dat hij Irene gaat zien dat hij vermoedt dat als hij bekenden tegenkomt, iedereen meteen zal zien dat de liefde hem zelfs uit zijn oren komt. Hij klopt tweemaal. De stem van Irene nodigt hem uit om binnen te komen. Hij steekt zijn hoofd om de deur met die onwillekeurig verlegen houding waar hij zelf zo de pest aan heeft. Op haar gezicht verschijnt een grote glimlach wanneer ze hem ziet.

'Kom binnen, Benjamín. Kom verder!'

Chaparro loopt naar binnen en voelt dat hij al in vuur en vlam raakt. Bloost hij? Hij kijkt haar aan en hoopt dat ze niet aan hem kan zien dat hij net zo wordt betoverd als de eerste keer. Ze is lang en heeft een smal gezicht. Als meisje was ze een beetje knokig. De jaren – kinderen? – hebben haar iets voller gemaakt en dat heeft haar alleen maar goed gedaan. Ze begroeten elkaar met een kus op de wang. Zodra ze gaan zitten, beiden aan een kant van het brede eikenhouten bureau, ademt Chaparro de adem uit die hij vlak voor de kus had ingehouden. Nu kan hij weer rustig ademhalen; als hij haar parfum niet had geroken, zou het hem vast niet de komende twee of drie nachten uit zijn slaap houden. Ze glimlachen naar elkaar zonder iets te zeggen, enigszins beschaamd, alsof ze elkaar betrapt hebben tijdens een weliswaar leuke maar toch afkeurenswaardige daad. Chaparro wacht even voor hij zijn eerste woorden zegt, want hij ziet haar rood worden en dat stemt hem op eigenaardige wijze gelukkig. Maar wanneer zij hem diep in de ogen kijkt en hem lijkt uit te horen over de grenzen van zijn excuses om te komen heen, krijgt hij het gevoel dat hij het initiatief kwijt is en dat het beter is terug te gaan naar het draaiboek dat hij volledig geredigeerd in zijn hoofd heeft zitten.

Hij vertelt haar wat hij nodig heeft, en om een en ander te rechtvaardigen geeft hij kort de stand van zaken van 'zijn boek' weer. Hij geeft haar (en wordt daar steeds enthousiaster van) een samenvatting van dat verhaal dat zij eigenlijk alleen maar oppervlakkig kent van de opmerkingen van Chaparro zelf en andere rechtbankosaurussen. Als hij klaar is, kijkt Irene hem geamuseerd aan.

'Wil je dat ik even naar het archief bel?'

'Als je zou willen... dat zou fijn zijn.' Chaparro slikt.

'Geen probleem, Benjamín.' Ze fronst haar wenkbrauwen licht. 'Maar je zult zien dat ze jou beter kennen dan mij.'

Shit, denkt Chaparro. Is zijn smoes zo makkelijk te doorzien?

'Ja, maar het is een zaak uit het jaar nul, weet je?' Chaparro ziet de bui al aankomen.

'Ja, ik weet het. Je hebt me er wel eens over verteld. Die zaak speelde vlak nadat je me had weggepromoveerd naar rechtbank nr. 11, toch?'

Moest hij iets achter dat 'me had weggepromoveerd' zoeken? Als dat zo is, is Irene meer bij de pinken dan hij wil weten. In 1967, in oktober om precies te zijn, twee weken nadat ze als stagiaire aan hem was voorgesteld en toen Chaparro definitief de hoop had opgegeven dat ze de telefoon nog eens fatsoenlijk zou opnemen, droomde hij van haar. Hij was trillend wakker geworden. Hij was een getrouwde man en in die tijd probeerde hij zichzelf er nog koppig van te overtuigen dat hij een goed huwelijk had met Marcela. Hij probeerde het te vergeten, maar de vijf nachten daarna droomde hij weer van haar. De laatste keer was het beeld van Irene zo levensecht en de glans van haar blote huid zo overtuigend dat Chaparro wel kon janken toen hij wakker werd en ontdekte dat het maar een droom was. Die ochtend was hij bij de rechtbank gekomen en had hij besloten zijn ziel te zuiveren van de liefde die hem begon te verteren. Hij had al zijn collega's gebeld met wie hij een zekere vertrouwelijke band had. Hij had zich lovend over zijn stagiaire uitgelaten, die haar eerste schreden binnen de justitiële wereld aan het zetten was, rechten studeerde en een betaalde baan verdiende. Chaparro was toen al een gerespecteerd man binnen zijn kringen, geliefd misschien zelfs wel. Enkele maanden later had een van hen hem gebeld om hem een 'baantje voor het meisje' aan te bieden. Chaparro doorbrak de radiostilte waarin hij zich in die tijd met haar gehuld had om haar het goede nieuws te vertellen. Irene was dolblij, en die blijdschap had hem een beetje gestoken. Dat ze het niet erg vond om weg te gaan, betekende blijkbaar dat ze niets achterliet op de griffie. Niet iets om te missen in elk geval. Dat was ook logisch, had hij tegen zichzelf gezegd. Ze had een vriendje dat voor ingenieur studeerde, een vriend van een van haar oudere broers. Chaparro had zich ten opzichte van Marcela al slecht gevoeld om de heftige verliefdheid die hem begon op te vreten. Dat hij naast zijn gevoel ontrouw te zijn ook nog met een onbeantwoorde liefde zat, maakte dat hij zich eenzaam voelde. Hij had tegen zichzelf gezegd dat het beter was zo. Het was als het uit de grond trekken van een plant die toch geen uitlopers of enige toekomst had.

Dat was in maart 1968 geweest, vlak voordat de zaak Morales begon. Vanaf dat moment had hij haar uit het oog verloren. Het rechtswezen had een raar soort logica. Iemand die twee verdiepingen lager werkt, lijkt bijna wel in een andere dimensie te leven. Tot 1976 hoorde hij niets van haar, maar in februari van dat jaar werd ze zijn griffier. Ze was inmiddels advocaat geworden en ze hadden haar benoemd. Ook toen was het geen goed moment om de stoute schoenen aan te trekken. Hij was een vrij man, want hij was een paar jaar daarvoor van Marcela gescheiden, maar op de dag dat ze elkaar weer zagen, kwam Irene de griffie binnenlopen met een aanzienlijke buik en was ze zes maanden zwanger. Chaparro kwam er toen pas achter (omdat hij niets van haar had willen weten om zichzelf te beschermen, of zichzelf de dolksteek wilde besparen van het moeten accepteren dat zij een leven had dat hij aan het verliezen was) dat zij twee jaar daarvoor getrouwd was met datzelfde vriendje, dat inmiddels ingenieur geworden was, en nu in verwachting was van haar eerste kind.

Toen Irene terugkwam van haar zwangerschapsverlof, was het Chaparro die vertrokken was. Het had haar verbaasd dat haar ondergriffier een baan had geaccepteerd bij de federale rechtbank van San Salvador de Jujuy, maar ze legden haar met gedempte stem uit dat rechter Aguirregaray het hem persoonlijk had ingefluisterd. Hoewel Irene niet zo heel erg op de hoogte was van politieke kwesties, kostte het haar geen enkele moeite om het grimmige en samenzweerderige toontje van het commentaar thuis te brengen: blijkbaar liep Chaparro een of ander gevaar als hij in Buenos Aires bleef in de koude winter van 1976.

In de daaropvolgende jaren kregen ze beiden af en toe stukjes informatie over hoe het de ander verging. Chaparro hoorde dat Irene flink bleef stijgen op de carrièreladder: officier van justitie in 1981 en enkele jaren later griffier van de Kamer. Zij op haar beurt vernam dat hij in 1983 was teruggekeerd naar Buenos Aires, toen het Proces van Nationale Reorganisatie op zijn eind liep. Hij leefde samen met een vrouw uit Jujuy, van wie hij later zou scheiden. De jaren tachtig waren de periode waarin ze het minst met elkaar te maken hadden: hooguit hadden ze een keer een vluchtig gesprek als ze elkaar op straat tegenkwamen. Irene kwam erachter dat de vrouw uit Jujuy Silvia heette en dat ze geen kinderen hadden. Hij hoorde dat Irene nog steeds met de ingenieur getrouwd was en dat haar drie dochters groeiden als kool.

Enkele jaren later, in 1992, kwamen ze elkaar weer tegen. Chaparro had inmiddels een tweede scheiding achter de rug en was ervan overtuigd dat hij maar het best alleen oud kon worden. Hij was duidelijk niet gemaakt voor het huwelijk. Hij was al over de vijftig. Misschien was het een goed moment om de vrouwen af te zweren. Hij was er klaar voor om hen niet langer nodig te hebben. Maar waar hij niet klaar voor was, was dat begin dat jaar rechter Alberti met pensioen ging en Irene tot nieuwe rechter werd benoemd.

Toen ze tegenover elkaar hadden gezeten, in hetzelfde kantoor als waarin ze nu zaten, hadden ze elkaar glimlachend aangekeken, als veteranen van een oorlog waarin alle anderen groentjes waren. 'Wij kennen elkaar al,' had Irene glimlachend gezegd, en Chaparro had het gevoel gehad dat de vijfentwintig jaren die hem scheidden van de trits dromen die zijn ziel geteisterd hadden, zonder een spoor achter te laten in rook opgingen. Die vrouw had het recht niet om zo naar hem te glimlachen. Maar ze heette nog steeds De Arcuri, wat impliceerde dat ze nog steeds met de ingenieur was, die het soort hindernis vormde dat Chaparro niet bereid was te slechten. Niet in deze fase van zijn leven althans. En dus groette hij haar met een handdruk en een ontzet 'Maar wat zegt u nu, Edelachtbare!', dat meteen een veilige afstand tussen hen creëerde. Zij aanvaardde die grens en gedurende de jaren die volgden, hadden ze een beleefde omgang met elkaar, ook al zagen ze elkaar acht of negen uur per dag, vijf dagen in de week.

Op een ochtend begon Irene hem zonder aankondiging te tutoyeren. Alsof ze nooit anders had gedaan, zei ze op een maandag opeens: 'Hoe is het, Benjamín? Zou je me kunnen helpen met de opsluiting van de Zapata's?' Dat kon Chaparro wel. En zo was het gebleven in de jaren daarna, totdat hij zijn pensionering had aangekondigd. Had dat nieuws haar overvallen? De onverbeterlijke optimist in Chaparro wilde op haar gezicht graag een ingehouden somberheid en een slecht gespeelde verbazing zien. Maar daar was geen reden voor. Je mocht ervan uitgaan dat de hele rechtbank op de hoogte was. Moest zij dan van streek raken van het feit dat hij vertrok?

Hoe het ook zij, Chaparro pakte deze bespiegelingen bij de bron aan. Hij stelde zichzelf de vraag – dat kon hij niet vermijden

– of het de moeite waard was om de vrouw van wie hij zoveel hield de waarheid te vertellen, en vond meteen van niet, onder geen beding. Zou haar de liefde verklaren immers niet hetzelfde zijn als erkennen dat hij al bijna dertig jaar verliefd op haar was? En zou dat niet hetzelfde zijn als erkennen dat hij zijn halve leven op afstand van haar gehouden had? Nee, geen sprake van! Daar kon hij heel kort over zijn. Ze hadden in al die jaren helemaal niet zoveel tijd samen doorgebracht. Maar in het diepste van zijn ziel wist Chaparro dat hij nooit gestopt was van haar te houden, en dat zij altijd op afstand was gebleven door een combinatie van toeval, gezond verstand en gebrek aan lef. Hij was de baas over zijn eigen stilte. Als hij zijn mond open zou trekken, zou hij ten onder gaan in het moeras van haar medelijden. Dat wilde hij koste wat het kost voorkomen, net zoals elke zin van het type 'Arme Benjamín, ik wist niet…' De gedachte alleen al vervulde hem van razernij en schaamte. Hij kon accepteren dat zijn liefde met hem zou sterven, maar niet dat die zijn naam zou bezoedelen.

'Benjamín… is het niet die zaak?'

Chaparro schrikt op. Irene kijkt naar hem en glimlacht, vragend, en hij vraagt zich af hoelang hij daar al onnozel zit te mijmeren. Dat kan niet lang geweest zijn. Hij is zo gewend om aan deze geschiedenis te denken, waar hij van houdt maar die hem ook pijn doet, dat hij dat heel snel kan.

'Ja, ja. Die zaak is het.'

'Goed, dan bel ik hen even.'

Irene wacht heel even en kijkt hem aan voordat ze het nummer van het archief opzoekt in haar agenda. Chaparro krijgt eindelijk een beetje rust in zijn pens als zij haar ogen van hem afwendt om in haar boekje en naar de telefoon te kijken. Ze krijgt contact, groet op de vertrouwde manier en vraagt naar de directeur. Ze heeft haar ogen wijd open en glimlacht met die afwezige uitdrukking van iemand die praat met iemand anders zonder hem te zien. Zoals ze daar zit, en profil, bijna naar het raam gedraaid, kan Chaparro naar believen naar haar kijken. Maar hij houdt zich in. Hij weet uit ervaring dat als hij een tijdje naar haar kijkt, het verdriet om haar niet in zijn armen te kunnen nemen en haar hartstochtelijk en onvermoeibaar te zoenen het uiteindelijk gaat winnen. Daarom kijkt hij liever een andere kant op.

'Geregeld, Benjamín,' zegt ze als ze heeft opgehangen. 'Geen enkel probleem. Bij het archief kennen zelfs de vloertegels je.'

'Is dat een compliment of een grapje over mijn leeftijd, Edelachtbare?'

Ze wordt serieus. Alleen haar ogen blijven licht glimlachen.

'Moet ik ervan uitgaan dat je je totdat je ons weer nodig hebt, hier niet meer laat zien?'

Als de mate waarin ik jou nodig heb de graadmeter was, zou ik dit kantoor de rest van mijn leven niet meer verlaten, is het antwoord dat Chaparro zou geven als hij het lef had.

'Een dezer dagen kom ik nog even aanwippen, Irene,' antwoordt hij, want dat lef heeft hij niet.

Zij geeft geen antwoord. Ze staat op van haar stoel, brengt haar gezicht naar hem toe en geeft hem een volle, klinkende kus op zijn linkerwang. Hij neemt de volheid van haar lippen waar, haar haar dat langs zijn wang glijdt, de warmte van haar nabije lichaam en een vervloekte, wilde geur, die direct naar zijn hersenen opstijgt, naar zijn geheugen, naar zijn verlangen naar haar en naar drie slapeloze nachten.

Archief

Het Algemeen Archief roept altijd hetzelfde gevoelen in hem op. Eerst voelt hij de drukkende sfeer, alsof hij een grafkelder in loopt. Maar daarna, als hij goed en wel binnen is in die stille, donkere kerker en door die smalle gangen en tussen die gigantische, uitpuilende stellingkasten door loopt, wordt hij bevangen door een gevoel van veiligheid, van bescherming.

Enkele stappen voor hem loopt de medewerker die als gids fungeert. Chaparro denkt aan hoe makkelijk je het verstrijken van de jaren kunt zien aan de fysieke veroudering van de mensen om je heen. Hij kent deze man al... hoelang? Dertig jaar? Hij is de pensioensgerechtigde leeftijd vast allang voorbij. Hij trekt iets met zijn linkerbeen. Bij elke stap sleept zijn schoen als schuurpapier over de plavuizen. Waarom zou hij nog steeds werken? Chaparro vermoedt dat na al die jaren de wacht houden in deze stille catacombe, waarin alle geluiden wegsterven in de volgestouwde planken, de buitenwereld voor die man wel veranderd moet zijn in een oorverdovend, onrustig en onaangenaam gekkenhuis. Hij vindt het een rustgevende gedachte dat deze man zich niet in een gevangenis bevindt, maar juist in een toevluchtsoord.

Als ze een stukje gelopen hebben en Chaparro volledig de weg kwijt is geraakt in dat duistere labyrint, houdt de oude man stil bij een kast die er exact hetzelfde uitziet als de andere duizend die ze net achter zich gelaten hebben en kijkt voor het eerst op. Tot die tijd heeft hij zijn route gelopen zonder ook maar één keer opzij te kijken; hij sloeg af en toe rechts af en af en toe links af met de bedachtzame vastberadenheid van een muis die gewend is in het donker zijn weg te vinden. Hij reikt naar een plank waar hij eigenlijk net niet bij kan. Hij kreunt licht als hij zijn versleten gewrichten uitrekt. Hij trekt een pak dossiers naar zich toe dat is gemerkt met een nummer van vijf cijfers. Hij pakt het van de plank en loopt verder. Chaparro volgt hem tot het einde van het gangpad en slaat net als hij rechts af. Alle gangpaden zijn slecht verlicht, maar dit ligt bijna geheel in het donker. Zo erg dat Chaparro even stilstaat om zijn ogen eraan te laten wennen, bang als hij is om tegen een stellingkast aan te lopen in deze doolhof met zwarte grenzen. De stappen van de archivaris verwijderen zich tot hij ze niet meer hoort, alsof hij is opgegaan in een zee van mist. Na enige seconden, waarin Chaparro op het punt staat overmand te worden door de plotselinge beklemming van het alleen-zijn, ziet hij in de verte een schijnsel: de man heeft een lampje aangedaan dat op een kale tafel staat. Een haveloze stoel completeert het meubilair van de 'leeshoek' die de man schijnbaar voor hem aan het klaarmaken is. Hij loopt erop af, bijna blij dat hij kan ontsnappen aan dat peilloze zwarte gat van het gangpad.

De man opent geroutineerd het pak dossiers. Hij legt het stuk sisaltouw aan de kant; dat zal hij straks weer gebruiken om de dossiers te bundelen als de bezoeker ermee klaar is. Hij haalt het dossier dat ze zoeken ertussenuit. De drie delen zitten met een wit koordje aan elkaar. Hij legt ze nauwkeurig op elkaar op de houten tafel en zet de stoel erbij.

'Gaat uw gang.' Zijn stem klinkt gebroken, schril bijna. Het is de stem van een man die resoluut op de ouderdom afstevent. 'Als u klaar bent, kunt u de spullen hier gewoon laten liggen. Ik ruim ze wel op.' Hij loopt weg, staat dan stil en draait zich om, alsof hij nog iets vergeten is te zeggen: 'Om naar buiten te gaan moet u diagonaal lopen. Bij elke kruising gaat u één keer naar links en één keer naar rechts en dan komt u er vanzelf.' Zijn woorden gaan vergezeld van een vaag armgebaar. 'Als u geluiden hoort, geen zorgen; dat zijn die rotratten die overal lopen. We weten niet meer wat we ermee aan moeten, we hebben alles al geprobeerd, gif, vallen... Ik vind elke dag een hele hoop dode ratten, maar het lijkt wel of het er elke dag meer zijn in plaats van minder. Maar goed, u zult er geen last van hebben. Ze houden niet van licht.'

'Dank u,' antwoordt Chaparro, maar de oude man heeft hem de rug al toegekeerd, gaat aan het eind van het gangpad de bocht om en verdwijnt uit het zicht.

Naaier

In het systematische naaiwerk van de ruggen herkent Chaparro de deskundige hand van Pablo Sandoval; en zoals altijd wanneer hij door een klein detail terug in de tijd wordt gevoerd, mist hij hem weer. De beste medewerker die hij ooit heeft gehad. Leerde snel, geweldig redactiewerk, wonderbaarlijk geheugen. Wacht even. Zoals altijd wanneer hij zich hem herinnert, merkt Chaparro dat hij dezelfde onrechtvaardigheid begaat. Hij is zijn herinnering aan Pablo Sandoval begonnen als een loftuiting aan het adres van zijn beste medewerker. En dat is verkeerd. Niet omdat die herinnering onjuist is, want het lijdt geen twijfel dat hij nooit zo prettig met iemand heeft samengewerkt als met hem. Maar om Pablo Sandoval recht te doen moet hij zeggen dat hij een heel goede vriend was, en ook nog eens een fantastische medewerker.

De enige voorzorgsmaatregel die Chaparro moest nemen toen ze samenwerkten, aan het eind van de middag, wanneer Sandoval zijn spullen pakte en hem groette met een 'Tot morgen', was dat hij een paar minuten moest wachten en dan voor het raam moest gaan staan kijken. Als hij Sandoval de Calle Tucumán over zag steken de kant van Avenida Córdoba op was alles in orde: dan wist hij dat zijn medewerker als goed man en nog betere echtgenoot naar huis ging. Als de minuten echter verstreken en hij Sandoval niet langs zag komen, bereidde Chaparro zich op het ergste voor, want dan had zijn assistent de metro genomen richting de morsige bars van de Paseo Colón met het onherroepelijke voornemen zich een stuk in de kraag te drinken. Dan sloot zijn chef het raam en belde hij de vrouw van Sandoval om haar te zeggen dat haar man wat later kwam, maar dat hij hem thuis zou brengen. Zij zuchtte dan, bedankte hem en hing op.

Hij werkte nog een tijdje door, waarschijnlijk tot de avond

viel. Dan verliet hij het pand via de bewaakte uitgang aan de kant van de Calle Talcahuano en at iets in een bar aan de Avenida Corrientes. Voor het twaalf uur was, nam hij een taxi naar El Bajo en liet die bij altijd dezelfde drie of vier bars stoppen. Als hij Sandoval had gevonden, gaf hij hem een klap op zijn schouder, tastte in zijn zakken om te kijken of hij nog geld had om de laatste glaasjes te betalen en legde zelf het verschil bij. Daarna leidde hij hem naar de taxi en reden ze naar zijn huis. Daar aangekomen kwam zijn vrouw uit het portiek en stond erop de taxi te betalen. Chaparro ging niet tegen haar in, want daarmee zou hij een stilzwijgende afspraak met haar en Sandoval verbreken. Dus beperkte hij zich tot het brengen van zijn vriend naar de voordeur, waar zijn vrouw het van hem overnam, tenzij haar echtgenoot in een dusdanig beklagenswaardige toestand verkeerde dat Chaparro hem helemaal naar zijn bed moest brengen. Dan glimlachte ze triest naar hem en bedankte hem met een 'Je wordt bedankt'.

De volgende dag kwam Sandoval niet op zijn werk. Maar de dag erna was hij er weer, met enorme wallen onder zijn ogen en een geteisterd gemoed. Wanneer hij zo somber was, wist Chaparro dat hij op zijn werk niet zou presteren zoals anders. Hij speelde niets klaar, alsof de alcohol zijn hele geheugen had uitgewist en kortsluiting had veroorzaakt in zijn peilloze intelligentie. Op die dagen liet hij hem dossiers in elkaar naaien. Zonder er een woord aan vuil te maken legde hij het witte draad en een dikke naald op zijn bureau en de zonderlinge man liep naar de betreffende plank en begon te archiveren dat het een lieve lust was. Met de precisie van een chirurg, de flair van een kunstenaar en de plechtigheid van een priester leek Sandoval een volleerd boekbinder. Als hij klaar was met een zaak leek elk dossier wel een deel van een encyclopedie. Na drie of vier dagen, als de ergste fase van zijn depressie achter de rug was, kwam Sandoval zelf hem met een glimlach naald en draad terugbrengen, wat hij kon opvatten als dat hij zichzelf genezen verklaarde.

Hij stierf begin jaren tachtig, toen Chaparro in San Salvador de Jujuy zat. Zijn weduwe omhelzen en Sandoval zelf de laatste eer bewijzen waren voor Chaparro redenen genoeg om zijn goeie geld uit te geven aan een vliegticket, bij de begrafenis te zijn en daarbij twee dagen lang de angst op de koop toe te nemen om in handen te vallen van een bende moordenaars die daar eerder jammerlijk in gefaald hadden.

Nu, bijna twintig jaar verder, vergeet Chaparro heel even wat hij zou doen en spant de draad die over een van de ruggen loopt. Hij laat hem los en stelt vast dat hij nog steeds even strak is. Het is alsof Sandoval hem die stille boodschap heeft nagelaten om Chaparro eraan te herinneren dat ook Sandoval een rol speelt in het verhaal dat hij nu gaat vertellen. En dat hij daar goed aan doet.

Chaparro glimlacht bij de gedachte dat Sandoval en zijn subtiele geestverschijning die aaneenschakeling van details, dat hele kleine beetje uit de dood herrijzen, dat indirecte, verdiende eerbetoon door zijn vriend en chef, twee decennia later, middels de kronkelige weg van de postuum gestoken loftrompet over zijn kwaliteiten als naaier, vast wel zouden hebben gewaardeerd.

Stukken

Chaparro pakt het eerste deel en brengt het dicht bij de lamp. Het heeft dubbele kartonnen schutbladen. Op het onderste staat met zwarte markeerstift in grote letters geschreven: 'Liliana Emma Colotto/moord', en de gegevens van de rechtbank. Op het andere, het buitenste, staat daarentegen: 'Isidoro Antonio Gómez, gekwalificeerde moord, art. 80, 7e lid, Wetboek van Strafrecht'. Hij opent het dossier en, hoewel hij er niet bij stilstaat, stuit op dezelfde politiestukken, dezelfde getuigenverklaringen, hetzelfde rapport van de forensisch arts als in augustus 1968, toen de zaak geseponeerd werd en hij de opdracht kreeg hem af te wikkelen, maar heel arrogant besloot net te doen of zijn neus bloedde.

Hij bladert verder. Hoewel hij er bijna onmiddellijk spijt van heeft, kan hij de verleiding niet weerstaan om nog een keer naar de foto's van de plaats delict te kijken. Dertig jaar later ligt Liliana Emma Colotto de Morales nog steeds op het parket van haar slaapkamer, hulpeloos en verlaten, de levenloze, gefixeerde ogen wijd open, de huid paars in de hals. Chaparro voelt dezelfde schaamte als op de dag van de moord, omdat het hem herinnert aan de wellustige blikken van de agenten die om het lichaam heen stonden voordat Báez hen wegstuurde. Hij weet niet zeker of die schaamte met die blikken te maken heeft of wellicht met zijn eigen obscene wens om zich ook te verliezen in de aanschouwing van dat prachtige lijf dat net was doodgegaan.

Hij bladert verder door het autopsierapport, bladzijde voor bladzijde, maar hij leest ze niet, zelfs niet grofweg. Hij doet zijn ogen half dicht en concentreert zich op de geur van oud die uit de pagina's komt en de serene lucht van het archief vult. Ze liggen daar al meer dan twintig jaar, boven op elkaar, en Chaparro kan

zich niet onttrekken aan een beeld dat hem al sinds zijn kindertijd fascineert. Hij stelt zich voor dat hij een van die pagina's is.
Maakt niet uit welke. Hij denkt hoe hij jaren en jaren ligt te
wachten, in volledige duisternis, met zijn gezicht tegen de pagina
voor hem aan geplakt, tot in de eeuwigheid ondergedompeld in
de glanzende zachtheid van de volgende pagina. Als je een van die
vellen bent, denkt Chaparro, heb je als je de tijd wilt meten niets
aan de voetstappen die met tussenpozen van maanden of jaren
door de gangpaden weerklinken. Ze dienen hooguit om je de
angstaanjagende diepte van de eenzaamheid te laten voelen. En
dan opeens, zonder waarschuwing vooraf, zonder symptomen die
de grote ommekeer aankondigen en je in staat stellen je erop voor
te bereiden, voel je een schok. Nog een. En nog een. Je wordt
duizelig door een plotselinge, licht ritmische deining, alsof
iemand de gelijkmatige papiermassa die je beschermt of juist
gevangen houdt, naar een andere plek verplaatst. Dan lig je weer
stil, maar nu is er het geluid van papieren die van de ene naar de
andere kant gaan. En opeens het verblindende licht op het
moment dat je aan de beurt bent, of liever gezegd de pagina die je
bent, het vel papier waarin je bent veranderd. Je laat de kans niet
schieten om eindelijk weer eens wat van de wereld te zien, hoewel
de Schepping zich beperkt tot een gezicht, het gezicht van een
man, een rijpere man met grijs haar, kleine ogen en een adelaars-
neus, die je nauwelijks een blik waardig gunt en alweer doorgaat
naar de volgende pagina, die daar ook al jarenlang ligt met jou,
tegen je aan, huid op huid, letters op letters. En daarna hult een
hand je in schaduw, wanneer die zich naar de hoek begeeft en dat
buurblad optilt en je opnieuw versmelt op het exacte moment
waarop het licht weer uitgaat en je begrijpt dat er een nieuwe
eeuwigheid van duisternis en stilte is aangebroken.

Chaparro voelt een absurd medelijden als hij zich de plotselinge hoop en de genadeloze ontgoocheling voorstelt die zijn
handen elk van die pagina's bezorgen terwijl hij ze doorbladert.

Maar als hij bij stuk 208 aankomt, bijna aan het begin van deel twee, houdt hij stil, want hij heeft zijn bestemming bereikt.

Het is een verordening van vier regels, getypt op zijn Remington, zonder enige twijfel. De e's staan iets hoger dan de andere letters. De a's hebben een bolle buik omdat de toets erg versleten is.

Een verschijning in rechte, valselijk gedateerd op half augustus 1968, waarbij Ricardo Agustín Morales verklaart over nieuwe feiten te beschikken die relevant zijn voor de opheldering van het gebeurde. Iets lager een door rechter Fortuna Lacalle ondertekend decreet dat verordonneert zijn getuigenverklaring uit te breiden.

Stuk 209 is de getuigenverklaring van Morales, met een fictieve datum begin september. Het is een aanzienlijk langere tekst dan de andere, waarin voor het eerst de naam Isidoro Antonio Gómez verschijnt. Op stuk 210 weer een decreet met datum 17 september, dat de federale politie en de politie van de provincie Tucumán de opdracht geeft tot het vrijmaken van mensen en uren om 'de verblijfplaats van de genoemde Gómez te achterhalen en hem te dagvaarden.'. Alles is getekend door de rechter en de griffier. De handtekening van Fortuna Lacalle is enorm, pretentieus en vol nutteloze tierelantijnen. Die van Pérez is klein en nietszeggend, net als zijn eigenaar.

Chaparro kijkt op zijn horloge. Zijn ogen zijn een beetje geïrriteerd. Die brandende lamp, alleen in de zee van duisternis, heeft zijn zicht vertroebeld. Het is bijna twaalf uur 's middags en de archivaris zal heel nerveus worden als hij hem niet binnenkort ziet vertrekken. Het is misschien een beetje vreemd dat hij in zijn boek die dodelijk saaie kantoren van het gerecht tot in detail beschrijft. Maar ze helpen hem om terug te gaan naar de sfeer van die tijd. Naar die vruchteloze ontmoetingen die hij bleef houden met Morales om hem niet in een pennenstreek alle hoop te ontnemen, of om hem in elk geval heel geleidelijk te kunnen vertellen dat het een aflopende zaak was omdat er simpelweg niemand was die ze als schuldige konden aanwijzen. Naar de onverdraaglijke hitte van die helse december.

Chaparro staat op en legt de delen van het dossier op elkaar. Hij doet het licht niet uit, anders zal hij hopeloos verdwalen, is hij bang. Hij loopt terug naar de uitgang op de zigzagmanier die de archivaris hem heeft aanbevolen. Als hij er bijna is, schrikt hij zich een ongeluk als hij een van de laatste bochten neemt. Daar, in een van de smalle gangpaden, met uitgestrekte benen en de ogen gericht op de plank voor zich, zit de oude man. Chaparro krijgt hetzelfde bange voorgevoel als toen ze naar het huis van zijn tante Margarita gingen, die vanaf haar geboorte blind was. Aan het eind van het bezoek, toen het al donker werd en ze hen uitliet, deed zijn tante toen ze naar de voordeur liepen een voor een de lichten uit, om er niet een per ongeluk aan te laten en zo 'voor noppes elektriciteit te verspillen'. Toen ze afscheid van hem nam en haar gezicht min of meer bij dat van hem bracht zodat hij haar een kus op de wang kon geven, zag de kleine Benjamín het huis achter de oude dame gehuld in duisternis. Het beeld van zijn tante die daar omgeven door zwart aan tafel zat te eten, bij-voorbeeld, of op de tast door de eindeloos zwarte gaten van de kamers liep, achtervolgde hem tot hij in Floresta de trein terug nam. Hij vond het angstaanjagend.

Chaparro neemt afscheid van de man met een laconiek 'Goe-demiddag' en verlaat het archief bijna rennend. Hij loopt naar de begane grond van het paleis van justitie en niet veel later is hij blij om zich weer omgeven te weten door de zon en het lawaai van het chaotische Buenos Aires dat op hem wacht bij de trappen van de Calle Lavalle.

Als er drie uur later toevallig iemand over de stoep voor zijn huis in Castelar zou lopen, zou hij in de absolute stilte van de straat het uitzinnige geratel van een typemachine kunnen horen, of door het raam het silhouet van een Chaparro kunnen zien, die over zijn bureau gebogen zit en over die toetsen die de alinea's uitzetten van wat klaarblijkelijk het tweede deel van zijn verhaal is. Maar niemand hoort of ziet hem. De straat is verlaten.

12

Ik durfde geen nee tegen hem te zeggen, al had ik een sterk vermoeden dat het niet leuk ging worden.

Morales had het tijdens onze laatste ontmoeting al aangekondigd: 'Ik ga de foto's wegdoen,' had hij gezegd vlak voor we afscheid namen.

Ik vroeg hem waarom, hoewel ik op hetzelfde moment al aanvoelde dat hij me dat toch wel ging vertellen, of ik het nu vroeg of niet.

'Omdat ik er niet meer tegen kan om haar gezicht te zien zonder dat ze kan terugkijken. Maar voordat ik ze ga verbranden, zou ik ze graag nog eens samen met u willen bekijken. Ik weet niet waarom. Ze aan iemand laten zien is misschien een mooie manier om er afscheid van te nemen.'

Ik had kunnen antwoorden dat ik dat niet zo zag zitten, dat ik het haatte om foto's te kijken. Maar of ik was niet assertief genoeg, of ik was een neiging aan het ontwikkelen om bij deze jongeman alles goed te vinden, of ik had weer eens last van de vlaag van verstandsverbijstering die me al mijn hele leven achtervolgde op het moment dat anderen iets van me wilden. Hoe het ook zij, ik stemde ermee in.

We spraken af om elkaar drie weken later te zien. Het liep al tegen december. Ik had het dossier al sinds augustus 'in de wacht' liggen, en vroeg of laat – eerder vroeg dan laat – zou ik het weer moeten opdiepen, bekijken en de zaak seponeren zonder iemand voor het gerecht te dagen. Of ik het nu leuk vond of niet, de zaak, Morales en ik (ik zat er inmiddels tot aan mijn nek in) liepen keihard tegen een betonnen muur aan. Misschien stemde ik er ook daarom wel mee in om de foto's te bekijken.

Ik liep beslist niet te vroeg de rechtbank uit en haastte me langs het anderhalve blok dat me scheidde van de bar waar ik hem altijd ontmoette. Morales had al een grote tafel weten te bemachtigen en maakte met de bedaarde aandacht van een filatelist stapeltjes van de foto's die hij uit een oude schoenendoos haalde. Ik liep langzaam op hem af en over zijn schouder zag ik zijn bloederige herinneringen zich ontvouwen.

De houten vloer kraakte en Morales keek om. Hij droeg een bril als een bibliothecaris en had een pen tussen zijn lippen. Met een grijns bij wijze van groet gebaarde hij me tegenover hem te gaan zitten. Toen ik dat deed, merkte ik dat de stapeltjes foto's mijn kant op lagen, als in een soort huisexpositie waarbij Morales als gids optrad.

'Ik ben bijna klaar,' zei hij terwijl hij het laatste mapje foto's uit de doos haalde en ze over de stapeltjes voor me begon te verdelen.

Elke keer dat hij een foto neerlegde, pakte hij de pen die hij in zijn mond had en streepte een van de regels van een lange genummerde lijst door. Het leed geen enkele twijfel dat hij een zeer consciëntieuze man was. Terwijl hij de laatste foto's afvinkte, zag ik dat de lijst tot nummer honderdvierenzeventig liep en ik begon te vrezen dat ik die avond laat zou eten. Ik verweet mezelf een beetje dat ik Marcela niet even had gebeld voordat ik de griffie verliet. Het was een hele toer om een telefooncel te bereiken, maar ik kon het niet maken om niet even te vertellen dat ik later thuis zou komen. Waarom zou ik nog meer olie gooien op het vuur van onze onenigheden? Het was niet dat we ruziemaakten. Nee. Ik zou willen zeggen dat we zelfs geen ruziemaakten, al leek ik wel de enige te zijn die last had van die steeds killere situatie.

'Ik leg ze voor u op volgorde. Deze eerst,' zei hij terwijl hij me het eerste stapeltje aangaf. 'Die zijn van Liliana als meisje.'

Ik zag dat ze toen al beeldschoon was. Of zag ik dat alleen maar omdat ik me tot in detail die laatste beelden herinnerde, waarin haar schoonheid zich zelfs te midden van al die gruwelijkheid nog wist te manifesteren? De foto's uit haar kindertijd waren van die klassieke foto's uit die tijd. Plaatjes geschoten in een fotostudio. Niets spontaans. De mooiste kleren, de netste haren. Ik stelde me voor hoe haar ouders achter de fotograaf gekke bekken stonden te trekken om die vluchtige glimlachen tevoorschijn te toveren die waarschijnlijk meteen weer vervaagden zodra er geflitst was.

'Deze zijn van Liliana in haar puberteit. Haar vijftiende verjaardag... dat soort dingen. Toen woonde ze nog niet in Buenos Aires, weet u?'

'Ik wist niet dat uw vrouw hier niet vandaan kwam. U ook niet?'

'Ik wel. Ik ben opgegroeid in Beccar. Maar Liliana komt uit Tucumán. Uit de hoofdstad, San Miguel. Ze kwam hier toen ze afgestudeerd was als leerkracht. Ze ging bij een paar tantes wonen.'

Je kon merken dat de familie inmiddels een camera gekocht had, want er waren nu meer foto's. Een groepje meisjes in tricot jurkjes in het gezelschap van een matrone van ondefinieerbare leeftijd met een onverbiddelijk voorkomen op de oever van een rivier. Twee meisjes met witte schorten voor die de Argentijnse vlag dragen; een van hen is Liliana. Een kleine, witte, harige hond die met een meisje speelt, Liliana uiteraard.

De foto's van haar vijftiende verjaardag, waarvan enkele in groter formaat afgedrukt. Liliana met een lichte jurk aan en een dubbel omgeslagen halsketting, ietwat te gekunsteld opgemaakt, wellicht wat te veel oogschaduw. Foto's aan beide tafels in de kamer, met alle groepen gasten: een met een groepje oudere, respectabele mensen, vast en zeker grootouders en oudooms en -tantes, een met een groepje meisjes, van wie sommige ook op de foto met de jurkjes aan de rivier stonden; een met een groepje jongens in gehuurde of geleende pakken geperst; eentje met kleine jongetjes en meisjes bij elkaar, neefjes en nichtjes misschien. De foto's van de wals, op de provisorische dansvloer voor de tafels, met papa, met opa, met haar broer en daarna met ontelbaar veel jongens, bijna dronken van gelukzaligheid omdat ze heel even hun hand op het middel van zo'n schoonheid mochten leggen.

Een picknick op een moeilijk thuis te brengen locatie. Het zou best Palermo kunnen zijn, maar aan het gezicht van Liliana te oordelen, het gezicht van een zestien-, hooguit zeventienjarig meisje, moest het nog wel in Tucumán zijn, met een groepje jongens en meisjes op het gras, dicht bij een rivier of een beek.

'Deze zijn van onze verkeringstijd,' legde Morales uit, terwijl hij hem een nieuw stapeltje aanreikte. Het waren er niet zoveel. Morales voegde er op bijna verontschuldigende toon aan toe: 'Het zijn er niet veel. We hebben maar een jaar verkering gehad.'

Dat stemde mij tevreden. Ik wilde niet ongevoelig overkomen, maar ik wilde dit zo snel mogelijk achter de rug hebben en er waren nog heel wat te gaan. Ik voelde wat ik altijd voelde als ik foto's bekeek: een oprechte nieuwsgierigheid, een oprechte interesse voor die levens die in eeuwige stilte op dat glanzende papier stonden; maar ook een diepe melancholie, een gevoel van verlies, van ongeneeslijke nostalgie, van een verloren paradijs achter elk van die momenten die als argeloze verstekelingen vanuit het verleden aan zijn gekomen. Ik ging nu al gebukt onder die melancholie en een groot deel van de foto's moest nog komen. Ik stak mijn vingers naar eentje uit, alsof ik door van Morales' draaiboek af te wijken een bepaalde vrijheid terugkreeg waar ik hoe dan ook weinig aan zou hebben.

'Die zijn van toen Liliana afstudeerde.' Morales gaf me een toelichting zonder een spoortje wrok vanwege wat ik vreesde dat hij als onbeschoft zou ervaren. 'Ze heeft maar een jaar als juf gewerkt voordat ze hierheen kwam.'

Het waren recente foto's. De kapsels van de vrouwen, de revers van de pakken van de mannen, de knopen van de stropdassen zagen er allemaal vrij modern uit, waardoor ze minder nostalgie in me opriepen. Je kon zien dat de familie van het meisje ervan hield om gebeurtenissen te vieren. Steeds goed gevulde tafels, iets aan de muur wat ermee te maken had, veel stoelen langs de kanten om plaats te bieden aan alle vrienden, familie en buren die bij elke gelegenheid weer van de partij waren.

Ik weet niet precies waarom ik acht sloeg op waar ik uiteindelijk acht op sloeg. Het zal wel komen doordat ik het altijd leuk had gevonden om de dingen een beetje zijdelings te bekijken en aandacht te besteden aan het tweede plan. Ik stopte met het door mijn handen laten gaan van het stapeltje foto's dat ik vasthield en bleef lange tijd kijken naar de foto die ik op dat moment voor me had. Een opgetogen Liliana, gehuld in een eenvoudig, lichtgekleurd, luchtig jurkje, een zomerjurkje waarschijnlijk, toonde haar diploma te midden van een kring jongens en meisjes. Ik keek op naar Morales: 'Kunt u me de foto's van haar vijftiende verjaardag nog een keertje geven?' Ik probeerde zo nonchalant mogelijk te klinken.

Morales deed wat ik vroeg, al keek hij me wel een beetje verwonderd aan. Toen hij ze me aangaf, duurde het niet lang voor ik gevonden had wat ik zocht: een van de foto's van het dansfeest, waarop Liliana poseert naast een dikke, kale, lachende man, waarschijnlijk een oom, en een andere waarop ze danst met een jongen die nauwelijks te zien is, omdat hij zijn ogen grimmig op de grond gericht hield. Ik liet ze boven op het stapeltje liggen, dat ik naast die van de diploma-uitreiking legde.

'Nu zou ik graag de foto's willen zien van de picknick, in een soort park met veel bomen, die u me al eerder hebt laten zien. Weet u welke ik bedoel?'

Morales knikte. Hij zei niets en juist daardoor realiseerde ik me dat hij de verwarde, dwingende toon van mijn woorden oppikte maar dat hij me niet uit mijn concentratie wilde halen door om een uitleg te vragen van mijn niet zo gelegen komende verzoeken. Toen ik de foto's in mijn handen had, koos ik er snel twee uit. Het waren brede opnamen; de hele groep stond erop.

'Wat is er aan de hand?' durfde Morales met een van twijfel verstikte stem na een lange minuut te vragen.

Ik had vier foto's apart gelegd en bekeek nu de stapeltjes opnieuw. Het enige waar ik aandacht aan besteedde, was het vinden van een gezicht dat er vaker op voorkwam. Ik vond er nog twee die me interesseerden. Ik had er nu zes in handen. Ik schoof de andere honderdachtenzestig bruusk weg. Misschien had ik Morales even moeten vertellen waar ik mee bezig was, of hem in elk geval even moeten gebaren dat ik zijn vraag wel gehoord had. Maar mijn idee had me zo overvallen en was zo gewaagd dat ik ergens bang was dat als ik het hardop zou uitspreken, het als een kaartenhuis zou instorten. Uiteindelijk stelde ik hem, in plaats van hem te antwoorden, nog een vraag: 'Kent u deze jongen?' zei ik nadat ik met een streek van mijn hand de tafel leeg geveegd had, met het risico dat de foto's op de grond zouden belanden, en de zes foto's die me waren opgevallen een beetje slordig vanwege de haast naar hem toe schoof.

Morales bekeek ze, gehoorzaam maar perplex. Tot die vrijdagmiddag had hij zich nog nooit verdiept in de eigenschappen van de jongen, maar hij was gedoemd ze tot de eeuwigheid voor zich te zien, al sloot hij zijn ogen. Omdat dat alles ging gebeuren, maar Morales het nog niet wist, antwoordde hij me simpelweg: 'Nee.'

Ik draaide de foto's naar me toe en probeerde er met mijn vingers geen vlekken op te maken. Op de twee foto's van de picknick stond een jongen met een licht shirt, een donkere broek en gympen, bijna aan de uiterste linkerkant van de groep. Hij had een bleke teint, een kromme neus en zwart krullend haar. Diezelfde jongen zat bijna in het donker aan een tafel vol borden met restjes en halflege flessen en keek op naar het stel dat de wals danste, naar Liliana met haar lange, sluike haar en iets te zware make-up om precies te zijn, die op de voorgrond van de foto danste met een oudere meneer. Op de andere foto van diezelfde avond was de jongen beter te zien, nu met zijn armen recht naar het meisje uitgestoken, alsof hij haar wilde aanraken maar er tegelijkertijd ook bang voor was, en zijn blik op de grond gericht en niet op haar gezicht, en al helemaal niet op haar veelbelovende decolleté.

De vijfde foto was in de woonkamer van Liliana's huis, dat was zeker. Het diploma van de kweekschool in het midden, met trots en een brede glimlach vastgehouden door hetzelfde meisje als op de andere foto's, nu iets ouder. Een groep vrienden (buren?) om de afgestudeerde heen, naast haar een man en een vrouw, ongetwijfeld de trotse ouders. In dit geval bevond de jongen zich rechts: opnieuw dat zwarte krullende haar, dezelfde neus, hetzelfde harde voorkomen, de blik die niet de camera zoekt maar het meisje, wier glimlach de hele foto verlicht.

En de laatste, de beste (vanwege de eenvoudige naaktheid waarmee de waarheid zich voor mijn ogen met groeiende zekerheid vanuit de bevroren stilte verkondigt): de jongen die bijna met zijn rug naar het tafereel staat (weer diezelfde groep rondom de afgestudeerde, nu zonder diploma), met zijn blik gefixeerd op een plank naast hem, aan de muur. Op de plank, bijna op ooghoogte, een fotolijstje met het lachende gezicht van hetzelfde meisje, duidelijk Liliana Emma Colotto, maar met als bijkomend voordeel voor die jongen die in vervoering naar haar kijkt, dat ze zich in dat lijstje volledig openbaart, onwetend en volledig overgeleverd aan de genade van die in beslag genomen jongeman. Daarom heeft hij niet eens in de gaten dat er nog een foto wordt gemaakt, waarvoor alle vrienden, familieleden en buren naar de camera kijken, behalve hij, omdat hij zich liever verliest in deze stille cultus, veilig voor de blikken van anderen. Hij kan natuurlijk niet weten dat iemand anders, op vijftienhonderd kilometer en enkele jaren afstand, wél ziet hoe hij naar haar staat te kijken. Dat iemand anders, ik dus, hem zojuist ontdekt heeft, als bij een wonder (voor wie graag denkt dat het goed is dat de waarheid aan het licht komt), of met een fatale scherpzinnigheid (voor wie liever in de veronderstelling is dat de waarheid niet altijd de veiligste haven is voor onze twijfels), of met een ontoelaatbaar toeval (voor wie zich beperkt tot het vaststellen van de delicate en schijnbaar grillige aaneenschakeling van de feiten).

Heel even dacht ik dat Morales de mentale revolutie die zich in mijn hoofd voltrok helemaal niet volgde. Maar toen ik eindelijk in staat was een heel klein stukje van mijn aandacht op hem te richten, merkte ik dat hij als een vlijtige schooljongen in zijn tas zat te zoeken. Hij haalde er een fotoalbum met harde kaft met daarop een verguld embleem uit. Hij sloeg het open. Er zaten geen foto's in: de kartonnen bladen, van elkaar gescheiden door vellen vloeipapier, waren leeg. Het duurde even voor ik doorhad dat elk blad enkele sporen had waar het glanzende oppervlak iets beschadigd was, en ik begreep dat Morales de foto's eruit gehaald had om ze op de stapeltjes te kunnen leggen die hij me had laten zien. Maar wat was hij nu dan aan het doen? Ook al was hij tot in het extreme op details gericht, ik kon me toch moeilijk voorstellen dat hij nu het hele album door ging bladeren om te kijken of er nog ergens een foto was blijven zitten. Blad na blad sloeg hij om, met de precieze gebaren van iemand die er zeker van wil zijn dat hij zich niet vergist. Het was een dik album. Aan het eind hield hij stil bij een pagina. Daar was het vloeipapier volgekrabbeld met kronkelende lijnen, naar het leek aangebracht met Oost-Indische inkt. Onderaan, in een hoek, stond een lijstje woorden die namen van mensen leken.

Morales keek naar de foto's die ik hem net getoond had. Hij koos er een van de picknick. Hij tilde het vloeipapier met de krabbels op en liet de foto eronder glijden. Toen begreep ik het: de lijnen volgden de silhouetten op de foto. Ze pasten precies en elk silhouet was genummerd. Morales drukte zijn vinger op het silhouet dat zich met een beetje moeite liet thuisbrengen als dat van de jongen die de hele tijd naar Liliana zat te kijken.

'Negentien,' mompelde hij.

We keken allebei naar de namen van de aanwezigen.

'Picknick in de vijfde van Rosita Calamero, 21 september 1962,' las Morales het kopje voor. En daarna liet hij zijn rechterwijsvinger naar beneden glijden tot de regel die hij zocht. 'Nummer negentien: Isidoro Gómez.'

13

Hoewel hij hem al tweemaal gelezen had, een keer toen hij hem ontvangen had en daarna nog een keer hardop, besloot Delfor Colotto het nogmaals te doen terwijl zijn vrouw de boodschappen ging doen, om zeker te weten of hij het goed begrepen had. Hij deed zijn bril op en ging op de schommelstoel op de veranda zitten. Hij las langzaam zodat hij zijn lippen niet mee hoefde te bewegen; hij zat voor het huis en zou zich erg opgelaten hebben gevoeld als iemand dat had gezien.

Toen hij klaar was, deed hij zijn bril af en vouwde de brief weer op zoals hij hem uit de envelop gehaald had. Het was zacht, heel wit papier dat nogal contrasteerde met de huid van zijn handen, die wel van schuurpapier leek. Hij had de brief begrepen, ondanks zijn aanvankelijke angst dat een van de woorden die met sierlijke zwarte lijnen op beide zijden van het papier stonden, te moeilijk voor hem zouden zijn. 'Urgent' was het enige woord waar hij moeite mee had. Hij had wel een idee van wat het zou kunnen betekenen, maar om het zeker te weten had hij het woordenboek erbij gehaald dat het meiske thuis had gelaten en daarmee was het probleem verholpen: zijn schoonzoon had hulp nodig... dringend, veel, hoe dan ook. Daarna had hij alles begrepen. Zijn schoonzoon eindigde zijn brief met 'ik laat het aan u over' omdat hij 'zeker wist dat hij wel zou weten wat de beste manier was'. Dat was de delicate aangelegenheid die Delfor Colotto al sinds de komst van de brief, twee dagen eerder, in spanning hield: wat die beste manier zou zijn.

Hij stond op. Als hij daar zou blijven zitten, zou hij alleen maar onrustiger worden. Misschien was het niet zo'n goed plan, maar hij wist niets beters. Zijn schoonzoon had duidelijker moeten zijn in zijn brief. De man had het gevoel dat hij niet helemaal eerlijk tegen hem was geweest. Vertrouwde hij hem soms niet? Of erger, zou hij soms denken dat hij achterlijk was omdat hij zijn school niet had afgemaakt? Ik kan er maar beter niet te veel aandacht aan besteden, dacht Colotto. Misschien gaf hij hem niet meer details om hem niet nog nerveuzer te maken. In dat geval deed hij er goed aan. Want met het weinige wat hij wist en alles wat hij zich voorstelde, draaide hij al half door en had hij al twee nachten geen oog dichtgedaan. Misschien werd het allemaal alleen maar erger als hij meer wist of als wat hij vreesde, bevestigd werd. Bovendien had hij zijn schoonzoon altijd erg gemogen, hoewel 'altijd' wel een erg groot woord was, want hoe vaak hadden ze hem nou helemaal gezien? Drie, hooguit vier keer. Zo goed kende hij hem niet, dat was een feit, maar daar kon die jongen ook niets aan doen, verdorie.

De gedachte daaraan gaf hem het zetje dat hij nodig had. Hij liep het huis binnen, ging naar de slaapkamer en trok over zijn hemd het overhemd aan dat netjes over de rugleuning van de stoel hing. Hij stopte het in zijn broek en deed zijn riem weer vast. Hij ging naar buiten, de stoep op, en liep naar de hoek. Hij groette een paar buren terug die maté zaten te drinken op de stoep. December was komen aanzetten met winterse hitte en sommige mensen zochten de frisse lucht aan het eind van de middag voor wat verkoeling.

Op de hoek ging hij rechtsaf. Het is hetzelfde blok als waar wij wonen, dacht hij. En hij voelde zich ongemakkelijk, bespottelijk bijna. Hij hield stil voor een huis dat op zijn eigen huis leek en op alle andere die gebouwd waren volgens het plan voor woningbouw van de regering. De bescheiden voortuin, de veranda, de voordeur met aan beide zijden een raam, het zadeldak. Hij klapte in zijn handen. Er kwamen een paar honden blaffend aan rennen vanaf de achterkant. Een vrouwenstem vanuit het huis bracht ze bijna volledig tot zwijgen. Een klein vrouwtje met blanke huid en lichte ogen kwam naar buiten; ze droogde haar handen af aan het keukenschort dat ze over haar jurk heen droeg.

'Don Colotto, wat een verrassing u hier te zien! Hoe gaat het?'

'Zijn gangetje, doña Clarisa. We redden het.'

De vrouw leek niet goed te weten hoe ze het gesprek voort moest zetten.

'En hoe is het met uw vrouw? Ik heb haar al zo lang niet gezien in de buurt.'

'Het gaat. Ze krabbelt weer aardig op.' De man krabde op zijn hoofd en fronste zijn wenkbrauwen.

De vrouw vatte dat op als de wens om van onderwerp te veranderen en stak haar hand uit om het zwarte hekje te openen terwijl ze tegen hem praatte: 'Kom toch verder! Kan ik u een maté aanbieden?'

'Nee, doña, dank u vriendelijk.' Hij stak beide handen op om zijn weigering beleefd kracht bij te zetten. 'Heel aardig van u, maar ik ben onderweg. Ik ben eigenlijk op zoek naar uw neef Humberto.'

'Ah...'

'Het is voor een baantje. Bij de gemeentelijke bouwplaats heeft de opzichter me wat kluswerk in zijn huis aangeboden, snapt u? En ik kan misschien nog wel wat hulp gebruiken, dus zat ik te denken dat Humberto misschien...'

'Ach, wat jammer, don Colotto. Hij is mijn broer gaan helpen op het land, bij Simoca.'

'Ah, natuurlijk.' Colotto bedacht dat het hem veel te goed afging. Hoewel het praatje volledig volgens plan verliep, kreeg hij er toch een beetje extra de zenuwen van, als dat al mogelijk was. 'Wat vervelend nou, ik wil het liefst met iemand werken die ik ken, ziet u.'

'Tja, ik waardeer het zeer, don Colotto, dat u aan hem hebt gedacht...'

'En vertelt u eens, doña Clarisa,' nu, het was nu of nooit, 'hoe gaat het met Isidoro? Zou die geen interesse voor het baantje kunnen hebben?'

'Neee…' Het was een scherp, lang, overtuigd, zelfverzekerd, onschuldig 'nee'. 'Isidoro is een jaar geleden al naar Buenos Aires vertrokken. Wist u dat niet? Goed. Geen jaar geleden. Iets minder lang eigenlijk. Als je iemand mist, lijkt het langer, snapt u?'

Colotto sperde zijn ogen open, wat de vrouw gewoon interpreteerde als teken van verrassing.

'Laat me eens denken. Het is nu begin december…' Ze stak haar hand op en begon op haar vingers te tellen. 'Hij is iets meer dan tien maanden geleden weggegaan, eind maart. Ik dacht dat u dat wel wist. Met mijn reuma kom ik er natuurlijk niet meer zoveel uit…'

'Vanzelfsprekend, doña, vanzelfsprekend.' Dat scheelde niets, Delfor. Beheers je een beetje, in godsnaam, dacht hij bij zichzelf. 'Ik had geen idee, moet ik u zeggen. Ik probeer hier de kost te verdienen door in de omgeving te werken.'

'Nee… hij had heel weinig werk afgelopen zomer. Af en toe een klein klusje. Net niets. Ik zei dat hij niet hard genoeg zijn best deed. Daar werd hij wel eens boos om, maar het was zo. Hij lag de hele dag maar wat op zijn kamer naar het plafond te staren, met een gezicht als een oorwurm. Kwam de deur niet uit. Ik bedoel, ook niet om leuke dingen te doen. Dan vroeg ik hem: "Wat is er toch, Isidorito? Vertel mama eens wat er is." Maar er kwam geen boe of bah uit. Hij is net zo gesloten als zijn vader, God hebbe zijn ziel, als je er twee woorden uit kreeg, was dat al heel wat, weet u. Dus liet ik hem maar. Hij liep door het huis als een leeuw in zijn kooi, met een chagrijnig gezicht. Totdat hij me op een dag vertelde dat hij naar Buenos Aires ging, dat hij hier niets meer te zoeken had. Eerst was ik verdrietig, weet u. Mijn enige zoon en dan zo ver weg: ik heb ook een hart. Maar ik zag dat het niet goed met hem ging, zo… boos de hele tijd… dus uiteindelijk leek het me een goed plan dat hij wegging.'

De vrouw wilde graag nog meer vertellen, maar van dat lange staan kreeg ze last van haar gewrichten, waardoor ze steeds van standbeen moest wisselen. Uiteindelijk leunde ze tegen een paal.

'Maar goed, don Delfor. Hij stuurt me elke maand geld. Altijd. Met dat geld en mijn pensioen kan ik het prima rooien, weet u.'

Ik ben er bijna, dacht Colotto, nog heel even.

'Dat is heel fijn, doña. Daar ben ik blij om. Kijk eens aan, in deze tijd en dan zo snel een vaste baan vinden…'

'Maar natuurlijk,' bevestigde de vrouw enthousiast. 'Dat zeg ik ook tegen hem. Ik zeg je mag Maria van de Wonderen wel op je blote knieën bedanken, Isidorito. Nou ja, ik zeg "Isidoro", anders ergert hij zich. Het is een wonder hoe het gaat. Je moet dankbaar zijn. Want hij was vertrokken met een aanbeveling voor een drukkerij, die mijn zwager voor hem geregeld had, maar daar kwam niets uit. Maar meteen daarna, echt onmiddellijk daarna, vond hij iets in de bouw. En het is ook nog eens een groot project, daar hebben ze wel een tijdje werk voor hem.'

'Dat meent u niet… Hoe is het mogelijk, hè?' Colotto slikte zijn speeksel weg.

'Wat u zegt, don Colotto, wat u zegt! Een gebouw ergens bij Caballito, zei hij. Vlak bij… Primera Junta, kan dat? Zoiets zei hij. Dicht bij die trein, de metro. Een gebouw van wel twintig verdiepingen.'

Delfor Colotto kreeg de helft niet mee van wat de vrouw vertelde, omdat hij was blijven steken bij de gedachte of hij blij of juist triest moest zijn door wat hij nu aan het uitvinden was. Hij probeerde zich te concentreren op wat ze zei en zijn twijfels voor later te bewaren. Ze had het erover dat ze naar Salta wilde gaan voor het feest van Maria van de Wonderen, die ze erg toegewijd was, als haar reuma dat tenminste toeliet.

'Goed, doña Clarisa. Ik ga er weer eens vandoor.' Opeens herinnerde hij zich met welke smoes hij gekomen was. 'Als u nog iemand weet die een baantje zoekt, dan hoor ik het graag… Wel iemand die aanbevelenswaardig is, uiteraard.'

'Maakt u zich geen zorgen, don Delfor. Ik zit hier wel aan huis gekluisterd, maar er komt me nog genoeg ter ore. Als ik wat hoor, laat ik het u weten. God zegene u.'

Delfor Colotto liep terug naar huis in het fletse licht van de straatverlichting die net aan was gegaan. Het was vreemd. Twee jaar geleden had hij als voorzitter van de Vereniging van Fomento hemel en aarde bewogen om ervoor te zorgen dat die verlichting er was gekomen. Maar zoals bijna alles kon hem dat nu geen klap meer schelen.

Hij liep zijn huis binnen en keek op de klok. Het was te laat om nog naar het postkantoor te gaan om te bellen. Dat moest tot de volgende ochtend wachten. Hij hoorde het gerammel van pannen. Zijn vrouw was in de weer in de keuken. Hij besloot haar nu nog even niets te vertellen. Hij liep naar de slaapkamer en trok zijn overhemd uit. Hij hing het weer over de rugleuning van de stoel. Hij ging weer naar buiten en ging op de veranda zitten. Het werd frisjes.

14

Tien dagen nadat ik de foto's had gezien, had ik een ontmoeting met Báez. Ik ging naar hem toe op de afdeling Moordzaken nadat we telefonisch contact met elkaar hadden gehad. Hij deed de deur van zijn kantoor open, liet me binnen en vroeg of ik koffie wilde, die hij door iemand liet brengen. Zoals altijd wanneer ik een tijdje in zijn gezelschap vertoefde, werd ik bevangen door een bewonderend en ongemakkelijk respect.

Hij was een man met een harde gezichtsuitdrukking boven een lijf als een klerenkast. Hij was een jaar of wat ouder dan ik. Vijftien, twintig jaar misschien wel. Dat was moeilijk in te schatten, want hij had een dikke snor die zelfs van een puber nog een oude man zou maken. Wat mijn bewondering wekte was, denk ik, de kalme en directe manier waarop hij zijn autoriteit deed gelden. Ik had hem al vaak tussen de andere politiemensen gezien met het ingetogen zelfvertrouwen van een paus die overtuigd is van zijn recht op zijn leiderschap. En ik, die toch al een aantal jaren eerste ambtenaar was op de rechtbank, had het gevoel dat ik het nooit van mijn leven voor elkaar zou krijgen om een order te geven zonder de zenuwen te krijgen. Ik was bijna net zo bang dat mijn opdracht hen zou beledigen als dat ze me niet zouden gehoorzamen. Of dat ze me achter mijn rug om uit zouden lachen, wat me misschien nog wel het meest beangstigde. Ik wist zeker dat Báez geen last had van dat soort bespiegelingen.

Die middag had ik echter het gevoel dat ik een lichte voorsprong had op de man die ik zo bewonderde. Ik werd gedreven door de euforie over mijn ingeving met de foto's. Wat was begonnen als nauwelijks meer dan een esthetisch foto's kijken, had geleid tot een spoor, het enige spoor dat we tot nu toe hadden.

In die tijd kon ik mijn leven nog niet zo goed leiden met

gematigde gevoelens. Of ik zag mezelf als duistere, routinematige en doorzichtige ambtenaar die met veel moeite zat te vegeteren op een positie die paste bij zijn middelmatige kwaliteiten en beperkte ambities, of ik zag mezelf als een onbegrepen genie wiens talent verspild werd aan saaie, lage functies die bestemd waren voor de van nature minder verlichte zielen. Het grootste deel van de tijd bevond ik me in de eerste van de twee posities. Heel af en toe stak ik over naar de tweede, waar ik altijd eerder vroeg dan laat weer van terugkwam, wanneer de oase een brute desillusie bleek te zijn. Ik wist het weliswaar niet, maar ik had nog twintig minuten voordat weer een van die rampzalige louteringen mijn gevoel van eigenwaarde kwam verpulveren.

Ik begon met het vertellen van het verhaal van de foto's. Eerst omschreef ik ze. Vlak daarna liet ik ze zien. Ik genoot van de aandacht waarmee hij naar me luisterde. Hij vroeg me naar details en in de meeste gevallen kon ik zijn nieuwsgierigheid bevredigen. Báez had altijd veel respect getoond voor mijn kennis van de wet. Hij was nooit bang om in onze gesprekken door te laten schemeren waar de hiaten in zijn kennis van de materie zaten (nog een reden om hem te bewonderen, ik die het altijd zeer beschamend vond als ik iets niet wist). Maar in dit geval waagde ik me op zijn terrein en dat deed ik niet zomaar. Toen ik hem de foto's had laten zien, vertelde ik welke instructies ik de weduwnaar had gegeven: Morales moest zijn schoonvader een brief schrijven waarin hij hem vroeg om achter de huidige verblijfplaats van Isidoro Gómez te komen. Om niet door zijn nervositeit te worden verraden en om zich geen absurde persoonlijke wraak in het hoofd te halen, moest hij zich beperken tot het verkrijgen van die informatie en deze over te brengen aan Morales. Hij had het klusje met veelbelovende resultaten geklaard. Zo veelbelovend, vertelde ik aan Báez, dat ik Morales had opgedragen de vader van zijn vrouw te vragen om achter nog meer informatie aan te gaan, nu bij buren en eventuele gemeenschappelijke vrienden. Daarvoor baseerden we ons op het namenlijstje bij de foto van die beroemde picknick in de zomer. Toen ik me opmaakte om de resultaten van die tweede ronde ook kenbaar te maken, die bevestigden dat Gómez steeds meer in zichzelf gekeerd was geraakt, dat hij het in de ogen van anderen niet erg logische besluit had genomen om naar Buenos Aires te gaan, en daar enkele weken voor de moord ook werkelijk was aangekomen, onderbrak Báez me met een vraag.

'Hoe lang is het geleden dat die man bij de moeder van de verdachte op bezoek is geweest?'

Ik rekende terug, enigszins verbaasd. Wilde hij niet luisteren naar de onthullingen die ik op het punt stond te doen? Wilde hij niet weten dat een paar vrienden uit de wijk hadden bevestigd dat hun maat al jaren heimelijk verliefd was op het slachtoffer?

'Tien dagen, elf hooguit.'

Báez keek naar de ouderwetse zwarte telefoon op zijn bureau. Zonder me te waarschuwen pakte hij de hoorn op en draaide een nummer van drie cijfers.

'Ik wil dat u onmiddellijk hierheen komt. Ja. Alleen u. Bedankt,' mompelde hij tegen degene die opnam.

Toen hij op had opgehangen, rommelde hij, alsof ik er niet meer was, met snelle bewegingen in de laden van zijn bureau tot hij er een half opgebruikte blocnote met glad papier uit haalde en begon in enorme hanenpoten te schrijven. Hij leek wel een arts die met een ernstig gezicht een recept voor me uitschreef voor god mag weten wat voor medicijn. Als ik niet zo gespannen was geweest, had het beeld me wel komisch geleken. Nog voor hij klaar was, klonken er twee klopjes op de deur en kwam er een oudere onderofficier binnen, die ons groette en ook aan het bureau kwam zitten. Báez liet zijn pen meteen los, scheurde het blaadje af en reikte het de andere politieman aan.

'Kijk, Leguizamón. Probeer deze vent te vinden. Ik heb hier alle gegevens opgeschreven die u van pas kunnen komen. Als u hem vindt, houd hem dan aan. Het kan zijn dat hij gevaarlijk is. Arresteer hem en dan vinden we daarna samen met de Edelachtbare hier wel een beschuldiging.'

Ik stond niet echt te kijken van dat 'Edelachtbare' en het kwam ook niet in me op om hem te corrigeren. Politiemensen onder elkaar noemen alle gerechtsmedewerkers met een zekere ervaring liever 'Edelachtbare', anders zouden ze zich wel eens beledigd kunnen voelen. Daar doen ze goed aan. Ik heb nog nooit een groep gekend die zo gevoelig is voor eretitels als die van de rechterlijke macht. Wat me wel van mijn stuk bracht, was de zin waarmee hij zijn opdrachten beëindigde.

'En schiet een beetje op. Ik vermoed dat als hij degene is die we zoeken, hij 'm al wel eens gesmeerd zou kunnen zijn.'

15

De zin van Báez veranderde me in een zoutpilaar. Waar kwam een dergelijke rampzalige voorspelling vandaan? Ik wachtte zo rustig mogelijk af tot de onderofficier vertrok en vroeg Báez toen bijna schreeuwend: 'Hoezo "'m gesmeerd zijn"? Waarom?' Het noodlot greep me zo onverwachts bij de keel dat ik alleen maar zijn laatste woorden kon gebruiken en die in de vorm van een vraag terugwierp, hoewel ik zelfs nog geen vaag idee had van de aard van de bedenkingen die ik probeerde te formuleren. Van de wens om scherpzinnig over te komen op Báez was geen spoortje meer te vinden.

De politieman probeerde, naar ik aannam omdat hij respect voor me had, tactvol te zijn.

'Kijk, Chaparro.' Hij pauzeerde even, stak een 43/70 op en zette zijn kopje aan de kant, alsof het een obstakel was dat de overdracht van zijn woorden in de weg zou kunnen staan. 'Als die vent degene is die we zoeken, en op basis van wat u me vertelt, denk ik dat dat heel goed mogelijk is, zal het nog niet zo makkelijk worden om hem te pakken, vergis u niet. Hij zal best een gore klootzak zijn, maar het lijkt er niet op dat het gewoon een heethoofd is die maar wat herrie schopt. Er zijn er voor wie dat wel geldt, hoor! Sukkels die je zo te pakken krijgt omdat ze zo lopen te prutsen dat het enige wat er nog ontbreekt een bord om hun nek is waarop staat: "Ik was het, gooi me in de bak." Maar deze kerel...'

De politieman stopte even, alsof hij nadacht over de slimheid van de verdachte en besloot dat die respect verdiende. Hij blies de sigarettenrook door zijn neus uit. De zwarte tabak stonk. Ik voelde hoe hij mijn slijmvliezen irriteerde, maar mijn ongetemde trots weerhield me ervan om te hoesten en met mijn ogen te knipperen zoals ik eigenlijk zou willen.

'Het grietje op wie hij hopeloos verliefd is, vertrekt naar Buenos Aires. Hij denk er niet over om achter haar aan te gaan. Hij ranselt haar niet af. Ja, dat doet hij wel, maar pas later, hij heeft eerst tijd nodig om van huis weg te komen.' Báez onderbouwde zijn stelling hardop pratend met mij. Terwijl hij voortschreed in zijn verhaal, liet hij nog wat later in te vullen gaten over; bij andere dingen die niet leken te kloppen stond hij stil om ze met argumenten op te lossen. 'Misschien heeft hij in Tucumán al met haar gepraat. Maar zij moest niets van hem hebben. Hij kan zich zo geschaamd hebben, zich zo afgewezen hebben gevoeld dat hij het liefst in de grond zou zijn verdwenen. Ik neem aan dat hij daarom in eerste instantie blijft, haar niet tegenhoudt – waarmee zou hij dat ook moeten? – en haar niet volgt. Waarom zou hij dat proberen?'

Báez dacht na over zijn eigen argumenten. Daarna ging hij verder.

'Ja. Ik weet zeker dat hij haar van zijn gevoelens op de hoogte heeft gebracht en dat ze hem keihard heeft afgewezen. Daarom druipt hij in eerste instantie af. Maar dan bereikt hem het nieuws dat ze gaat trouwen. Daar is hij nog niet klaar voor, maar hij kan er ook niet op reageren. Hoe moet die knul daarop reageren? Wat moet hij doen? Hij laat de tijd verstrijken. Maar dat doet hij voor de kat z'n viool. Hij vergeet haar niet. Integendeel. Hij wordt woedend. Razend. Hij begint zich belazerd te voelen. Hoe kan het dat "La Liliana" gaat trouwen met een vent uit Buenos Aires die ze nog maar net kent? En hij dan? Hij zoekt het maar uit? Hij moet er de godganse dag aan denken, zoals u me vertelt. Of zoals de moeder van die jongen vertelt aan de man die u op haar af hebt gestuurd. Lag de hele dag op zijn bed naar het plafond te staren. En uiteindelijk neemt hij een beslissing. Uiteindelijk of aan het begin? Denkt hij er maandenlang over na of hij haar zal omleggen of niet, of is hij er al vanaf het begin van overtuigd dat hij dat gaat doen maar wacht hij nog tot hij de moed heeft verzameld om het te doen? Ik heb geen idee, en ik denk dat we daar ook nooit achter zullen komen. Feit is dat hij als hij eenmaal alles op een rijtje heeft, zijn boeltje pakt en de Estrella del Norte naar Buenos Aires neemt.'

Báez pakte de telefoon op en sloeg een paar keer met de haak. De bode kwam en hij bestelde meer koffie.

'En weet u wat? Ik durf te wedden dat die vent, als hij degene is die we zoeken, de tijd heeft genomen om zich te vestigen. Hij zoekt een pension. Vindt werk. En pas daarna houdt hij zich bezig met het meisje. Hij houdt zich een paar dagen op op de hoek van de straat om de dagelijkse routine van het pasgetrouwde stel te bestuderen. Om te zien hoe de buitendeur werkt, want hoe het zit met de binnendeuren lijkt hem wel duidelijk. Hij kotst ervan en misschien vraagt hij zich zelfs wel af of het niet beter is om hen maar allebei naar de andere wereld te helpen. Kunt u zich voorstellen hoe die vent zich moet voelen bij het zien van de echtgenoot, die elke ochtend zielsgelukkig uit het bed stapt van de vrouw die hij als een gek begeert? En dus gaat hij, op de ochtend van het delict. Hij ziet Morales naar buiten komen, wacht vijf minuten en loopt dan naar de gang. De algemene buitendeur is de hele tijd open, want de bouwvakkers van appartement nummer drie zijn met kruiwagens met bouwafval in de weer. O nee. Dat slaat nergens op. De bouwvakkers waren er die dag niet. Dus hij belt aan en het meisje antwoordt via de deurtelefoon. Waarom zou ze niet naar buiten gaan om de deur voor hem open te doen? Wat een verrassing, een vriend uit haar oude wijk, die ze al van kinds af kent. Hebben ze niet heel wat meegemaakt samen? Waarschijnlijk draait ze de sleutel om en herinnert zich, met nog een spoortje schuldgevoel, de manier waarop ze hem moest teleurstellen toen hij haar een paar jaar geleden de liefde verklaarde. Het is natuurlijk wel een beetje vreemd dat hij zomaar onverwachts langskomt, terwijl hij niet eens op de bruiloft is geweest, maar daarom laat ze hem nog niet op straat staan. Ze loopt weliswaar nog in haar nachthemd, maar heeft haar ochtendjas er goed sluitend overheen. En ze is jong. Een iets oudere vrouw zou het misschien als ongepast hebben beschouwd om de deur open te doen in dat soort kleren. Maar zij is niet zo formeel. Ze heeft ook geen reden om dat te zijn. In elk geval boeit dat die jongen allemaal niet. Ze doet ze de deur open, zegt: "Wat een verrassing, Isidoro", laat hem binnen en geeft hem een kus op de wang. Daarom heeft de buurvrouw niet gehoord dat er bij het belendende appartement op de deur werd geklopt. Omdat Liliana zelf de deur van de straat open is gaan doen en nu met hem mee naar binnen loopt. Arme meid.'

Báez drukte zijn sigaret uit en leek te twijfelen of hij gelijk een nieuwe op zou steken. Hij zag ervan af.

'Heeft hij al besloten om haar te verkrachten of ziet hij wel hoe het loopt? Weer geen idee. Hoewel ik de neiging heb te denken dat hij daar een tijd op heeft zitten broeden. Deze jongen doet de dingen niet als een kip zonder kop. Hij heeft een schuld te innen. Niets meer en niets minder. Dus haar tegen haar wil nemen op de vloer van de slaapkamer staat voor hem gelijk aan het innen van een oude schuld. En haar wurgen met zijn blote handen is wraak nemen op haar, omdat ze hem heeft afgewezen, omdat ze hem daar eenzaam en bedroefd in de wijk heeft achtergelaten, uitgelachen door vriend en vijand. Dat weet ik ook niet zeker natuurlijk, maar die Isidoro lijkt me niet iemand die het tolereert dat hij bespot wordt. Dat drijft hem tot waanzin. En daarna? Daarna niets. Hoelang zal hij binnen zijn geweest? Vijf, tien minuten. Hij heeft nergens sporen achtergelaten. Behalve de krassen in het parket rondom het lichaam van de vrouw, die geprobeerd heeft te ontkomen voordat ze aan het eind van haar krachten was. Maar zelfs die sporen zijn zo oppervlakkig dat als hij een doek pakt die hij ergens op een plank vindt, hij ze zo weg kan vegen (hij kan niet weten dat die kudde wildebeesten van de federale politie die het onderzoek starten overal met hun poten overheen stampen en elk spoor dat hij wellicht over het hoofd heeft gezien, toch wel uitwissen). De deurklink maakt hij niet schoon, want hij weet dat hij die niet heeft aangeraakt. Weet u waarom ik dat zeg? Om u te laten inzien wat voor type die vent is. Op de deurklink hebben we de sporen gevonden van het Moraleskoppel, zowel binnen als buiten. En dus liep hij daar rond met een kalm gemoed, of cynisch (noem het zoals u wilt), en een doek in de hand en besliste rustig wat hij schoon zou maken: de vloer rondom de plek waar hij die arme meid te grazen had genomen, wel; de deurklink had hij niet aangeraakt, dus die niet. En weet u wat hij daarna deed?'

Hij stopte, alsof hij me echt aan het ondervragen was, maar dat was niet zo. Het was ook niet zo dat hij zichzelf even op de borst wilde slaan. Zo zat het niet, Báez verspilde geen energie aan dat soort flauwekul.

'Weet u wat ik me moeilijk voor kon stellen toen ik als jonge jongen voor Moordzaken kwam werken? Niet eens de misdaden op zich. Niet de brute daad van het verpletteren van een leven. Daar was ik zo aan gewend. Waar ik moeite mee had, waren de handelingen ná het misdrijf. Ik bedoel niet de rest van het leven van de moordenaar. Nee. Laten we zeggen de eerste twee, drie uur na de daad. Ik stelde me voor dat iedereen die iemand gedood heeft, moet staan te trillen op zijn benen, wanhopig moet zijn om wat hij heeft gedaan, het beeld niet los kan laten van het moment waarop hij het leven van een ander menselijk wezen heeft weggenomen.' Báez snoof, in een soort van glimlach, alsof hij zich iets grappigs herinnerde. 'Net zoiets als die knaap van Dostojevski, weet u wie ik bedoel? Van *Misdaad en straf*. Die heeft wel degelijk gewetenswroeging: "Ik heb dat oudje vermoord. Hoe moet ik nu verder leven?"' Báez keek me aan, alsof hij zich opeens iets herinnerde. 'Sorry, Chaparro, dat ik zo dom didactisch zit te doen. Ik weet zeker dat u dat boek gelezen hebt. Maar dat krijg je als je de hele dag omgeven wordt door van die achterlijke types, begrijpt u? Kunt u zich die debiel van een Sicora, om maar iemand te noemen, pratend over literatuur voorstellen? Nee, doe geen moeite. Dat is onmogelijk. Maar goed, waar ik naartoe wilde, is dat schuldgevoel en gewetensnood helemaal niet zo vanzelfsprekend zijn. Die zijn soms ver te zoeken. Er zijn er die in staat zijn zichzelf een kogel door de kop te schieten uit schuldgevoel, echt. Maar je komt ook wel van die figuren tegen die een moord plegen en daarna naar de film gaan of een pizza gaan eten. Goed. Ik denk dat deze vent bij de tweede categorie hoort. Maar omdat het een dinsdagochtend is, gaat hij vast naar zijn werk of zo. Hij loopt naar de bushalte en stapt in de bus. Misschien koopt hij als hij uitstapt nog een *Crónica*. Waarom niet?'

Nu steekt Báez wel een nieuwe sigaret op. Een stukje terug had ik het over mijn fluctuerende gemoedstoestand en schreef ik dat ik bij mijn afspraak met de politieman was aangekomen op het hoogtepunt van mijn euforie. Twintig minuten later was die euforie aan diggelen. Maar ik voelde me niet alleen verslagen door de feiten, dat was iets wat wel vaker voorkwam. Ik voelde me ook schuldig. In plaats van Báez te bellen zodra ik dit bedacht had, zodat hij kon beslissen wat de beste manier was om die kerel te pakken, had ik gehandeld zoals viel te verwachten: ik had me laten meeslepen door mijn eigen aanval van initiatief, ik had die arme weduwnaar en diens arme schoonvader als loopjongens gebruikt en hen verdomme voor niets het hol van de leeuw in gestuurd.

Ik probeerde ondanks alles kalm te blijven. Kon het niet zo zijn dat Báez een beetje overdreef? Als Gómez nou eens veel minder slim was dan hij aannam? En als hij nu in al die maanden wat minder oppassend was geworden? Wat voor bewijzen had Báez per slot van rekening nu helemaal voor zijn theorieën? Het enige wat hij had, was wat ik hem verteld had.

En dan nog iets: als die Gómez er nou eens helemaal niets mee te maken had? Met een bijna puberale dwarsheid wenste ik dat het spoor naar die vent niets meer dan een luchtspiegeling was. Ik stond op. Báez volgde mijn voorbeeld en we staken elkaar de hand toe.

'Morgen weten we vast wel meer.'

'Goed,' antwoordde ik, misschien onnodig nors.

'Ik bel u wel.'

Ik liep bijna woest naar buiten, op zijn best opgelaten. Ik ging te voet terug naar de rechtbank. Het was misschien wat laag, maar op dat moment maakte ik me meer zorgen om mijn eigen gestuntel dan om het oppakken van die klootzak die dat meisje had vermoord, of het nu Gómez was of ander gespuis.

Even voor zevenen die avond ging de telefoon op de griffie. Het was Báez.

'Ik heb hier Leguizamón met nieuws.'

'Ik hoor het.' Ik reageerde belachelijk, als een beledigd kind, maar ik kon het niet helpen. Bovendien was ik niet klaar voor dit telefoontje. Ik had gedacht dat hij pas de volgende dag zou bellen.

'Oké. Laten we met het slechte nieuws beginnen. Isidoro Gómez is drie dagen geleden verdwenen uit het pension in Flores waar hij sinds eind maart verbleef. Met verdwenen bedoel ik: hij heeft tot en met de laatste dag betaald en is vertrokken zonder te zeggen waar hij naartoe ging. Op het werk hetzelfde verhaal. We hebben de plek weten te achterhalen: een gebouw van vijftien verdiepingen bij de Avenida Rivadavia, midden in Caballito. De voorman zei tegen Leguizamón dat het een geweldige jongen was. Oké, heel zwijgzaam en niet altijd even aardig, maar betrouwbaar, netjes en hij dronk niet. Een lot uit de loterij. Maar dat hij een paar dagen geleden 's ochtends was gekomen om te zeggen dat hij terugging naar Tucumán omdat zijn moeder heel ziek was. De voorman heeft hem het deel van zijn tweewekelijkse betaling gegeven dat hem toekwam en tegen hem gezegd dat hij zich als hij wilde beslist weer moest melden als hij terugkwam, want hij was erg over hem te spreken.'

Er viel een stilte. Ik had zin om de typemachine, de potloodhouder, de zaak waar ik aan werkte en de telefoon door het kantoor te smijten, maar ik verbeet me en wachtte af.

'Enfin. Het goede nieuws is dat we mogen aannemen dat hij onze man is. En dat hij ervandoor is omdat hij weet dat we hem op de hielen zitten. Leguizamón kwam nog met een pikant detail: de voorman had de kaartjes van de prikklok van het personeel bewaard. Weet u hoe vaak hij in de acht maanden dat hij daar werkte te laat is gekomen? Twee keer. Een keer tien minuten. De andere keer tweeënhalf uur. Weet u wanneer? Op de dag van de moord.'

'Ik snap het,' kon ik eindelijk uitbrengen. Mijn toon was nu niet meer kortaf. Ik was nooit een slechte verliezer geweest. 'Bedankt voor de informatie, Báez. Ik zal alles in het dossier verwerken en ik zal u laten weten welke papieren ik van u nodig heb.'

'Prima, Chaparro. Tot ziens.'

'Tot ziens. En nogmaals bedankt,' voegde ik toe, als om mijn eerdere reactie goed te maken.

Ik zou net ophangen toen ik de stem aan de andere kant van de lijn weer hoorde. 'Ah, nog een vraagje.' De stem van Báez klonk aarzelend. 'Hoe kwam u erbij dat het deze jongen zou kunnen zijn? Ik weet al dat het door de foto's kwam, maar waarom dacht u specifiek aan hem? Want ik kan u zeggen dat het een heel goede zet is geweest, Chaparro. Dat zeg ik u eerlijk. Misschien hebt u de dader wel aangewezen, wie zal het zeggen.'

Hij was duidelijk een goeie vent. Was dit een oprecht compliment of deed hij dit om mij me minder schuldig en belachelijk te doen voelen? Ik woog mijn antwoord goed af.

'Ik weet het niet, Báez. Ik denk dat wat mij opviel de manier waarop hij keek was. Zo'n manier om naar een vrouw te kijken, haar van afstand te aanbidden. Ik weet het niet,' herhaalde ik. 'Ik denk dat als ergens geen woorden voor zijn, blikken boekdelen spreken.'

Het duurde even voordat Báez reageerde.

'Ik snap het. Ik zou het niet beter onder woorden hebben kunnen brengen. U bent goed met woorden, Chaparro. U zou schrijver moeten worden, wist u dat?'

'Zit me niet in de maling te nemen, Báez.'

'Ik neem u niet in de maling. Ik meen het serieus. Goed, ik bel u een dezer dagen weer, als ik weet wat u nodig hebt.'

Ik hing op en het geluid van de hoorn weerklonk in de stilte van de rechtbank. Ik keek hoe laat het was. Het was al heel laat. Ik pakte de hoorn weer van de haak en draaide het nummer van de bank waar Morales werkte. Ik vroeg de beveiliger of hij Morales de volgende dag, zodra hij binnenkwam, alstublieft wilde zeggen dat hij zo snel mogelijk bij de rechtbank langs moest gaan omdat hij een verklaring moest ondertekenen. Hij beloofde de boodschap door te geven.

Weer dat geluid van de hoorn. Ik liep naar de archiefkast; op de bovenste plank had ik maanden geleden het dossier van Morales zo neergelegd dat niemand het kon zien. Ik ging op mijn tenen staan en trok eraan. Het dossier gleed samen met een enorme stofwolk in mijn handen. Ik liep terug naar mijn bureau. Ik begon niet bij het begin, maar ging direct naar de laatste toevoeging. Die was van de maand juni; er werd verordonneerd een aanvullend autopsierapport aan het dossier toe te voegen: over het onderzoek van de ingewanden. Ik keek op mijn horloge naar het vakje van de datum. Ik deed een vel papier met briefhoofd van de Nationale Instructierechtbank in mijn typemachine en begon met het typen van een fictieve datum in de maand augustus.

Ik had niet gelogen tegen Báez toen ik zijn laatste vraag beantwoordde, maar ik had hem ook niet de hele waarheid verteld. Het klopt dat de manier waarop Gómez keek me was opgevallen, en dat ik die had opgevat als een stille en onbeduidende boodschap voor een vrouw die die niet kon of wilde begrijpen. Wat ik niet aan Báez had verteld, was de reden waarom ik bij die manier van kijken had stilgestaan. Dat had ik gedaan omdat ik op dezelfde manier naar een vrouw had gekeken. Tijdens het vallen van die warme avond in december 1968, zoals zo vaak in dat jaar dat ik haar had leren kennen, vond ik het in- en inbetreurenswaardig dat ik niet met haar getrouwd was.

16

Het enige wat ik aan God zou willen vragen, is dat Sandoval vandaag niet helemaal lam aan komt zetten, dacht ik die ochtend toen ik de rechtbank binnenkwam. Ik had die nacht bijna niet geslapen. Ik was niet alleen heel laat thuisgekomen (daar voelde ik me schuldig over, want Marcela was opgebleven), maar het had ook nog eens eindeloos geduurd voor ik in slaap was gevallen. Wat zou er gebeuren als de rechter zich herinnerde dat ik hem voor idioot had gehouden? Was het de moeite waard dat risico te lopen? Door de zenuwen stond ik al voor het krieken van de dag naast mijn bed. Ik moest wel een gezicht als een oorwurm hebben, want mijn vrouw had meteen in de gaten dat er iets was en vroeg me ernaar tijdens het ontbijt.

Nu, dertig jaar later, denk ik eraan terug en kost het me moeite mezelf te zien als de drijvende kracht achter een dergelijk plan. Wat bezielde me om mezelf in zo'n netelige situatie te brengen? Ik denk dat het mijn schuldgevoel was. En de onzekerheid: als Gómez de dader niet was, waarom zou ik dan de hele boel op zijn kop zetten? Maar als hij de moordenaar wel was, hoe kon ik mezelf tot aan mijn dood dan nog in de spiegel aankijken zonder me een lafaard te voelen omdat ik mijn zekerheid en mijn baan voorrang had gegeven?

Mijn praktische probleem had zijn oorsprong niet in de vruchteloze zoektocht naar Isidoro Gómez, maar al eerder: vanaf het moment dat ik zo onnozel was geweest om te voorkomen dat de zaak geseponeerd werd, enkele maanden daarvoor. Op dat moment had ik gedacht dat als de schuldige gepakt zou worden, de rechter zo tevreden zou zijn dat hij zich er niet druk om zou maken dat de zaak om onverklaarbare redenen op die plank was beland. Integendeel. Met een voldoende overdreven en zoetsappige vleierij die hem de credits voor de arrestatie zou geven, zou hij elke behoefte daartoe verliezen.

Maar nu was ik niet meer zo stoer. En op dit moment had ik Sandoval nodig. Maar een geïnspireerde, scherpzinnige, snelle, onbevreesde Sandoval. Als Sandoval dronken was, kon ik het vergeten. Gelukkig kwam hij terwijl ik in die gedachten verzonken zat fris als een hoentje binnen, geurend naar lavendel en stralend als een zonnetje. Ik hield hem tegen terwijl hij naar zijn bureau liep en legde hem in korte lijnen uit wat mijn plan was. Hij was een briljante kerel. Hij had meteen door waar ik naartoe wilde. En hij was loyaal, want hij stemde er zonder aarzeling mee in om mee te werken aan mijn duistere zaakjes.

Morales zelf was er op tijd. Ik liet hem bij de balie een uitbreiding van zijn getuigenverklaring tekenen, gaf hem geen details en handelde de boel snel af. Ik zei dat ik het hem later allemaal wel uitlegde. Toen na een tijdje rechter Fortuna Lacalle zijn opwachting maakte op de griffie, legde ik mijn lot in handen van de Heilige Geest en probeerde ik me de trucjes van mijn moeder te herinneren om mijn angsten te overwinnen. Lacalle zag er zoals altijd uit om door een ringetje te halen. Zwart pak, eenvoudige stropdas dat een een-tweetje aanging met de pochet in de borstzak van zijn colbert, het haar met brillantine strak achterovergekamd, een gebruinde huid. Ik denk dat ik door hem te observeren tot mijn theorie kwam dat de onbenullen onder ons fysiek beter in vorm blijven omdat ze niet worden verteerd door de existentiele angst waar min of meer verlichte mensen mee kampen. Ik kan het niet bewijzen, maar in het geval van Fortuna Lacalle vond ik altijd dat mijn theorie klopte als een bus.

Hij ging in mijn stoel zitten met zijn prinselijke manieren en haalde zijn Parkerpen uit de binnenzak van zijn jasje. Met theatrale gebaren begon ik dossiers op het bureau te stapelen, als om hem te kennen te geven dat hij de komende twee of drie uur van zijn leven officiële mededelingen en brieven zou ondertekenen.

Godzijdank was het donderdag, de dag waarop hij om zes uur ging tennissen, en werd hij vanaf drie uur al bevangen door een grillig ongeduld ten opzichte van alles wat hem onvoorzien van dat hogere doel af zou kunnen brengen. Hij zou het weten. Hij sperde zijn ogen open en zei iets wat grappig bedoeld was over de snelheid waarmee zijn medewerkers op die griffie werkten. Met een glimlach gaf ik hem zaken die hij moest tekenen, waarbij ik hem met elk dossier vergastte op bloemrijke zinspelingen. Het was nutteloze informatie, of laten we zeggen overbodig en onnodig, maar de rechter was te dom om te merken dat ik hem voor de gek hield.

Op dat moment verscheen Sandoval voor het eerst in beeld vanachter de archiefkast die mijn bureau enige privacy verschafte.

'Ah, Edelachtbare,' begon hij tegen Fortuna, op een toon die tussen vleierig en ironisch in zat maar wel op een dusdanig overduidelijke manier dat de rechter zich geen slachtoffer maar handlanger voelde, 'wanneer zien we u eens in een Dodge Coronado zoals uw collega Molinari?'

De rechter dacht zorgvuldig na. Ondanks zijn domheid beschikte hij over dat behouden instinct dat mensen zoals hij ontwikkelen doordat ze zo vaak te maken hebben met complexe en vijandige situaties, en Sandoval maakte klaarblijkelijk deel uit van dat terughoudende, complexe universum. Hij vraagt hem of hij zijn opmerking wil herhalen. Hij vraagt of hij het herhaalt, zei ik in mezelf. Met een snelle beweging pakte ik het dossier van Morales en sloeg het direct open op blad 208, dat ik gemarkeerd had.

'Wat zegt u, Sandoval?' Fortuna was duidelijk meer geïnteresseerd in wat mijn assistent te zeggen had dan in het dossier dat voor hem lag.

'Een decreet dat de formatie van een tweede politieteam verordonneert, Edelachtbare,' mompelde ik, alsof ik het gesprek waarin Fortuna wél geïnteresseerd was, niet wilde onderbreken.

'Ja, ja,' antwoordde hij zonder me aan te kijken.

'Niets, niets, meneer.' Sandoval grijnsde schalks naar hem. 'Ik zat te denken dat ik meneer Molinari al gezien had met zijn nieuwe auto. Hebt u hem niet gezien?'

Fortuna deed een poging om een ad rem en intelligent antwoord te geven. Het was al moeilijk voor hem om die twee apart voor elkaar te krijgen; beide tegelijk was een onmogelijke opgave, maar hij leek bereid een poging te doen en een taak van die omvang eiste al zijn intellectuele energie op. Ook nog eens aandacht schenken aan wat hij aan het ondertekenen was, lag simpelweg buiten zijn bereik. En dus tekende hij een decreet met de datum van 2 juli dat inderdaad de formatie van een tweede team verordonneerde in de zaak vanaf stuk 201, maar en passant ook aangaf dat de getuigenverklaring van Ricardo Morales werd uitgebreid. Ik trok het stuk onder zijn neus vandaan zodra hij zijn paraaf gezet had; ik moest natuurlijk niet hebben dat hij zich als bij een wonder opeens zou realiseren dat hij een opdracht getekend had die bijna vier maanden eerder gedateerd was.

'Nee, dat wist ik niet... een Coronado?'

'Een Coronado, meneer. Knalblauw...' Sandoval glimlachte afwezig, alsof hij wegdreef in de gedachte aan de auto. 'Een geschenk uit de hemel. Bekleed met zwart leer. Details in chroom uitgevoerd... hebt u hem echt niet gezien, meneer?'

'Nee. Het is eigenlijk al heel lang geleden dat ik met Abel geluncht heb.'

Perfect, dacht ik. Hij heeft hem in het nauw gedreven. Sandoval kon wreed zijn tegen mensen die hij niet mocht, maar de manier waarop hij die wreedheid toepaste om zijn rivalen te doen verdwijnen in hun eigen zwakheden was werkelijk briljant. Ik heb al tot vervelens toe gezegd dat Fortuna Lacalle een imbeciel met de ijdelheid van een jurist was, maar buiten zijn eigenliefde om bestierf hij het bijna van jaloezie jegens de rechters die de posities die ze bezetten werkelijk verdienden. Molinari was een van hen, en die poging om zijn gezicht te redden door hem bij zijn roepnaam te noemen, alsof er een sterke band tussen hen tweeën was, alsof hij zich wilde beroepen op een vriendschap die er niet was, bewees alleen maar dat hij groen zag van jaloezie.

Ik besloot over te gaan op de tweede akte: ik hield hem de aan een willekeurig dossier vastgeniete verschijning in rechte voor, waarin Morales verwees naar zijn verdenkingen aangaande Gómez op basis van een paar vermeende dreigbrieven aan het adres van zijn vrouw, die ze zou hebben ontvangen voor de moord en die gestuurd waren door de verbitterde bewonderaar en die ze op passende wijze hadden vernietigd. Ik had de verschijning in rechte de avond ervoor nog opgesteld en Morales had die deze ochtend vroeg ondertekend.

'Dit is een getuigenverklaring in de zaak Muñoz, die van meerdere gevallen van oplichting,' loog ik.

'Ah… hoe staat het met die zaak?'

Nu zijn we er geweest, dacht ik. Nu ging hij opeens geïnteresseerd doen. Wat zou ik eens verzinnen? Wanneer had ik zaken door elkaar gehaald? En hoe ging ik deze verklaring die uit het niets leek op te doemen verklaren?

'Hebt u nog steeds die Falcon, meneer?' schoot Sandoval me te hulp.

'Jazeker.' Fortuna antwoordde op een toon die nonchalant moest overkomen.

'Oké, natuurlijk… omdat… welk model is het? '63? '64?'

'Het is een '61.' Fortuna was bijna kortaf, hoewel hij het antwoord nog wat probeerde te verzachten. 'Hij is nog zo goed dat ik het niet over mijn hart zou kunnen verkrijgen om hem weg te doen.'

Sandoval was een kunstenaar. Hoe vaak hadden we achter de rug van de rechter om al wel niet gelachen, niet om zijn Falcon model '61 (per slot van rekening behoorden Sandoval en ik tot de categorie die zich eeuwig te voet verplaatste), maar omdat Lacalle persoonlijk leed onder zijn situatie. Hij zou een oor gegeven hebben voor een nieuwe auto (ervan uitgaande dat er iemand zo gek zou zijn om het daarvoor te doen). Hij had een salaris waar hij het voor zou moeten kunnen doen. Maar zowel zijn vrouw als zijn twee dochters hadden de levensstijl van een prinses, waardoor die arme Fortuna elke maand opnieuw met moeite een persoonlijk faillissement kon voorkomen. Het doorschijnende gezicht van de rechter liet zien dat hij in zijn hoofd opsomde wat hij wel niet allemaal kon kopen als zijn vrouwen niet zo'n tomeloos consumptiegedrag hadden. En die Dodge Coronado stond, veronderstelde ik, boven aan zijn lijstje.

Ik sloeg snel de pagina om en kwam bij het officiële verzoek aan de federale politie en aan de politie van Tucumán om op zoek te gaan naar Gómez, met een kopie. Ze waren gedateerd in oktober en herhaald in november. Dat had ik al geregeld met Báez. Fortuna zette zijn handtekening alsof het om een bonnetje van de stomerij ging.

'Dan nog iets.' Sandoval was op dreef. 'Ik moet u zeggen dat ik niet weet of meneer Molinari er wel goed aan heeft gedaan om die Dodge te kopen.' Hij gebaarde met zijn handen alsof hij niet goed wist hoe hij het moest brengen. 'U hebt er verstand van, meneer…' Hij leek eruit te zijn, alsof hij besloten had te vertrouwen op de intellectuele oprechtheid en de wijsheid van zijn gesprekspartner. 'Wat zou u doen? Zou u een Dodge Coronado of een Ford Fairlane kopen?'

U hebt er verstand van, herhaalde ik in mezelf. Sandoval was geniaal. Fortuna had er in werkelijkheid helemaal geen verstand van: niet van auto's, niet van het recht, van niets. Maar omdat hij ook niet snapte dat hij er niets van snapte, begon hij enthousiast aan het aanwezige publiek uit te weiden over de ontelbare voordelen van de Ford Fairlane en de onvergeeflijke tekortkomingen van de Dodge Coronado, wat tegelijk een indirecte manier was om te laten zien dat Molinari uiteindelijk helemaal niet zo perfect was. Hij deed er tien minuten over, inclusief een tekeningetje van wat, naar ik begreep, de versnellingsbak was van de ene respectievelijk de andere auto.

Het ging geweldig. Toen hij klaar was met zijn stompzinnige verhaal had hij de ontvangstbevestiging van het antwoord van de politie – die Báez voor me had opgesteld en me die ochtend vroeg had doen toekomen – over de onbekende verblijfplaats van Isidoro Antonio Gómez getekend. Tevens had hij het decreet ondertekend dat voorschreef dat het verzoek van kracht bleef om onderzoek te doen naar zijn verblijfplaats en hem te dagvaarden. Het doel daarvan was om hem uiteindelijk een informatieve verklaring af te kunnen nemen. Ook het bijbehorende officiële stuk aan de federale politie was voorzien van een handtekening. Sandoval, die over een boekenkast gebogen deed of hij luisterde naar het verhitte betoog van Zijne Edelachtbare, merkte mijn gebaar van opluchting op en wist dat zijn taak erop zat. Toch, gevoelige ziel die hij was, wilde hij het georeer niet zomaar afbreken en liet Fortuna Lacalle nog twee of drie minuten zijn gang gaan. Daarna bedankte hij hem hartelijk voor zijn tijd.

'Goed, meneer, ik laat u weer alleen, ik heb nog werk te doen.' Waaraan hij hoofdschuddend en met bewonderende blik toevoegde: 'U weet echt alles van auto's, hè!'

Fortuna deed zijn ogen dicht en glimlachte, in een gebaar dat zei dat hij het compliment bescheiden in ontvangst nam. Om het hem helemaal te laten duizelen, gaf ik hem nog twintig of vijfentwintig onbeduidende dingen om te tekenen.

Zodra Fortuna naar zijn kantoor was teruggekeerd, verzamelde ik de stukken die ik verspreid had over allerlei verschillende dossiers en stopte ze in de juiste volgorde in dat van Morales. Ze droegen de paraaf van de rechter, maar ze moesten nog medeondertekend worden door de griffier. Bij hem kon ik daar niet dezelfde strategie voor gebruiken. Ze waren beiden weliswaar even dom, maar ik moest het lot niet tweemaal tot het uiterste tarten. Ik besloot te vertrouwen op de basisessentie van Pérez: hij was een lafhartig type en ik wist zeker dat hij zonder een kik te geven alles zou tekenen wat zijn baas ook had getekend. En dus ging ik diezelfde middag nog met de zaak plus nog een stuk of twintig papieren die ik Fortuna had laten ondertekenen naar hem toe. Het was natuurlijk mogelijk dat hij zich de procedures kon herinneren. Wat moest ik dan met zoveel stukken, in een zaak als deze, met oplopende data in het verleden, als ik die niet met voorbedachten rade, achter zijn rug om, verzameld had?

Maar ik had nog een troef in handen voor het geval dat. Als hij mijn goede bedoelingen in twijfel zou gaan trekken of vermoedde dat er iets niet klopte in die stapel fictieve stukken waar Fortuna Lacalle net zijn krabbel onder had gezet, zou ik hem zonder omhaal chanteren: ik zou de halve gerechtelijke macht vertellen dat hij met benijdenswaardige zorgvuldigheid voor het poesje zorgde van raadsvrouwe nr. 3 in strafrecht, die noch zijn wettige echtgenote noch de liefhebbende moeder van de twee bloedjes van jongetjes op de foto op zijn bureau was.

Gelukkig was het niet nodig. Hij tekende zonder protest elk 'Namens mij' onder de handtekening van Fortuna Lacalle, de motorrijtuigendeskundige. Toen ik klaar was, zakte ik in mijn stoel, op van de zenuwen. Sandoval kwam lachend naar me toe en gooide de filosofische zin er maar weer eens in die hij alleen gebruikte in buitengewone en plechtige situaties als deze: 'Zoals ik al in eerdere gelegenheden gezegd heb, mijn beste Benjamín, op de dag dat alle stomkoppen van de wereld een feestje houden, doen deze twee de deur open voor de rest, serveren hun drankjes, bieden hun taart aan, voeren de toost aan en vegen de kruimels uit hun mondhoeken weg.'

Naam en achternaam

Chaparro trekt voldoende hard aan het vel papier dat hij net vol heeft geschreven om het zonder het te scheuren uit de typemachine te trekken, en leest het na. De laatste woorden doen hem glimlachen. Grappig hoe het geheugen werkt: hij had gedacht dat hij de zin waarmee hij het vorige hoofdstuk heeft afgesloten, die van 'de dag dat alle stomkoppen van de wereld een feestje houden', vergeten was. Maar nu was die toch samen met een heleboel andere herinneringen en de bijbehorende mensen boven komen drijven.

Hij staat op en doet wat hij altijd doet: hij pakt zijn neusbrug tussen de duim en wijsvinger van zijn linkerhand, vlak onder zijn ogen, en drukt erop tot het net pijn doet. Dat heeft hij zijn halve leven gedaan wanneer hij van zijn stoel opstond nadat hij een hele tijd over het bureau van de rechtbank gebogen had gezeten, en nu, in zijn huis, herhaalt hij het na urenlang in herinneringen ondergedompeld te zijn geweest en zijn eigen bij die van anderen gevoegd te hebben. Chaparro denkt aan hoe voorspelbaar we zijn, eeuwig en altijd hetzelfde. Dat gebaar en nog zoveel andere waar hij niet eens bij stilstaat, horen al zijn hele leven bij hem en zullen dat ook blijven doen tot hij onder de groene zoden ligt.

Hij denkt aan Irene. Waarom denkt hij juist nu aan haar, nadat hij aan zijn eigen dood heeft gedacht? Ziet hij soms een verband tussen haar en zijn dood? Nee. Integendeel. Irene verbindt hem met het leven. Zij is een soort schuld die hij aan het leven heeft, of die het leven bij hem in stand houdt. Zolang hij voelt wat hij voor haar voelt, kan hij niet sterven. Alsof het eeuwig zonde zou zijn dat die liefde net als zijn vlees en net als zijn botten uit elkaar valt en tot stof vergaat.

Maar hoe komt hij van die zware last af? Dat gaat niet gebeuren. Hij heeft erover nagedacht en nog eens over nagedacht, maar het gaat hem niet lukken. Een brief? Die optie heeft het voordeel van de afstand, zodat hij haar ongelovige gezicht niet hoeft te zien, of erger, haar beledigde gezicht, of nog erger, haar meelijwekkende gezicht als ze het leest. De optie van het haar face to face zeggen heeft Chaparro niet eens overwogen. Een 'grotemensenliefde' klinkt hem belachelijk in de oren. Maar de liefde verklaren aan een vrouw die al bijna dertig jaar getrouwd is, lijkt hem, meer nog dan belachelijk, beledigend en denigrerend.

Zijn gezonde verstand, dat Chaparro heel af en toe denkt te kunnen vinden ergens in zijn hersenpan, zegt dat hij er niet zo dramatisch, zo definitief over moet doen. Wat is het probleem van een amoureuze affaire willen met een getrouwde vrouw? Hij zou niet de eerste en ook niet de laatste zijn om dat voor te stellen. En dan? Nou, precies dat. Dan beantwoordt Chaparro zijn eigen vraag onmiddellijk met dat hij haar helemaal niet wil zeggen dat hij een avontuurtje wil met haar. Wat hij moet zeggen, wat hij echt tegen haar moet zeggen, en waarvan de gedachte dat ze het weet hem tegelijkertijd een enorme angst aanjaagt, is dat hij haar bij zich wil, voor altijd, overal en op elk moment, nou ja, bijna elk moment, want hij is zo vastgelopen in zijn aanbidding voor haar dat hij het leven niet meer begrijpt zonder haar. Maar wanneer hij op dat punt in zijn gedachten komt, houdt hij het voor gezien, leeggezogen. Want in zijn fantasie krijgt de Irene die zijn wanhopige bekentenis te horen krijgt, dezelfde uitdrukking op haar gezicht als die zou kunnen verschijnen bij het lezen van de brief die hij haar hoe dan ook toch niet gaat schrijven: verrassing, verontwaardiging, of medelijden.

En daarna de leegte. Want na de afwijzing zou er zelfs geen ruimte meer zijn voor die van het leven gestolen momenten, wanneer ze een kopje koffie drinken in haar kantoor, praten over lang vervlogen tijden, doen alsof het niets meer en niets minder is dan een praatje tussen goede collega's – oud-collega's. Irene lijkt die sporadische ontmoetingen wel te waarderen. Maar hij hoeft maar één keer over de grens van de betamelijkheid te gaan, en er rest haar niets anders dan tegen hem zeggen dat het beter is dat hij haar niet meer opzoekt.

Terwijl Chaparro zijn maté bereidt, verzinkt hij plotseling weer in diezelfde afkeurenswaardige wens als zoveel andere keren, hoewel hij zichzelf onmiddellijk tot de orde roept. Een Irene die plotseling weduwe is geworden... zou die niet verliefd op hem kunnen worden? Hij heeft geen enkele garantie, dus kan hij die arme ingenieur maar beter met rust laten. Laat hem maar lekker naar de bliksem lopen en verder genieten van zijn leven en van zijn vrouw.

Hij legt het laatste getypte velletje op de stapel en bewondert de omvang daarvan. Niet slecht voor deze eerste maand werk. Of is het al anderhalve maand? Kan zijn. De tijd vliegt voorbij dankzij dit verhaal. Maar hij heeft wel last van een terugkerende twijfel: hoe gaat hij zijn roman noemen? Hij weet het niet. Hij heeft werkelijk geen idee.

Chaparro weet dat hij niet goed is in titels. In het begin wilde hij elk hoofdstuk een eigen titel geven, maar dat streven heeft hij inmiddels laten varen. Als hij al niet eens een titel voor het hele boek kan bedenken, zal het voor elk hoofdstuk al wel helemaal lastig worden. Hij heeft er al zestien geschreven en heeft er nog heel wat te gaan.

Iets anders wat hem bezighoudt, is zijn naam onder die titel: Benjamín Miguel Chaparro. Hoe je het ook wendt of keert, dat klinkt toch nergens naar? Zeiden om te beginnen zijn ouders al niet dat de laatste lettergreep van zijn eerste voornaam en de eerste van zijn tweede voornaam een overbodige en onprettige rijm vormen? Mín-mi. Vreselijk. En dan nog die namen met een betekenis. Want dat heeft hij ook, tweemaal nog wel. Benjamín alleen is al een struikelblok. Die naam kun je toch niet je hele leven dragen? Benjamín is prima voor een kind, voor de jongste van meerdere broers en zussen. Waarom hebben ze hem in vredesnaam die naam gegeven? Hij is nota bene enig kind! En de leeftijd is ook bepalend. De benjamin zijn op je zevende of achtste is nog tot daaraan toe, maar een benjamin van zestig? Dat is belachelijk. Dat is echter helaas nog niet alles. Want een man van 1,85 meter Chaparro – 'dwerg' – noemen, neigt toch naar het absurde. Een boek van Benjamín Chaparro – dan is het kakofonische Miguel nog weggelaten – kan dus op het argeloze lezerspubliek overkomen als een boek van een jong ventje dat ook nog eens klein van stuk is. Of doet hij moeilijk en denken de mensen helemaal niet zo ingewikkeld? Maar al zou er maar één lezer zijn die het zo interpreteert. En dan komt hij en stelt zich voor. En blijkt dat die dwerg van een benjamin in werkelijkheid een beer van respect inboezemende lengte is en zestig jaar oud is. Dat klinkt knap tegenstrijdig.

Een oplossing zou een pseudoniem kunnen zijn. Nee. Onder geen beding, kapt hij die gedachte onmiddellijk af. Als het boek uitkomt, al is het een goedkope, in eigen beheer uitgegeven uitvoering, wil hij dat zijn naam op het omslag staat, hoe belachelijk die naam ook is. En de reden daarvoor is simpel. Zodat Irene het kan zien.

17

Ik had de opdracht tot de opsporing van de verblijfplaats van Isidoro Antonio Gómez nog niet van stempels voorzien, ik had het dossier nog niet in het vakje van voortvluchtigen geplaatst, ik had Morales nog niet op de hoogte gebracht van het goede nieuws, of ik voelde me al zo overeenkomstig mijn dappere ingreep en zo veilig voor de rondvliegende scherven van deze tragedie, dat ik snel weer terugkeerde naar mijn routine van evenwichtige chef, van echtgenoot die om zeven uur thuiskomt, van het 's avonds lezen van de krant, van succesvolle ambtenaar van het rechtswezen, en deze zaak bijna vergat.

Maar na een aantal maanden kreeg de hele kwestie een onaangenaam staartje. Ik moest een verklaring afleggen in het onderzoek tegen Romano en de politieman Sicora, vanwege het onrechtmatige afdwingen van een bekentenis van de bouwvakkers. De verklaring zelf was een formaliteit: het kwam eigenlijk neer op een bevestiging van mijn aanvankelijke aangifte en het verduidelijken van een aantal details. Het verbaasde me – en stoorde me – dat ze dat klusje aan een kantoorhulpje overlieten: een slecht teken, alsof ze er in die rechtbank van uitgingen dat de zaak op een dood spoor liep en ze zich beperkten tot de formaliteiten. Wat hadden ze nog meer nodig om die twee schooiers een proces aan te doen? Ze hadden mijn verklaring, die van een paar politieagenten van het hoofdbureau en het medisch rapport over de verwondingen van die twee arme kerels. Ondanks de achterdocht die ik voelde, besloot ik het af te wachten. De rechter was Batista, een man die ik als eerlijk beschouwde, en die ik een beetje kende omdat ik wel eens met hem had gewerkt. Bovendien was, zoals ik al zei, de heftige urgentie die ik aan het begin van deze kwestie had gevoeld, alweer wat gezakt.

Een tijd later ontbood Batista zelf me op zijn kantoor. Hij ontving me met een glimlach, stak warm zijn hand naar me uit en zei, toen we gingen zitten, dat wat hij me ging vertellen absoluut vertrouwelijk was en of ik het alstublieft niet rond wilde bazuinen omdat we daarmee allebei onze baan op het spel zouden zetten. Jeetje, dacht ik, wat kon er zo ernstig zijn? Ik neem aan dat de rechter zich wat ongemakkelijk voelde, want nadat hij een moment had geaarzeld, gooide hij de hele kwestie er zo snel mogelijk uit, alsof hij zich snel wilde bevrijden van iets vervelends en smerigs. En dus vertelde hij me zonder omhaal dat hij opdracht 'van boven' had gekregen – hij vulde het beeld aan door met zijn wijsvinger naar het plafond van zijn kantoor te wijzen, maar waarmee hij wilde zeggen… wat?, de Kamer?, het Hof?, de regering? – om de kwestie stil te leggen en zonder proces te seponeren. Hij voegde eraan toe dat hij niet veel explicieter kon zijn, maar dat het scheen dat die kerel… Romano, die collega van mij, een hele sterke troef had, heel hoog. Bij het uitspreken van dat van die troef had Batista met twee vingers van zijn rechterhand zijn linkerschouder aangeraakt. Het was niet de Kamer en ook niet het Hof. Dat gebaar betekende onmiskenbaar 'een militair met een heel hoge rang'. Plotseling herinnerde ik me zijn schoonvader, de kolonel van de infanterie, en viel het kwartje. Wat ongelooflijk naïef van me dat ik tijdens het doen van mijn aangifte geen rekening had gehouden met die familierelatie. Fantastisch. Als ik iets nodig had om mijn buik nog meer vol te hebben van Onganía en zijn hele marionettenclub, was het dit wel.

'Wilt u dat ik u meer vertel?' had Batista me gevraagd.

Ik zei van ja, vooral omdat de rechter eruitzag alsof hij alles wel wilde vertellen.

'Ik moest hem laten komen om een verklaring af te leggen. Dat weet u.' Ik knikte. 'En omdat ze me al hadden gewaarschuwd,' waarbij Batista naar boven keek, 'gaf ik er de voorkeur aan die verklaring zelf af te nemen.'

We zijn allemaal lafaards, dacht ik. Als ze ons maar bang genoeg maken. Mijn verklaring was afgenomen door een knulletje dat eruitzag alsof hij net vijftien was. Bij die hufter, de schoonzoon van de kolonel, had de rechter de verklaring in hoogsteigen persoon en al peentjes zwetend afgenomen.

'U hebt geen idee, Chaparro. Wat een arrogantie! Wat die vent zich wel niet verbeeldt! Hij kwam mijn kantoor binnen alsof hij mij een gunst bewees, alsof hij mij een onschatbaar stukje van zijn ontzettend kostbare tijd gunde. Toen ik hem begon te ondervragen over de zaak, begon hij te foeteren op alles en iedereen. Niet zozeer op u, maak u geen zorgen. Hij schold vooral op die twee arme kerels die hij in elkaar had laten slaan. Die zwarten zus, die dieven zo, tuig hier, geteisem daar. Dat ze hen allemaal af moesten maken en de grenzen moesten sluiten. Ik zeg het u eerlijk: het grootste deel van dat gescheld van hem, om niet te zeggen alles, liet ik maar niet op de geschreven verklaring zetten, omdat ik hem anders in de gevangenis had moeten laten gooien wegens verheerlijking van het misdrijf, moet u zich voorstellen.'

De vraag die zich aan me opdrong was: en waarom hebt u dat dan niet gedaan, Edelachtbare? Maar ik hield hem voor me. Mijn maag draaide ervan om als ik eraan dacht hoe die schoft ermee wegkwam, maar ik was op mijn manier per slot van rekening ook een gemakzuchtige lafbek.

'Enfin, toen ik hem specifiek naar die twee bouwvakkers vroeg, ontkende hij dat hij ook maar iets met hen te maken had en dat was het. Wat ik hem ook nog zei, was dat als de strafzaak geseponeerd werd, het heel waarschijnlijk was dat het interne onderzoek werd stopgezet en dat de schorsing die ze hem hadden opgelegd zou worden opgeheven.'

Geweldig, dacht ik. Heb ik hem straks weer als collega.

'Maar tot mijn stomme verbazing nam hij dat volledig onverschillig op en antwoordde dat hij niet dacht zich weer te kunnen wijden aan bureauwerkzaamheden. Dat het tijd was om in actie te komen, omdat het vaderland in gevaar was, omgeven door vijanden, door goddelozen, door communisten en weet ik wat allemaal nog meer. Dus kapte ik hem bruusk af, liet hem de verklaring tekenen en liet hem vertrekken. Ik had geen enkele behoefte om naar zijn toekomstplannen te vragen.'

Het gesprek met Batista gaf me een bittere smaak in de mond vanwege het gevoel van onrechtvaardigheid, van naargeestige straffeloosheid dat me beving. Maar ook toen kon ik nog niet bevroeden welke consequenties het gebeurde zou hebben voor het verhaal dat ik nu aan het opschrijven ben en voor mijn eigen leven.

Ik herlees dat 'mijn eigen leven'. Wat was mijn eigen leven in 1969? Marcela had me in die tijd voorgesteld dat we met kinderen zouden kunnen beginnen. Ze had het me niet gevraagd. Het was alsof ze hardop voorlas wat ze dacht. 'We zouden aan kinderen kunnen beginnen,' zei ze op een dag tijdens het eten. We keken naar 'Noticiero 13'. Ik keek haar aan en merkte dat ze serieus was. Ik stond op en deed de televisie uit: ik had altijd gedacht dat dit soort onderwerpen een andere sfeer, een ander decor verdienden. Maar er was nog steeds iets wat niet klopte. Wat was het probleem met haar? Waarom werd ik niet enthousiast van het idee om vader te worden? 'We zijn al vier jaar getrouwd. En het appartement is vanaf volgende maand afbetaald,' voegde ze toe toen ze de uitdrukking op mijn gezicht zag.

Marcela sprak met een vernietigende logica. We hadden elkaar leren kennen bij mijn nicht Elba. We hadden twee jaar verkering gehad. Krediet bij de Hypothecaire Bank, tweekamerappartement in Ramos Mejía, huwelijksreis naar Mar del Plata, mooi servies van Emporio de la Loza. De volgende stap was wat zij me nu voorstelde, als die op waterige toon uitgesproken zin als een voorstel opgevat kon worden. Ik was degene hier die uit de toon viel. Zij was redelijk.

Ik kon niet anders dan een ontwijkend antwoord geven. Marcela respecteerde die afstandelijkheid. Ik weet niet of ze dat deed uit onderdanigheid, uit kilheid of uit gewoonte. Ze nam er genoegen mee dat ik antwoord zou geven wanneer ik dat wilde. Nu nog overvalt me af en toe die beklemmende zekerheid dat ik de kans om een kind te krijgen heb laten schieten. Ik wilde eigenlijk schrijven 'om voort te leven in een kind' of 'om me voort te planten'. Is dat het krijgen van een kind? Ik zal het nooit weten. Dat is nog zo'n vraag die ik onbeantwoord mee het graf in zal moeten nemen.

18

Dat ik die middag in augustus 1969 waarop ik Ricardo Morales tegenkwam, talmde om naar huis te gaan, was vooral om me niet verplicht te voelen om de vraag te beantwoorden (of het voorstel, of het initiatief, of hoe ik het ook maar moet noemen) van mijn vrouw over het 'krijgen van een kind'. Ik wist niet wat ik tegen haar moest zeggen, want ik wist al niet eens wat ik tegen mezelf moest zeggen. Toen ik die dag de rechtbank verliet, nam ik niet lijn 115 bij de dichtstbijzijnde halte aan de Calle Talcahuano. Ik stak lopend het Plaza Lavalle over en ging een tijdje onder een gigantische rubberboom zitten. Pas toen ik het koud begon te krijgen, besloot ik naar de bushalte aan de Avenida Córdoba te gaan. Ik kwam aan bij station Once met de mensenstroom van zeven uur. Ik maakte me geen zorgen, want het was een perfect excuus om een paar treinen te laten schieten alvorens er een te nemen waarin ik kon zitten.

Omdat ik me langzamer bewoog dan de andere mensen in de stroom, ging ik aan de kant om hun geduw te ontlopen en begon dicht langs de ruiten te lopen van die sjofele tentjes in de stationshal. Zo kon ik stilstaan om naar de handgeschreven bordjes te kijken, vaak vol met spelfouten, naar een paar schoenenpoetsers met engelengeduld, naar het strenge gezicht van een paar hoeren die aan hun ronde begonnen. Als je nergens naartoe gaat, zie je heel veel. En toen zag ik hem.

Ricardo Agustín Morales zat op een hoge ronde barkruk van een barretje, met zijn handen in zijn schoot en zijn blik gericht op de mensenmassa die zich naar de perrons haastte. Als hij mij niet eerst had gezien en zijn linkerhand niet iets opgeheven had bij wijze van groet, zou ik dan naar hem toe zijn gegaan? Waarschijnlijk niet. Ik had al gezegd dat toen mijn geweten eenmaal gesust was en mijn juridische eigenwaarde eenmaal hersteld was door wat ik beschouwde als een gedurfde actie ten opzichte van de rechter en de griffier, ik zonder enige gewetenswroeging weer over was gegaan op mijn eenvoudige en bescheiden dagelijkse routine. Het zien van Morales buiten de verwachte context – dat wil zeggen buiten de Banco Provincia of het café in de Calle Tucumán – overviel me en ik zou bijna kunnen zeggen dat het me verontrustte.

Maar hij had me gezien. Hij had zijn arm opgeheven en had iets wat op een glimlach leek tevoorschijn getoverd. En dus liep ik op hem af, stak mijn hand uit en ging op de kruk naast hem zitten.

'Hoe is het? Dat is lang geleden,' begroette hij me.

Klonk er een verwijt door in dat 'lang geleden'? Vanbinnen protesteerde ik, dat zou niet terecht zijn. Waarom zou ik contact met hem zoeken? Om hem te zeggen dat Gómez, die voor de rest best een prima kerel kon zijn, maar nergens opdook en dat ik alles al had gedaan wat binnen mijn vermogen lag? Ik keek naar hem. Nee. Hij verweet me niets. Hij was weer naar buiten gericht, zijn voeten op de voetensteun van de barkruk, een rustige blik, zijn lege, koude mok op de bar achter hem; hij straalde hetzelfde gevoel uit van onuitputtelijke eenzaamheid als tijdens bijna al onze eerdere ontmoetingen.

'Zijn gangetje,' antwoordde ik met het gevoel dat hij eigenlijk niet echt een antwoord verwachtte. 'En u?' Het was in elk geval prettig dat het gesprek via deze lege, maar veilige alledaagse formaliteit verliep.

'Niets nieuws onder de zon,' zei hij terwijl hij met zijn ogen knipperde. Hij draaide zich om, zag dat hij zijn koffie ophad en draaide de bar weer de rug toe. Hij keek op de vettige klok aan de muur tegenover zich. 'Nog een halfuur en dan stop ik ermee.'

Ik zag dat het halfacht was. Waar was hij van plan mee te stoppen om acht uur?

'Die politieman had gelijk,' zei hij na een lange stilte. 'Hij is niet teruggegaan naar Tucumán. Mijn schoonvader zegt dat hij dat zeker weet.'

Morales sprak met de natuurlijkheid van een gesprek dat nooit was afgebroken, van die gesprekken waarin het niet nodig is om namen te noemen, omdat de gesprekspartners precies weten over wie het gaat. 'Die politieman' was Báez, 'mijn schoonvader' was de vader van de overledene, en 'hij die niet is teruggegaan naar Tucumán' was Gómez.

'Op donderdag zit ik hier. Op maandag en woensdag op station Constitución. Op dinsdag en vrijdag op station Retiro.' Af en toe volgde hij een passant met zijn blik. 'Deze maand gaat het zo. In mei verander ik het. Dat doe ik elke maand.'

Door de luidsprekers klonk een ruwe stem, die de woorden uitrekte en de s'en inslikte, om het naderende vertrek van de sneltrein naar Morón van 19.40 uur vanaf perron vier aan te kondigen. Hoewel ik die niet wilde nemen – ik wilde niet staand reizen – leek het me een geweldig excuus om op te staan en afscheid te nemen. De stem van Morales hield me tegen, die zonder omhaal zijn thema opnieuw aansneed.

'Op de dag dat hij haar vermoord heeft, had Liliana thee met citroen voor me gemaakt.' Ik merkte dat hij het werkwoord 'vermoorden' nu in de derde persoon enkelvoud gebruikte; het was niet langer 'dat ze haar vermoord hebben', want de moordenaar had in zijn hoofd nu een gezicht en een naam. '"Koffie is niet goed voor je, daar moet je wat minder van drinken," zei ze tegen me. Ik antwoordde dat ik dat zou doen. Ik vond het fijn hoe ze voor me zorgde.'

Ik had het vermoeden dat ik niet alleen de stoptrein naar Castelar van tien voor ging missen, maar nog een paar daarna ook.

'Bovendien, als u haar gezien zou hebben…' Hij keek strak naar een klein, jong mannetje dat voor het raam langsliep, maar hij liet hem weer los en zocht een ander mogelijk doelwit. 'Elke

138

keer dat mijn vader op televisie een modeshow of een schoon-
heidsverkiezing zag, zei hij dat je die meisjes, om te zien of ze echt
mooi waren, 's ochtends moest zien, als ze opstonden, zonder
make-up. Ik heb het nooit tegen haar gezegd, maar elke ochtend
was het eerste wat ik deed als ik wakker werd, naar haar kijken om
te zien of de theorie van mijn oude heer klopte. Weet u dat hij
gelijk had? In elk geval wel wat Liliana betrof.'

De verschrikkelijke stem van de luidspreker kondigde de trein
van 19.55 uur naar Castelar aan, die op alle stations stopte. Ik
dacht aan de gelaatstrekken van de vrouw en vond dat hij niet
overdreef wat betreft haar schoonheid. Het zou nu definitief heel
laat worden, maar ik had al geen zin meer om op te staan. In elk
geval niet totdat ik die emotie kon benoemen die ik in mezelf
gestalte voelde krijgen. Compassie? Droefenis? Nee, het was iets
anders, maar ik kon de vinger er niet goed achter krijgen.

'Weet u wat het ergste van alles is?'

Ik keek hem aan. Ik wist niet wat ik moest zeggen.

'Dat ik haar begin te vergeten.'

Zijn stem trilde. Ik haalde het niet in mijn hoofd om hem te
onderbreken.

'Ik denk aan haar, en ik denk aan haar, en ik denk aan haar, de
hele dag. 's Nachts word ik wakker en kan de slaap niet meer vatten omdat ik aan haar denk. Maar ik merk dat ik me eigenlijk
altijd dezelfde dingen herinner. Dezelfde beelden. Wat is het dan
precies wat ik me herinner? Herinner ik me haar, of herinner ik
me de herinnering aan haar die ik dit jaar en een beetje na haar
dood gevormd heb?'

Arme kerel. Waarom kwam ik in gedachten niet verder dan
dat 'arme kerel', dat eigenlijk toch niet veel meer dan een etiketje
zonder waarde was?

'Ik heb er zelfs aan gedacht om een einde aan mijn leven te
maken, weet u? Soms sta ik 's ochtends op en vraag ik me af
waarom ik in godsnaam nog leef.'

Ik was zelf inmiddels al op het punt beland dat ik me afvroeg waarom ikzelf nog leefde. Wat moest ik hem antwoorden? Maar tegelijkertijd: kon ik mijn mond houden tegen iemand die me dat soort dingen opbiecht, me zoveel angst laat zien? Ik zei het eerste wat in me opkwam, of het enige: 'Misschien bent u nog wel in leven om die klootzak die haar vermoord heeft, te grijpen...' peinsde ik hardop, en ik voelde me verplicht om eraan toe te voegen, alsof ik me van zijn fanatieke zekerheid wilde distantiëren: 'Of het nu Gómez is of iemand anders.'

Morales overwoog mijn antwoord. Uit gewoonte, of omdat hij daar nu eenmaal om die reden zat, bleef hij naar de mensen kijken die langsliepen op weg naar de perrons. Uiteindelijk gaf hij antwoord.

'Ik denk het wel. Ik denk dat het daarom is.'

Hij was stil. Ik ook. Als zijn persoonlijke speurtocht hem in leven hield, was dat in elk geval iets. Maar zijn poging was hoe dan ook gedoemd om te mislukken. Als Gómez onschuldig was, was er geen beschuldigen aan. En als hij de moordenaar was, leek het me erg onwaarschijnlijk dat we hem op een dag zomaar opeens konden oppakken. Hij zou weten dat hij gezocht werd en bovendien dat het in deze zee van mensen bijna onmogelijk was om hem te vinden. Als je het zo bekeek, gaf de koppige waakzaamheid van Ricardo Agustín Morales in het stationsgebouw blijk van een ontroerende naïviteit.

'Woont u nog in Palermo?' vroeg ik, bijna om maar iets te zeggen.

'Nee. Ik heb het appartement nog wel, maar ik woon in een pension in San Telmo. Zo zit ik vlak bij mijn werk en... hierbij,' voegde hij toe, alsof hij het moeilijk vond om die buitensporige jacht van hem te benoemen.

Ik nam afscheid en zei dat ik hem zou bellen als ik nieuws had. Terwijl hij me een hand gaf, keek hij op de klok en zag dat het ook voor hem tijd was. Hij haalde een kreukelig bankbiljet uit zijn zak en legde het op de bar. We liepen samen weg, maar al na enkele meters maakte hij duidelijk dat hij de andere kant op ging dan ik. We gaven elkaar nogmaals een hand.

Ik liep naar de perrons. Een controleur vroeg bij de toegang om mijn abonnement. Er stond een sneltrein op het punt te vertrekken, naar Flores, Liniers, Morón, en daarna zou hij op elk station stoppen. Er waren geen stoelen vrij, maar ik stapte toch maar in. Ik had zojuist besloten dat ik zo snel mogelijk naar huis moest. Hoewel ik het nog niet helemaal helder had, was het me gelukt het gevoel dat ik had toen ik Morales hoorde praten, een naam te geven.

Het was jaloezie. De liefde die die man had beleefd, wekte een enorme jaloezie in me op, een jaloezie die sterker was dan het medelijden dat ik voelde vanwege de tragedie waarop die liefde was uitgelopen. Op een vervelende manier hangend aan een van de witte ringen in het gangpad en schommelend door de beweging van de trein, besloot ik dat ik naar huis zou gaan en tegen Marcela zou zeggen dat we moesten praten en haar zou vertellen dat ik van haar wilde scheiden. Ze zou me waarschijnlijk heel verbaasd aankijken. Een dergelijk scenario paste vast helemaal niet in de logische opeenvolging van de fases waarin ze haar leven gepland had. Ik zou het gaan betreuren, want ik had er nooit veel genoegen in geschept om anderen pijn te doen, maar ik had zojuist ingezien dat ik haar meer pijn zou doen als ik bij haar bleef.

Toen ik thuiskwam, zat Marcela met gedekte tafel op me te wachten. We praatten tot twee uur 's nachts. De volgende dag stopte ik wat spullen in een paar koffers en ging op zoek naar een pension, maar zorgde ervoor dat het niet in San Telmo was.

19

Er ging meer dan tweeënhalf jaar voorbij tot het 16.45 uur op maandag 23 april 1972 was, toen de deuren van de stilstaande trein aan perron twee van station Villa Luro op initiatief van conducteur Saturnino Petrucci voor de ongelovige ogen van een dikkere dame op leeftijd dichtgingen. Met zijn lichaam half buiten de wagon streek de controleur over de knop met opschrift 'bel', maar drukte die niet in. In plaats daarvan drukte hij uiteindelijk op de knop 'open'. Alle deuren van de trein gingen met een gesis opnieuw open en de vrouw sprong uitbundig van het perron in de wagon en zonk meteen neer op een lege zitplaats.

Conducteur Saturnino Petrucci – grijs uniform, weelderige, grijzende snor, aanzienlijke buik – was blij dat hij niet had toegegeven aan die veel te makkelijke wreedheid om de dikke dame op het perron te laten boeten. Hoe kon het dat het door zijn hoofd was geschoten om zo'n rotstreek met haar uit te halen? Het antwoord was beschamend, maar glashelder. Het was een manier om wraak te nemen. Niet op haar, haar kende hij niet, maar op de wereld in het algemeen. Hij wilde wraak nemen op de wereld omdat die er volgens hem schuldig aan was dat hij al sinds de vorige middag, zondagmiddag ook nog, werd geplaagd door een pesthumeur. En dat pesthumeur had hij te danken aan niets meer en niets minder dan het recentste verlies van de Racing Club van Avellaneda. Hij had dus op het punt gestaan om de middag van een arme vrouw te vergallen vanwege een potje voetbal. Dat eeuwige, vervloekte rotvoetbal.

Petrucci voelde zich een idioot omdat hij zich zo liet beïnvloeden door de resultaten van zijn team. Maar dat gevoel zorgde er nog niet voor dat de verbittering afnam. Integendeel bijna: dat hij zich een idioot voelde, maakte het allemaal alleen nog maar erger.

Een enorm verdriet, dat bovendien onterecht, smerig, onverdiend was, was te veel voor zijn brede, door de wol geverfde voetbalschouders. Zouden de goede jaren van zijn jeugd nooit meer terugkomen, die jaren waarin Racing de ene na de andere cup won? Hij beschouwde zichzelf als een geduldige, dankbare man. Hij wilde niet zijn als die onuitstaanbare *plateístas*, die succes na succes eisen om zichzelf vervuld te zien. Hij was veel minder veeleisend. Maar zelfs het 'team van José' begon een vage herinnering te worden. Hoe ver lagen het doelpunt van Cárdenas en de wereldbeker al niet achter hem? Vijf jaar. Vijf lange jaren. En als er nu weer vijf jaar voorbijging? En als er nu weer tien jaar voorbijging zonder dat Racing kampioen werd? Mijn god. Hij wilde er liever niet aan denken, alsof hij daarmee de slechte geesten op afstand kon houden.

Die maandagochtend was hij aan alle kanten aan het verlies herinnerd: de koppen in de krant, de grapjes op kantoor, de spottende blikken van een paar machinisten. En nu was die dikke dame bijna het slachtoffer geworden van die ingehouden woede, die heel langzaam doorsijpelde. Hij keek door het raam van de deur. Hij bracht deze trein naar Once en ging terug met een sneltrein. Hij zuchtte. Gelukkig had hij voldoende kalmte hervonden om die vrouw te bevrijden van zijn zinloze wraakgevoelens, maar hij was zijn onstuimige humeurtje er niet mee kwijt. Hij wilde niet terug naar huis met die opgekropte nijd, want hij was een goede vader en een goede echtgenoot. En dus koos hij voor de beste manier die hij kende om van zijn woede af te komen: door zwartrijders aan te pakken.

Met een snel gebaar haalde hij zijn kaartjesknipper uit zijn riem en met een aan het eind licht omhooglopend 'Vervoersbewijzen, alstublieft!' wendde hij zich tot de weinige mensen in de wagon waarin hij zich bevond. Als een ervaren conducteur nam hij in een oogopslag de mannen in zich op. Vrouwen reisden bijna nooit zwart. Er zaten niet meer dan zes of zeven mannen, verspreid over de zitplaatsen van groen skai. Enkelen van hen staken hun hand in hun zak. Er waren er echter ook twee die opstonden en door het gangpad naar de volgende wagon begonnen te lopen. Zonder haast nam hij het wit met oranje kartonnen kaartje aan van een jonge moeder. Hij hoefde die kerels die ervandoor gingen niet met zijn ogen te volgen. Eén blik was voldoende om te zien dat een van hen een lammycoat droeg. De andere, een klein ventje met zwart haar, droeg een blauw windjack. De trein minderde vaart. Hij bedankte een oude man die hem zijn abonnement liet zien en liep naar de deuren. Hij stak de sleutel in het paneel en drukte op 'open'. Hij stapte het perron op. Het enige wat hem interesseerde op station Floresta was het lokaliseren van die twee zwartrijders die het hazenpad hadden gekozen. Een van hen zag hij meteen: die met de lammycoat was net uitgestapt, deed of zijn neus bloedde en leunde tegen een boom. Petrucci beloonde hem met zijn mildheid. Dat hij zijn trein had verlaten, vond hij goed genoeg. En die andere? Die kleine met dat blauwe windjack, waar was die? Petrucci voelde dat de woede die hem al de hele dag dwarszat, opnieuw de kop opstak. Wilde hij soms de bijdehante jongen uithangen? Was zijn woeste voorkomen als ervaren conducteur niet afschrikwekkend genoeg? Dacht hij dat hij veilig was alleen maar omdat hij naar een andere wagon was gegaan? Dacht die vent soms dat hij achterlijk was? Perfect.

Hij sloot de deuren, drukte op 'bel', wachtte tot de trein optrok en liet de deur los die hij met zijn voet tegenhield. Daarna stopte hij de kaartjesknipper en de sleutel van de deuren in zijn zak. Hij had het gevoel dat hij zijn handen beter vrij kon hebben. Hij liep licht schommelend door de beweging van de trein door het gangpad. Hij stond niet stil in de volgende wagon; in één oogopslag had hij al gezien dat de man die hij zocht daar niet zat. Hij ging verder naar de volgende wagon: daar was hij ook niet. Hij glimlachte. Die idioot was vast in de laatste gaan zitten. De deur piepte toen hij die plotseling opende. Daar zat hij, aan de linkerkant, voor dommetje te spelen, uit het raam te kijken alsof er niets aan de hand was. Petrucci liep met zijn borst vooruit en zijn schouders naar achteren naar hem toe. Naast hem hield hij stil en bromde met zware stem: 'Vervoersbewijs.'

Waarom nam die eikel de moeite om hem voor een sukkel te houden? Waarom dat verbaasde gezicht, die plotselinge schrik, dat ik zoek in mijn ene zak, in mijn andere zak, dat ik doe maar heel paniekerig want ik kan het niet vinden, dat bezorgde klakken met zijn tong? Dacht hij soms dat hij niet had gezien hoe hij nog voor Floresta de benen nam uit de vijfde wagon?

'Ik kan het niet vinden, meneer.'

M'n reet, meneer, dacht Petrucci. Hij keek hem zachtaardig aan en zei toen op streng vaderlijke toon: 'Dan moet ik je een boete geven, mannetje.'

En toen gebeurde er iets. Goed, in werkelijkheid gebeurt er altijd iets. 'Gebeurde er iets' betekent hier dat het navolgende gedrag van een van de betrokkenen bij het voorafgaande verregaande consequenties had voor wat ik in dit boek probeer te vertellen. De jongeman stond op, stak zijn borst vooruit, fronste zijn voorhoofd en zei, terwijl hij de conducteur in de ogen keek: 'Die zul je dan bij m'n grootje moeten innen, vetklep. Want ik heb geen rooie rotcent.'

Petrucci was verrast, maar zijn verrassing ging gepaard met blijdschap. Die jongen kwam als geroepen. Racing was de vorige avond verslagen. Zijn kennissen hadden een goed deel van de dag brandhout gemaakt van zijn ellende. Maar deze brutale en onbeschofte jongen bood hem de mogelijkheid om de sombere gevoelens waar hij al de hele tijd mee kampte, te ventileren. Hij stak een arm naar voren en legde zijn hand stevig op de schouder van de knaap.

'Doe maar niet zo stoer. Je stapt in Flores samen met mij uit en dan zullen we wel eens zien wat je kunt verzinnen om die boete te betalen, dwerg.'

145

'Krijg de tering met je dwerg.'

De jongen keek hem razend aan. Later zou Petrucci zeggen dat hij overvallen was door zijn aanval, maar dat was niet helemaal waar. De conducteur voelde aan zijn water en hoopte bijna dat die ander ruzie zou zoeken. Maar de dreun die die snotaap hem verkocht, was zo hard en zo goed gemikt dat hij hem vol op zijn neus raakte en hem een moment sterretjes deed zien. De jongen schudde zijn gepijnigde hand een beetje uit. De diagnose die de artsen later stelden, was dat hij zijn middenhandsbeentje gebroken had. Hij maakte een lichte draai om het gangpad op te lopen en het omvangrijke lichaam van de conducteur te ontwijken. Maar terwijl hij dat deed, voelde hij dat een hand hem hardhandig bij de kraag van zijn jack greep en hem heel vaardig op zijn buik tegen de grond werkte. Daarna voelde hij hoe een andere hand hem van achteren bij zijn riem pakte en hij opgetild werd. Als laatste merkte hij hoe hij tegen het aluminium kozijn van het raam gegooid werd, dat tegen zijn voorhoofd klapte. Hij was een sterke jongen. Hij was weliswaar verbouwereerd, maar hij bleef op de been, nu bevrijd van de ijzeren greep van de handen van de conducteur. Hij draaide zich naar hem toe en nam een gevechtshouding aan. Misschien, als die man met dat grijze uniform wat minder standvastig was geweest, of als hij als jonge jongen niet actief was geweest bij de boksbond, of als Racing de vorige dag had gewonnen, zou de jongen zonder kaartje ongeschonden uit de strijd zijn gekomen. Maar dat was niet het geval. Daarom kreeg hij zo'n waanzinnige oplawaai in zijn maag dat hij dubbel klapte, gevolgd door een directe op zijn kaak die hem deed tollen. Als toetje trakteerde Petrucci hem op een hoekstoot in zijn buik waarvan de tranen hem in de ogen sprongen.

Op dat moment stopte de trein. Tevreden en hooghartig nam Petrucci het applaus in ontvangst van het kleine publiek dat zich had verzameld op het stukje van Floresta naar Flores, bediende het paneel om de deuren te openen en trok de zwartrijder bijna

146

aan zijn haren naar buiten. Hij liep met hem naar het kantoor, dat zich bijna aan het andere uiteinde van het perron bevond. Bij de deuren verschenen nieuwsgierige hoofden, die toekeken hoe hij voorbijliep met de opgejaagde, verwarde jongen bij zich. Petrucci zocht de onderofficier van de spoorwegpolitie. Hij groette hem met een knik van zijn hoofd en vertelde hem in het kort wat er was gebeurd. De onderofficier nam de lastpak van hem over.

'We gaan iets doen,' zei hij terwijl hij de jongen met boeien vastzette aan een houten stoel met verticale spijlen in de rugleuning. 'Ik ga hem overbrengen naar het hoofdbureau voor antecedentenonderzoek. Hij zal wel niets op zijn kerfstok hebben, maar om hem het leven een tijdje zuur te maken. Zodat hij het wel zal afleren om de stoere jongen uit te hangen, die gore klootzak.'

'Geweldig,' antwoordde Petrucci, terwijl hij voor het eerst zijn neus betastte, die nu serieus zeer begon te doen.

'Moet u daar niet even naar laten kijken?' vroeg de politieman. 'Het ziet er niet al te best uit.'

'Ja, hij heeft me flink te pakken gehad, die eikel.' Ze praatten in het bijzijn van de jongen, die strak naar de grond keek.

De politieman liep met hem mee naar de deur. Buiten stond de trein nog steeds stil.

'En dat alles vanwege een grote bek, stuk ongeluk.' Petrucci voelde de behoefte om uit te leggen wat er was gebeurd. 'Als hij zegt dat hij geen geld heeft, of me vriendelijk vraagt om het door de vingers te zien, kan het best zijn dat ik het laat voor wat het is, weet u?'

'Wat doe je eraan? Sommigen van die snotjongens van tegenwoordig denken dat de hele wereld van hen is, snapt u?'

'Wat een toestand…' sloot de conducteur af.

Hij groette met een gebaar, sloot de deuren en drukte op 'bel'. Het duurde heel even voor de trein in beweging kwam, omdat de *motorman* zijn gedachten er na een dergelijk oponthoud niet helemaal bij had. Toen Petrucci op station Once aankwam, was zijn neus opgezwollen en met bloed bedekt. Ze stuurden hem naar het spoorweghospitaal, waar een röntgenfoto werd gemaakt en een arts hem onderzocht. 'Fractuur in de neusbrug,' zei de dienstdoende arts. 'Bent u niet buiten bewustzijn geraakt?' Petrucci schudde zijn hoofd, alsof een gebroken neusbrug de normaalste zaak van de wereld was. 'Gaat u maar naar huis. Ik schrijf u vier dagen rust voor. Komt u vrijdag maar terug en dan kijken we dan hoe het ervoor staat.'

Petrucci dacht dat hij vanaf dat moment wel eens per maand slaags wilde raken met een zwartrijder als dat hem dit soort verloven opleverde. Hij was in zijn nopjes. Hij nam de trein naar Once zonder langs de controle te gaan. Hij moest de papieren direct bij het kantoor in Castelar inleveren, en was echt doodop. Toen hij daar aankwam met de brief van het ziekenhuis, kwamen een paar collega's hem al tegemoet.

'Als we daar de sheriff niet hebben, maak plaats,' zei een van hen om grappig te zijn.

'Ga fietsen, Ávalos,' kapte hij hem af.

'Serieus, kerel, heb je het niet gehoord?'

'Heb ik wát niet gehoord?'

'Die jongen die je te grazen hebt genomen. Die je geslagen heeft.'

'Ja, wat is er met hem?'

'Die is in Flores gebleven en ze hebben hem nagetrokken...'

'En? Je gaat me toch niet vertellen dat die sukkel wat op zijn kerfstok heeft?'

'Iets? Er was een arrestatiebevel tegen hem uitgevaardigd, of zo, verdomme. Door een rechtbank in Capital, voor moord of weet ik wat nog meer...'

'Dat meen je niet!' Petrucci was oprecht verbaasd. Verrast, maar met terugwerkende kracht ook wel geschrokken: wat nou als hij een wapen had gehad?

'Dus nu ben je een soort hoeder van de wet, snap je?' kwam een ander tussenbeiden.

'Hou op te zeiken, Zimmerman. Met die makkeschapenkop en een aanhouding wegens moord? Zou het een van die kerels van de Montoneros zijn, of zo? Ik ga naar huis, ik ben kapot.'

Ze wisselden wat lusteloze groeten uit. Terwijl hij naar de halte van de *cartel blanco* 644 liep, Haedo/Barrio Seré, bedacht Petrucci dat de dag uiteindelijk helemaal niet zo slecht afliep. Hij had zijn frustratie op dat ettertje afgereageerd. Hij had vier dagen verlof gekregen, wat hem fantastisch uitkwam; kon hij eindelijk de vloer in de achterkamer eens afmaken. Zijn neus deed bijna geen pijn, want ze hadden hem pijnstillers gegeven waar, volgens de dokter, een paard nog rustig van zou worden. En Racing zou vroeg of laat natuurlijk heus wel weer eens kampioen worden. Dat zou toch gewoon een kwestie van tijd zijn?

Hij nam plaats in de bus. Uit zijn zak haalde hij het papier dat Ávalos hem had gegeven. 'De naam van die jongen,' had hij gezegd. Op dat moment had hij er geen aandacht aan geschonken, maar nu werd hij toch nieuwsgierig. Hij vouwde het open: 'Isidoro Antonio Gómez.' Petrucci maakte een prop van het papier en liet die op de vuile vloer van de bus vallen. Daarna ging hij lekker zitten om een paar minuten te soezen, waarbij hij goed oppaste dat hij niet met zijn neus tegen het raam stootte, want dan zou hij sterretjes zien en zou zijn neus vast weer gaan bloeden.

20

Toen ik hem zo voor me zag, begon ik weer te vermoeden dat ik een wolkenkrabber had gebouwd op drijfzand. Kon deze knul, die daar met een kalm gezicht voor me stond, de benen ontspannen gespreid, alsof het hem niet zo bijster veel deed dat hij zijn handen geboeid op zijn rug had, schuldig zijn?

Veel arrestanten beginnen na twee of drie dagen bijna zonder beweging en afgesloten van de buitenwereld, zat van het gevangenisvoer, van het zich niet kunnen wassen, van het niet kunnen bewegen en van de opspelende zenuwen, in hun gezicht de sporen te vertonen van de ellende van het volledig aan anderen overgeleverd zijn.

Isidoro Antonio Gómez niet. Natuurlijk vertoonde hij ook wel de tekenen van zijn gevangenschap sinds maandag: de ranzige geur van menselijk vuil, de stoppelbaard, de schoenen zonder veters. En dat nog los van het gips om zijn rechterhand en de groenige bloeduitstorting boven zijn rechterwenkbrauw die hij over had gehouden aan de schermutseling met de vechtlustige conducteur van de Sarmiento.

Ik werd door twijfel bevangen. Zou iemand zo rustig kunnen zijn als hij een moord had gepleegd? Misschien wist hij ook wel helemaal niet waarom ze hem hadden meegenomen om een verklaring af te leggen. Want het was ook goed mogelijk dat hij in de veronderstelling verkeerde dat dit alles maar een overdreven formaliteit was in verband met het feit dat hij had zwartgereden en slaags was geraakt met degene die er juist voor was om dat soort gedrag te voorkomen. Maar iets zei me dat dat toch niet zo was: je kon van een afstandje al merken dat hij een intelligent type was. Hij moest weten dat hij hier voor iets anders was. Maar hoe viel dan te verklaren dat hij betrokken was geraakt bij zo'n schandalig incident? Ik concludeerde dat hij of onschuldig was of een gewetenloze klootzak.

Mijn hersenen werkten op volle toeren… Als hij onschuldig was… waarom leek het dan of hij sinds eind 1968 van de aardbodem verdwenen was? Als hij schuldig was… waarom was hij dan zo stom geweest om in dit akkefietje verzeild te raken en opgepakt te worden?

De volgende dag werd ik met het nieuws van de aanhouding van Gómez onthaald op de griffie. Báez had het me persoonlijk via de telefoon verteld. We spraken af dat we hem nog twee dagen vast zouden houden, tot donderdag, met name om mij tijd te geven om na te denken over hoe ik deze verklaring in godsnaam aan moest pakken en om het geval uitgebreid met Sandoval te bespreken. Of had ik misschien iemand tot mijn beschikking met maar de helft van Sandovals inzicht?

Er waren in die drie jaar maar weinig dingen veranderd op de rechtbank. We waren van die ellendige griffier Pérez af (die het tot advocaat had geschopt), hoewel het vertrek van onze baas ons een bittere nasmaak had gegeven vanwege de vaststelling dat een zekere mate van aangeboren domheid, zoals die waar hij mee schermde, een stijging met de snelheid van het licht op de gerechtelijke carrièreladder leek te voorspellen. Zoveel geluk hadden we niet gehad met Fortuna Lacalle. Die was nog steeds onze rechter en nog steeds een ongelooflijke slappeling. Het erge was dat het 1972 was, en de vriend van een vriend van Onganía zijn was niet langer een handige springplank op weg naar de Kamer van Beroep. Als het Fortuna tijdens het sterrendom van de besnorde generaal al niet gelukt was de sprong te maken, was het nu bijna uitgesloten dat het nog ging gebeuren. En dus vegeteerde hij rustig verder op zijn vaste stek. Het goede nieuws was dat hij genezen leek van die vreselijke gekte om waar hij maar kon op te willen vallen bij zijn superieuren. Hij liet ons ons werk doen, zette zijn handtekening waar wij het aangaven en drong er niet meer op aan dat zijn ondergriffiers naar de plaats delict gingen als er een moord was gepleegd. Dat was een geluk, want in het Argentinië van die tijd begonnen overal lijken op te duiken.

Om die reden, waarover Sandoval schertsend zei dat wij 'wezen waren van incompetente leiders', waren we maar eens gaan zitten om de zaak te herlezen, die sinds december 1968 stillag, drieënhalf jaar geleden, vlak nadat de order was gekomen voor de dagvaarding die uiteindelijk op die maandag op station Flores haar vruchten afwierp.

Sandoval, die door een van de langste nuchtere perioden ging die ik van hem had meegemaakt, concludeerde met een ijzeren logica: 'Of hij schuldig is… ik weet het niet, Benjamín; tenzij hij zijn eigen graf graaft tijdens de informatieve verklaring, hangen we.'

Dat was pijnlijk kloppend. Wat hadden we nu eigenlijk om hem een proces aan de broek te doen voor gekwalificeerde moord? Een weduwnaar die hem ervan beschuldigde – valselijk, dat wel, omdat wij die list hadden bedacht voor het geval Fortuna zijn hakken in het zand zou zetten over die politiemededelingen – dreigbrieven te hebben gestuurd die helemaal niet bestonden. Een staaltje van politiële vlijt dat Báez me had doen toekomen, waarin verzekerd werd dat Gómez zijn woonplek en zijn werk had verlaten uren voordat de mannen in uniform in actie kwamen. Een kaartje van de prikklok op zijn werk waarvan viel af te lezen dat de verdachte op de dag van de dood van Liliana Emma Colotto de Morales veel te laat op zijn werk was gekomen. Het was drie keer niks. We hadden helemaal niets, en zelfs de meest achterlijke advocaat zou de vloer aanvegen met de preventieve hechtenis als het voor de Kamer zou komen. En dat dat alleen zou gebeuren als we Fortuna zover kregen om de uitspraak te ondertekenen, moet daarbij nog aangemerkt worden.

Ik denk dat ik om die reden niet eens de moeite had genomen om Morales te bellen. Waarom zou ik hem waarschuwen? Opdat hij kon zien hoe we ons gedwongen zagen de enige verdachte die we hadden weten te identificeren in drie jaar tijd vrij te laten? Dezelfde verdachte als die hij nog steeds – daarvan was ik zeker – zocht aan het eind van de middag van maandag tot vrijdag, elke dag in een andere stationshal?

Ik gaf de opdracht om Gómez naar het kantoor van de griffier te brengen, dat leeg was. Er was nog geen vervanger voor Pérez aangewezen, en zolang hij niet was vervangen, was het de griffier van nr. 18 die onze stukken tekende. Ik wilde liever niet te veel getuigen. Waarom? Dat wist ik zelf niet eens, maar ik wilde het niet. En dus zei ik dat ik niet gestoord wilde worden. Ik liep het kantoor binnen na Gómez en de gevangenbewaarder die hem aan de arm binnenbracht. Ik vroeg de bewaker de handboeien af te doen. Gómez ging aan de andere kant van het bureau zitten en sloeg zijn rechterbeen over zijn linkerbeen. Hij heeft wel lef, die rotzak, dacht ik. Het was geen goed teken dat hij daar zo rustig zat.

Op dat moment hoorde ik hoe in het kantoor naast me de buitendeur openging, gevolgd door een zingend 'Goedemorgen' waar mijn nekhaar van overeind ging staan. Dat kon niet. Dat kon gewoon niet. Sandoval stak zijn hoofd om de deur van het kantoor waarin wij zaten en herhaalde zijn blije groet, die vergezeld ging van een brede glimlach. Hoewel hij meteen weer vertrok naar het algemene kantoor, bleef mijn blik een moment hangen op de deurpost waardoor hij was verschenen. Die godvergeten zuiplap, zei ik in mezelf. Hij was ladderzat. Ongekamd, ongeschoren, in dezelfde kleren als gisteren en met een van de panden van zijn overhemd uit zijn broek. Maar hij had me niet voor niets een bliksembezoekje gebracht om me te groeten. Die karige tel dat ik hem had gezien, was na zoveel jaren samenwerken genoeg geweest om te weten hoe de vlag erbij hing. Ik probeerde me de middag van de dag ervoor te herinneren. Had ik me er door het raam niet van vergewist dat hij de kant van zijn huis op ging en niet die van de kroegen in El Bajo? Of had ik mijn hoofd zo bij vandaag dat ik er eigenlijk niet op gelet had? Het maakte nu niet meer uit. Dit was klote.

Ik draaide een vel papier met briefhoofd in de typemachine die ik van mijn eigen bureau mee had genomen. Het was nu niet het moment om van mijn meest elementaire geloof af te stappen. 'In Buenos Aires, op 26 april 1972…'

Ik stopte. Sandoval stond in de deuropening, alsof hij op me wachtte. Ik foeterde hem met mijn blik uit. Hij zou toch niet van plan zijn bij deze verklaring aanwezig te zijn, in die toestand… Als hij zo'n sukkel was om zeven maanden droogstaan om zeep te helpen, als het hem blijkbaar niet uitmaakte om iets waarvan hij wist dat het heel belangrijk voor me was zo te verkloten, als hij in een toestand was waarin hij waarschijnlijk niet eens drie woorden met meer dan twee lettergrepen uit kon spreken, dan kon hij toch op zijn minst het fatsoen hebben om weg te gaan en mij mijn werk met Gómez zo goed mogelijk te laten doen. Of hij begreep mijn blik of zijn tollende toestand zorgde ervoor dat hij aan zijn eigen bureau ging zitten. Feit was in elk geval dat hij wegging. Ik keek naar Gómez en naar de bewaker. Ze waren zich niet bewust van wat er gebeurde en van mijn groeiende wanhoop. Ik moest ondanks alles toegeven dat Sandoval zijn dronkenschap hoogmoedig en waardig droeg. Geen gehik, geen gezigzag, geen gebots tegen het meubilair. Vanbuiten zag hij er, min of meer, uit als een keurige heer die zich om redenen die buiten zijn wil lagen verplicht had gezien in de buitenlucht te slapen.

Ik besloot een einde te maken aan deze afleiding en me te richten op de verklaring van Gómez. Ik was vastbesloten hem hard aan te pakken, alsof zijn schuld al vaststond. Hoe het ook zij, ik was reddeloos verloren. Met de koelste en meest kalm dreigende stem waartoe ik in staat was, vroeg ik om zijn persoonlijke gegevens en deelde ik hem mee waarom hij een verklaring af moest leggen. Ik wees hem op zijn rechten en legde hem in grote lijnen uit waar de zaak over ging. Terwijl ik sprak, tikte ik op mijn typemachine, dezelfde als waar ik nu deze herinneringen op uit-werk. Toen ik klaar was met de aanhef, stopte ik. Het was nu of nooit.

'Het eerste wat ik u moet vragen, is of u erkent in verband te staan met de feiten die in deze zaak worden onderzocht.'

'In verband staan' was vaag genoeg. Als hij zich maar ergens zou verspreken, dan had ik tenminste een aanknopingspunt. Maar ik maakte me daar niet al te veel illusies over. Zijn gezicht kon van alles uitdrukken, maar ook helemaal niets. Maar wat het in elk geval niet uitdrukte, was verrassing. Het duurde lang voor-dat hij antwoord gaf, en toen hij het deed, sprak hij op kalme toon.

'Ik weet niet waar u het over hebt.'

Slim. Dat was alles. Kop of munt. Dat was het dan. Ik had mijn poging gedaan. Ik had er zelfs op aangedrongen dat ze hem vanuit de bewaakte afdeling naar me toe zouden brengen voordat de dienstdoende advocaat zou komen, want die zou wel eens in de verleiding kunnen komen om hem te verdedigen. Maar het was duidelijk dat Gómez of echt niet in de gaten had waar het over ging, of inzag dat hij me bij de ballen had en niet de minste intentie had om me los te laten. Hij zou zijn poot stijf houden, alles ontkennen, net zolang tot ik er genoeg van had om hem het mes op de keel te zetten.

Op dat moment kwam Sandoval binnen, licht fronsend, alsof hij zo beter kon focussen. Hij liep naar me toe en boog zich voor-over tot zijn gezicht zich bij mijn oor bevond.

'De zaak Solano, Benjamín… heb je die ergens gezien?' zei hij hardop, schreeuwend bijna, alsof hij in plaats van tien centimeter wel twintig meter bij me vandaan stond.

'Die ligt op de stapel ter ondertekening,' antwoordde ik droog.

'Dank je,' zei hij, en hij vertrok weer.

Ik richtte me weer tot Gómez. Ik had zijn stellige ontkenning niet in de verklaring opgenomen. Dat wilde ik nog niet doen, maar hoe moest ik nu verder? Ik had de directe aanval geprobeerd, maar dat had niet gewerkt. Zou het de moeite waard zijn om het over een andere boeg te gooien? Of was ik me werkelijk aan het afreageren op een arme, onschuldige kerel?

'Eens kijken, meneer Gómez.' Ik wees naar het dossier, dat op het bureau lag. 'Waarom denkt u dat we u al vier dagen vasthouden op basis van een verzoek om dagvaarding uit 1968? Waarom zouden we dat doen?'

'Dat zult u wel weten...' Een pauze, en daarna: 'Ik weet van niets.'

Voor het eerst voelde ik dat hij loog. Of wilde ik dat gewoon horen simpelweg omdat ik niet wilde dat de zaak gesloten werd?

Weer die Sandoval. Stuk ongeluk. Hij had dat verrekte dossier gevonden en kwam er triomfantelijk mee aanzetten.

'Ik heb het gevonden,' zei hij, terwijl hij het me aangaf. 'Vind je niet dat we de deskundige zouden moeten laten komen om een verklaring af te leggen die het gebouw getaxeerd heeft voordat het af was? Ik bedoel, zo slaan we twee vliegen in één klap.'

Solliciteerde hij nou naar een oplawaai? Het had er alle schijn van. Had hij dan niet in de gaten dat ik de verdachte in een hoek probeerde te drijven, wat onder deze omstandigheden net zoiets was als proberen een vlieg in de hoek van een loods van twintig bij dertig te drijven? Nee, dat had hij niet in de gaten, met dat stuk in zijn kraag.

'Doe wat je wilt,' was het enige wat ik zei.

Hij vertrok voldaan. Toen ik me weer naar Gómez draaide, meende ik uit het heel flauwe glimlachje op zijn gezicht te kunnen opmaken dat de alcoholische toestand van mijn collega hem niet was ontgaan. Ik moet het initiatief niet bij hem neerleggen, nam ik me voor. Maar ik zat op een zinkend schip en wist niet hoe ik daarvan af moest komen. Ik ging verder zonder een woord op te schrijven: ik noteerde noch mijn domme vragen noch zijn voorspelbare antwoorden. Ik besloot het hoog te gaan spelen. Op hoop van zegen…

Ik zei hem dat, zoals hij zich waarschijnlijk wel voor kon stellen, we niet in het wilde weg mensen arresteerden. Dat we heel goed wisten dat hij buurjongen en vriend van het slachtoffer was geweest. Dat hij vlak na het huwelijk van het meisje vanuit Tucumán vol wrok hierheen was gekomen. Dat de dag van de moord de enige keer was geweest dat hij veel te laat op zijn werk was gekomen, en dat toen de politie eind 1968 navraag begon te doen in zijn omgeving, hij met de noorderzon vertrokken was.

Zo. Dat was de laatste troef van vanavond. Eén mogelijke pro tegen alle andere contra's. Laat hem maar even zweten, dacht hij. Laat hem zich maar even verbazen. Of beide tegelijk. Laat hem maar besluiten dat het in zijn eigen belang is om mee te werken. Ik was eraan gewend om met idioten om te gaan die, omdat ze de druk van de leugen niet aankonden, of omdat ze te veel films hadden gezien waarin strafvermindering werd geboden in ruil voor een bekentenis, uiteindelijk zelfs *La cumparsita* gaan zingen en zaken die op sterven na dood zijn toch nog nieuw leven inblazen. Maar toen Gómez me aankeek, wist ik dat hij of onschuldig was of de stoere jongen uithing. Of beide. Hij bleef standvastig, zelfverzekerd en geduldig. Of er was niets wat hem verraste, of hij had zich voorbereid op die belastende opmerkingen.

Plotseling dacht ik aan Morales. Arme vent, dacht ik. Misschien was het beter voor de weduwnaar geweest als hij bij de rechtbank met iemand als Romano te maken had gekregen in plaats van met iemand als ik. Die zou hier geen probleem mee hebben gehad. Die zou zich een avondje flink kwaad maken op het hoofdbureau met zijn goede vriend Sicora en waarschijnlijk zou Gómez dan zelfs de moord op Kennedy bekend hebben. In elk geval zou zijn gezicht al volledig verbouwd zijn. Die gedachte liet me niet los. Was ik zo wanhopig dat ik nu zelfs al overwoog dat de handelwijzen van die hufter van een Romano door de beugel konden?

Iets haalde me uit mijn afdwalende gedachten. Iemand, liever gezegd. Sandoval brak voor de derde keer in in de informatieve verklaring die ik probeerde af te nemen. Nu kwam hij zonder dossier in de hand. Alsof hij thuis was, begon hij in de laden van het bureau van de griffier te snuffelen. Hij duwde me zelfs zachtjes aan de kant met zijn elleboog om te voorkomen dat de rand van de rechterlade tegen me aan zou slaan.

'Ik heb u al gezegd dat ik van niks weet.' Zat hij me nu te treiteren? 'Ik kende dat meisje, ja. We waren bevriend en ik vond het vreselijk om te horen dat ze dood was.'

Ik keek naar het vel papier in de typemachine en drukte een paar keer op de spatiebalk om het op de juiste plek te zetten. Ik typte bijna furieus. 'Op de vraag van Zijne Edelachtbare of hij erkent in verband te staan met de aan deze zaak gerelateerde feiten, stelt de declarant...'

'Sorry dat ik me ermee bemoei, Benjamín.' Was het echt zo? Klopte het werkelijk dat die achterlijke zuipschuit van een Sandoval me in deze omstandigheden onderbrak? 'Maar deze jongen kan het niet gedaan hebben.'

Nu zou je het hebben. Nu waren de rapen gaar. Misschien kon hij nu beter even het dienstwapen van de bewaker lenen en hem lek schieten. Had de drank soms al zijn hersenen weggevreten? Ik deed mijn stinkende best om onze verdachte bang te maken met een kalme, autoritaire uitstraling en mijn geachte assistent begon hem, nog nadruipend van de alcohol om elf uur 's ochtends, te verdedigen?

'Ga naar de griffie. We hebben het er later over,' lukte het me te zeggen zonder hem te beledigen.

'Stop nou even. Ik meen het serieus. Echt.' En dan ging hij die onzin die hij met moeite uit wist te kramen ook nog eens herhalen. 'Heb je hem gezien?' Hij stak zijn hand uit en wees naar

Gómez. Die, op zijn beurt, keek geïnteresseerd terug. 'Die jongen kan het niet geweest zijn.'

Hij pakte het dossier dat op het bureau lag, ging op de rand zitten en begon te bladeren.

'Onmogelijk,' bevestigde hij. 'Kijk. Kijk hier eens goed naar.' Hij had het dossier opengeslagen bij het autopsierapport. Zat hij me nu met opzet op te fokken, omdat hij wist dat ik een pesthekel had aan dat soort rapporten?

'Dat meisje, Colotto: 1,70 meter; 62 kilo,' las hij voor, en hij klopte met zijn wijsvinger op de paragraaf die hem interesseerde. 'Zie je?' En met een schalks glimlachje voegde hij toe: 'Die meid was een kop groter dan dit knulletje hier.'

Het gezicht van Gómez werd onmiddellijk donker. Of tenminste dat meende ik, want ik had om eerlijk te zijn meer aandacht gehad voor mijn dronken collega dan voor de verdachte, dus had ik niet echt goed op hem gelet.

'Bovendien…' Hier laste Sandoval een pauze in terwijl hij heen en terug bladerde. Hij hield stil bij de foto's van de plaats delict. 'Ik weet niet of je die vrouw goed bekeken hebt.' Hij draaide het dossier naar me toe, zodat ik haar kon zien, en probeerde met zijn grimmige blik de mijne te vangen. 'Ze was beeldschoon…'

Hij haalde het dossier weer naar zich toe.

'Een schoonheid als zij,' ging hij verder, 'ligt gewoonweg niet binnen het bereik van een gewone sterveling.' En toen, op een plotseling trieste toon, alsof hij het tegen zichzelf had: 'Je moet wel heel erg man zijn om raad te weten met zo'n buitengewone vrouw.'

'O ja, zeker weten!'

Ik draaide mijn hoofd om. Het was Gómez die dat had gezegd. Hij keek strak voor zich uit en zijn lippen vormden plotseling een strakke streep van misprijzen. Zijn ogen lieten Sandoval niet los.

'Want die sukkel met wie ze uiteindelijk getrouwd is, moet wel een echte supermacho zijn, zeker weten!'

Sandoval keek hem aan. Daarna keek hij naar mij en terwijl hij zijn hoofd nauwelijks zichtbaar de kant van Gómez op draaide, zei hij tegen me: 'Dat wordt niks zo. Die jongen snapt het niet. Weet je nog dat je gisteren tegen me zei dat het slachtoffer de moordenaar kende, omdat er geen sporen van geweld waren gevonden bij de voordeur?'

Geniaal, zei ik in mezelf. Het enige feit dat ik nog achter had gehouden om als laatste troef in te zetten als het moment daar was, en die debiel gooit het zo op tafel.

'Ja, en?'

Was het mogelijk dat hij zo in de olie was dat hij zelfs mijn moordlustige toon niet opmerkte?

'Precies, precies.' Het erge was dat Sandoval er zo levendig uitzag, zo helder, dat het helemaal niet mogelijk leek dat hij niet in de gaten had hoe hij de boel zat te verpesten.

'Denk je nu werkelijk dat een vrouw van haar kaliber tijd heeft, ruimte in haar hoofd, om zich haar buren uit Tucumán te herinneren en de deur voor hen open te doen op een dinsdagochtend, alsof het de gewoonste zaak van de wereld was, nadat ze hen ik weet niet hoeveel jaren niet heeft gezien en ook niet aan hen heeft gedacht? Zelfs nog niet per ongeluk, Benjamín, echt niet.'

Sandoval liet het dossier op tafel vallen en spreidde zijn armen, alsof hij de bewijsvoering van zijn stelling met succes als beëindigd verklaarde.

'En wie is hij?' De vraag van Gómez was aan mij gericht en klonk agressief. Ik gaf geen antwoord, omdat ik plotseling het licht had gezien en snapte wat Sandoval aan het doen was. Ik zag in dat degene die als een kip zonder kop bezig was, ik was, en niet hij.

'Maar als dat zo is, moeten we het onderzoek een compleet andere wending geven…' zei ik, terwijl ik me op Sandoval richtte, en de twijfel die in mijn stem doorklonk, was niet geveinsd.

'Exact.' Sandoval keek me voldaan aan. 'We moeten op zoek naar een lange vent. Laten we eraan toevoegen dat hij ook knap moet zijn. Iemand, laten we zeggen, die in staat is indruk te maken op een vrouw zoals zij.' Hij nam ineens een gereserveerde toon aan. 'Zouden we misschien haar… vriendschappen nog eens langs moeten lopen?'

'Hou op met die flauwekul!' Gómez was rood aangelopen en kon zijn ogen niet meer van Sandoval afhouden. De bloeduitstorting onder zijn wenkbrauw leek in deze korte tijd te zijn ontstoken. 'Voor jouw informatie, Liliana wist nog precies wie ik was.'

Ik ging met een ruk rechtop zitten. Sandoval keek hem aan met het norse ongeduld van iemand die tolereert dat de postbode aanbelt om hem om een bijdrage te vragen voor de naderende kerst. Hij werd ernstig.

'Maak jezelf niet belachelijk, knul.' Hij richtte zich tot mij. 'En dan nog iets: uit de autopsie is gebleken dat die kerel die haar heeft aangevallen, als een dekhengst tekeer is gegaan…' Hij sloeg het dossier open en citeerde – of beter gezegd, deed alsof hij citeerde: 'Op basis van de diepte van de vaginale verwondingen kan geconcludeerd worden dat de aanvaller een zeer groot geschapen man was. Zo ook laten de blauwe plekken in de hals een herculische kracht in de armen van de aanvaller zien.'

'Zie je wel, lul! Ik heb haar goed gepakt, die hoer!'

In een tel was Gómez opgestaan en op centimeters afstand van Sandovals gezicht begonnen te schreeuwen. Razendsnel drukte de bewaker hem met ferme hand terug in zijn stoel en deed hem de boeien weer om. Sandoval maakte een gebaar van ongenoegen, al was niet duidelijk of dat kwam door het scheldwoord of door de rotte adem van de gevangene. Weer keek hij hem strak aan.

'Jongen,' zei hij met een uitdrukking die het midden hield tussen compassie en walging, alsof hij op het punt stond zijn geduld te verliezen voor een peuter die maar niet van ophouden wist, maar die hij toch niet wilde straffen, 'tart het lot maar niet, want vandaag is niet jouw dag.'

Daarna wendde hij zich tot mij, alsof hij niet kon wachten om verder te gaan met het uiteenzetten van zijn hypothese.

'Arme jij, stumper. Je hebt geen idee wat ik met dat wijf gedaan heb.'

Sandoval keek hem opnieuw aan. Hij zette een gezicht op alsof hij zijn laatste restje geduld bijeenraapte.

'Oké. Wat heb je te zeggen? Kom maar op dan, dekhengst.'

21

In de zeventig minuten die volgden, was Isidoro Antonio Gómez onophoudelijk aan het woord. Toen hij klaar was, deden mijn vingers zeer van het typen, maar ik had de verklaring bijna zonder fouten getypt, op een paar woorden na waarin ik door de vermoeidheid wat letters verwisseld had. Ik stelde de vragen, maar Gómez keek tijdens het geven van de antwoorden strak naar Sandoval, alsof hij hoopte dat die in stukjes uiteen zou vallen en tot stof zou vergaan op de houten vloer. Sandovals gezicht veranderde echter enorm: heel langzaam maakte zijn aanvankelijke uitdrukking van irritatie en ongeloof plaats voor een steeds meer geïnteresseerde blik. Aan het eind van de verklaring zette hij een masker op waarin zich op harmonieuze wijze respect, verbazing en zelfs een vleugje bewondering leken te mengen. Gómez eindigde zijn verhaal op bijna pedante toon toen hij vertelde van de voorzorgsmaatregelen die hij had moeten nemen nadat hij aan de telefoon van zijn moeder had begrepen dat vader Colotto naar zijn verblijfplaats had geïnformeerd.

'De voorman van het werk bestierf het toen ik zei dat ik wegging,' zei hij als een ervaren en geduldige pedagoog tegen Sandoval. Hij had zijn kalmte hervonden, maar wekte niet de minste indruk dat hij zijn woorden terug wilde nemen. 'Hij bood me aan me aan te bevelen bij zijn kennissen, maar dat aanbod heb ik uiteraard afgeslagen: daarmee had de politie me kunnen traceren.'

Sandoval knikte. Hij stond op en zuchtte. Hij had al die tijd met zijn armen over elkaar gezeten op de rand van het bureau.

'Om eerlijk te zijn, jongen, weet ik niet wat ik ervan moet zeggen. Ik had dit niet gedacht...' Hij vertrok zijn mond tot het gebaar dat we maken als we moeten buigen voor duidelijk bewijs. 'Het zal wel zijn gegaan zoals je zegt...'

'Dat ís ook zo!' was de volmondige, triomfantelijke en vinnige reactie van Gómez. Ik sloeg de laatste toetsen aan. Ik sloot de verklaring af met de gebruikelijke formaliteiten, legde de vellen op een stapeltje en stak ze hem samen met mijn pen toe.

'Leest u ze alvorens ze te tekenen door, alstublieft.' Ook ik had, al had ik geen idee waarom, die vriendelijke, kalme toon aangenomen waarmee Sandoval zijn aandeel in het geheel had beëindigd.

Het was een heel lange verklaring, die als informatief was begonnen, maar bijna onmiddellijk was veranderd in een verdachtenverklaring, met de bijbehorende rechten. Ik had expliciet vermeld dat de verdachte geen gebruik wenste te maken van zijn recht om geen verklaring af te leggen, noch van zijn recht op juridische bijstand tijdens het afleggen van de verklaring. Door een van die vreemde grillen van het lot was de dienstdoende advocaat die hem was toegewezen niemand minder dan Pérez, dat eeuwige rund. Gómez tekende het ene vel na het andere zonder ze echt door te lezen. Ik keek naar hem en hij hield mijn blik vast terwijl hij me de verklaring teruggaf. En krijg nu de kolere, dacht ik. Nu ben je wel zuur, sulletje.

Op dat moment ging de deur open. Het was Julio Carlos Pérez, zowaar, onze oud-griffier die advocaat was geworden. Gelukkig kon ik beter omgaan met debielen dan met psychopaten.

'Julio, kom binnen.' Ik stond op om hem te ontvangen met een geveinsde opluchting. 'Fijn dat je er bent. We hebben hier een informatieve verklaring die we moesten omzetten in een verdachtenverklaring. Voor gekwalificeerde moord, snap je. Een oude zaak, van toen jij nog griffier was.'

'Ai... lastig... Ik werd opgehouden bij een verhoor in nr. 3. Zijn jullie al begonnen?'

'Ja... en eigenlijk zijn we ook al klaar,' zei ik, alsof ik me wilde verontschuldigen, of hem.

'Eh...'

'In elk geval… we hebben met Fortuna overlegd en hij zei dat we van start konden gaan, dat hij je wel bij zou praten,' loog ik.

Pérez wist, zoals bij alles wat afweek van zijn dagelijkse routine, niet wat hij moest doen. Ergens in zijn grijze massa moest hij wel aanvoelen dat hij een of ander initiatief moest nemen. Het leek mij een mooi moment om hem een nette oplossing te bieden.

'Laten we het zo doen,' stelde ik voor. 'Ik voeg je nog even toe en zeg dat je aangeschoven bent bij de reeds begonnen verklaring en klaar is Kees. Dat wil zeggen,' voegde ik toe, 'als je cliënt daar geen bezwaar tegen heeft.'

'Ah…' Pérez twijfelde. 'Opnieuw beginnen behoort zeker niet tot de mogelijkheden?'

Ik trok mijn wenkbrauwen op en keek naar Sandoval, die ook zijn wenkbrauwen optrok, en tot slot keken we beiden met uit-puilende ogen naar de bewaker.

'Kijk, heren.' De bewaker liftte ons gezamenlijk en preventief naar de broederschap van advocaten: 'Me dunkt dat het al laat wordt. En als u de gevangene nog over wilt laten brengen naar een gevangenis… de busjes vertrekken zo al… Ik weet het niet, u moet het maar zeggen.'

'Nog een dag hier, in de cel van de rechtbank? Zonder contact met wie dan ook? Dat kunnen we niet maken, Julio.' Sandoval, die zich opeens heel gevoelig opstelde voor de rechten van de gevangene in kwestie, richtte zich tot Pérez.

'Natuurlijk, natuurlijk.' Pérez voelde zich meer op zijn gemak als hij kon doen waar hij het best in was, oftewel anderen gelijk geven. 'Dat wil zeggen eh… als de ondervraagde het eens is met het op schrift gestelde…'

'Geen probleem.' Gómez sprak nog steeds op hooghartige en afstandelijke toon.

Ik gaf Pérez de papieren en de pen aan. De papieren nam hij aan, maar hij zette zijn handtekening liever met een mooie Parker-vulpen, die een van zijn liefste bezittingen op aarde was.

'Breng hem maar naar de cellen,' droeg ik de bewaker op. 'Ik laat een medewerker u de papieren brengen voor de Penitentiaire Dienst met de opdracht hem over te brengen naar Devoto.'

Terwijl de bewaker aanstalten maakte om hem weer af te voeren, wendde Gómez zich tot mij.

'Ik wist niet dat ze hier ook werk hadden voor mislukte dronkelappen.'

Ik keek naar Sandoval. Het was allemaal in kannen en kruiken: het uitgewerkte verhoor was getekend en Gómez zat tot aan zijn nek in de problemen. Een ander – onder wie ikzelf, om het daar maar bij te laten – zou toch op zijn minst een heel klein beetje teruggeslagen hebben. Bijvoorbeeld tegen hem zeggen dat hij zojuist enorm door de mand was gevallen als de zelfingenomen klootzak die hij was. Maar Sandoval liet zich niet provoceren. Hij keek Gómez slechts even licht appelig aan, alsof hij de zin van zijn opmerking niet begrepen had. De bewaker gaf Gómez een zacht duwtje als teken dat hij moest gaan lopen. De deur viel krakend achter hen in het slot. Pérez vertrok bijna meteen na hen, op weg naar weer een andere bezigheid die niet kon wachten. Zou hij nog een affaire hebben met die advocate?

Toen we alleen achter waren gebleven, keken Sandoval en ik elkaar zwijgend aan. Uiteindelijk stak ik mijn hand uit.

'Dank je.'

'Niets te danken,' antwoordde hij. Hij was een bescheiden man, maar kon niet verbergen dat hij tevreden was met hoe het allemaal verlopen was.

'Hoe zat dat nou met die "groot geschapen aanvaller met een herculische kracht in de armen"? Waar haal je dat opeens vandaan?'

'Spontane inspiratie,' antwoordde Sandoval lachend en voldaan.

'Ik nodig je uit voor het eten,' bood ik aan.

Sandoval aarzelde.

'Dat is heel aardig van je. Maar ik denk dat ik met de zenuwen die me hebben zitten wegvreten, beter even een tijdje in mijn eentje kan ontspannen.'

Ik begreep precies wat hij bedoelde, maar ik had niet de moed om hem te zeggen dat hij dat niet moest doen. Ik keerde terug naar de griffie en droeg een van de kantoorhulpen op om de brief voor me op te stellen met het verzoek Gómez naar Devoto te sturen, deze door die nietsnut van een Fortuna te laten tekenen en hem weg te brengen. Daarna zouden we tijd genoeg hebben om de rechter op de hoogte te stellen van wat er was gebeurd.

Sandoval, die graag weg wilde, pakte zijn colbert en nam afscheid met een groet die hij oppervlakkig de ruimte in stuurde en die eigenlijk voor alle aanwezigen bedoeld was. Hij had zijn overhemd weer netjes in zijn broek gestopt.

Ik keek op de klok en besloot hem twee uur respijt te geven. Nee, drie. Zonder dat ik het van plan was, wierp ik een blik op de plank met zaken die klaar waren om in het Algemeen Archief te verdwijnen. Gelukkig, Sandoval had nog een mooie hoeveelheid naaiwerk te doen.

22

De dag na de ondervraging zocht ik Morales op. Ik ging niet naar de bank en belde hem ook niet op. Ik probeerde het op het Plaza Once. Het leek me wel zo fatsoenlijk om die arme man op de hoogte te stellen van de arrestatie van zijn enige vijand, en wel op precies de plek waar hij zijn uitkijkpost had geïmproviseerd om hem op te sporen. Hoewel hij daar zelf niet succesvol in was geweest, deed hij – daar was ik zeker van – al wel drieënhalf jaar zijn best om hem te vinden, zonder ook maar een moment te verzwakken. Door daar naartoe te gaan en het hem te vertellen had ik het gevoel dat ik hem een deel van de credits gaf.

Het barretje was bijna leeg. Het was zo klein dat ik met een blik door de ramen kon zien of Morales er was. Ik wilde me net weer omdraaien toen ik een idee kreeg. Ik ging het barretje binnen en liep naar de kassa. De eigenaar was groot en dik, en keek met zo'n blik van mensen die alles al gezien hebben en nergens meer van opkijken.

'Pardon, meneer,' zei ik met een glimlach. Ik krijg altijd een beetje een raar gevoel als ik een zaak binnenloop terwijl ik niet de intentie heb om iets te kopen. 'Ik zoek een jongeman die hier vaak komt aan het eind van de middag. Hij is donkerblond. Redelijk lichte huid. Lange, slanke kerel. Een recht snorretje.'

De dikke man keek me aan. Ik neem aan dat voor het bestieren van een bar op station Once een van de onmisbare eigenschappen is dat je gekken en oplichters snel kunt herkennen. Het leek of hij in stilte bekeek of ik in een van beide categorieën viel. Hij knikte licht en keek naar de bar, alsof hij in zijn geheugen begon te graven.

'Ah!' zei hij opeens. 'Ik weet wie u bedoelt. U bent op zoek naar de Dooie.'

Het verbaasde me niets dat hij Morales zo typeerde. Er zat geen spoortje spot in zijn stem. Het was heel simpel een objectieve karakterisering op basis van enkele duidelijke tekenen. Een klant die elke week komt, hetzelfde bestelt, met kleingeld betaalt en dan twee uur stil en roerloos naar buiten kijkt, kan behoorlijk wat weg hebben van een dode of een spook. Daarom voelde het niet als verraad of sarcasme of als een overdrijving toen ik antwoordde dat ik dat inderdaad bedoelde.

'Deze week is hij al geweest, weet u…' Hij aarzelde even, alsof hij zich de omstandigheden probeerde te herinneren waaraan hij het laatste bezoek van Morales kon koppelen. 'Woensdag, ja, hij was hier eergisteren.'

'Dank u.' Hij kwam dus nog steeds. Ik had niet anders verwacht.

'Moet ik een boodschap aan hem overbrengen als ik hem weer zien?' De man overviel me met de vraag toen ik alweer bij de deur was.

'Nee, laat maar zitten, bedankt. Ik kom nog wel eens binnenlopen,' antwoordde ik nadat ik even had nagedacht. Ik groette en vertrok.

In de donkere doorgang hoorde ik de alledaagse stem uit de luidsprekers. Ik realiseerde me opeens dat de laatste keer dat ik daar gelopen had, die middag was geweest waarop ik Morales tegenkwam, enkele uren voordat ik een einde aan mijn huwelijk maakte.

Ik had Marcela daarna nog twee of drie keer gezien, toen we de papieren gingen tekenen op de civiele rechtbank. Arme meid. Het valt me nog steeds zwaar dat ik haar toen zoveel pijn heb gedaan. De avond waarop ik besloot voorgoed weg te gaan, haalde ik een streep door het draaiboek dat zij al had opgesteld voor de rest van haar leven. Ik probeerde het haar uit te leggen. Nog steeds bang om haar te kwetsen sprak ik met haar over de liefde, en durfde ik haar te bekennen dat ik een totaal gebrek aan liefde in onze relatie ontwaarde. 'Wat heeft dat ermee te maken?' had ze me geantwoord. Ik neem aan dat zij ook niet van mij hield, maar in haar project was geen plaats voor twijfels. Arme ziel. Als ik was overleden, was het allemaal een stuk eenvoudiger geweest voor haar. De dames uit de buurt laten weduwes doorgaans wel met rust in het tribunaal bij de kapper. Maar een gescheiden vrouw in 1969? Dat was heftig. Hoe moest het nu met de drie kinderen die ze zou krijgen, haar huis met tuin in de buitenwijk, haar gezins-auto, haar januari op het strand, haar zoon die zou promoveren, zonder een wettige echtgenoot die haar hielp die plannen te ver-wezenlijken? De pijn die we kunnen veroorzaken, hoe onbedoeld ook, kan zo onvoorstelbaar zijn. In dit geval vermoed ik dat die pijn groter was dan het offer dat ik weigerde te doen om hem te voorkomen. Die dag in 1972, waarop ik weer op station Once kwam, werd ik overweldigd door schuldgevoel, en daarna ver-driet. Ik zei al dat ik haar daarna nooit meer heb gezien. Zou ze iemand hebben gevonden met wie ze dat levenspad waarvoor ze het gevoel had klaar te zijn alsnog had kunnen betreden, dat pad dat haar zonder verrassingen naar een oude dag zonder vragen had moeten leiden? Ik hoop het wel. Wat mij betreft, of wat betreft de persoon die ik die middag was, ik liep via Bartolomé Mitre naar buiten en begaf me naar het minuscule appartement in Almagro waar ik naartoe was verhuisd.

23

Ik vond hem uiteindelijk de dinsdag erop. Hetzelfde donkerblonde haar, misschien een beetje dunner dan de laatste keer. Dezelfde vermoeide grijze ogen. De handen nog net zo rustig in zijn schoot, met zijn rug naar de bar. Hetzelfde rechte snorretje. Dezelfde gelijkmatige koppigheid.

Ik vertelde vanaf het begin. Ik koos, of gebruikte gewoon, een afgemeten en kalme toon, veel meer afgemeten en kalm dan ik bij Sandoval gebruikte, toen die eenmaal ontnuchterd was, om ons succes te vieren. Iets zei me dat in dat barretje geen plek was voor emoties als triomf, euforie of blijdschap. De enige passage waarin ik me een ietwat heftiger verteltrant, wat meer bijvoeglijke naamwoorden en wat handgebaren permitteerde, was die waarin ik vertelde van de magistrale interventie van Pablo Sandoval. Ik bespaarde hem uiteraard de twee of drie afschuwelijke zinnen waarmee Gómez zijn eigen graf gegraven had. Maar ik was wel voldoende duidelijk om de fantastische wijze te schetsen waarop Sandoval zowel Gómez als mij om de tuin had geleid. Tot slot vertelde ik hem dat rechter Fortuna Lacalle zonder ook maar een kik te geven had getekend voor de preventieve hechtenis voor gekwalificeerde moord.

'En nu?' vroeg hij toen ik klaar was met mijn verhaal.

Ik zei dat de zaak wat betreft het gerechtelijk vooronderzoek bijna afgerond was. Om de kansen op een goede afloop te vergroten zou ik de opdracht geven om bepaalde getuigenverklaringen wat verder uit te breiden, nog wat expertise toevoegen en een paar juridische trucjes toepassen om te voorkomen dat een of andere bijdehante advocaat ons het leven zuur zou maken. Ik sloot af met de opmerking dat het onderzoek over een paar maanden – zes, hooguit acht – wel gesloten zou worden en we de zaak dan voor de strafrechter zouden kunnen brengen.

'En daarna?'

Ik legde uit dat hij nog wel een jaar, misschien wel twee jaar zou kunnen zitten voordat er een definitieve uitspraak werd gedaan. Dat was afhankelijk van de snelheid waarmee de strafrechtbank en de Kamer van Beroep werkten. Maar hij hoefde zich geen zorgen te maken, want Gómez zat tot zijn nek in de problemen en alles wees erop dat hij de man was.

'En de straf?' vroeg hij na een lange stilte.

'Levenslang,' bevestigde ik.

Dat was een netelig onderwerp. Was het de moeite waard om hem te zeggen dat hoe zwaar hij ook werd gestraft, Isidoro Gómez na twintig tot vijfentwintig jaar vrij zou kunnen komen? Daar had ik al eerder mijn mond over gehouden. En nu deed ik hetzelfde. Ik wilde die man niet weer kwetsen, die misschien wel voor het eerst in drieënhalf jaar zijn kruk mijn kant op had gedraaid, eindelijk losgerukt van de zee van mensen die zich richting de perrons haastte.

Alsof hij mijn gedachten kon lezen draaide Morales zich naar het raam. De barkruk kraakte tijdens het draaien. Sommige patronen zitten stevig vastgeroest, dacht ik. Maar er was iets veranderd. Nu keek hij naar de voorbijgangers zonder zich te focussen. Ik verwachtte nog een vraag, maar die kwam niet. Wat zou er door zijn hoofd gaan? Uiteindelijk dacht ik het te begrijpen.

Voor het eerst in meer dan vier jaar wist Ricardo Agustín Morales niet wat hij met de rest van zijn leven moest doen. Wat moest hij nu nog? Ik vermoedde dat hij verder niets had. Of, erger nog, dat het enige wat hij nog had de dood van Liliana was. Verder niets. Er was nog iets wat tijdens die ontmoeting voor het eerst gebeurde: het was Morales die als eerste opstond om weg te gaan. Ik volgde zijn voorbeeld. Hij stak zijn hand naar me uit.

'Bedankt.' Was alles wat hij zei.

Ik gaf geen antwoord. Ik keek hem alleen maar in de ogen en

stak mijn rechterhand uit. Toen begreep ik dat nog niet helemaal, maar ik had ook van alles om hém voor te bedanken. Hij stak zijn hand in zijn zak en haalde er het gepaste bedrag uit voor een koffie met melk. De dikke man achter de bar ging volledig op in de sportberichten op de radio. Hij was niet zo scherp van geest om te snappen dat hij zojuist een klant armer was geworden. Morales liep naar de deur en keerde zich om.

'Doet u alstublieft de groeten aan uw assistent... Hoe heet hij ook alweer?'

'Pablo Sandoval.'

'Dank u. Breng hem mijn groeten maar over. En zeg hem dat ik ook hem erg dankbaar ben voor zijn hulp.'

Morales hief zijn hand licht op en ging toen op in de mensenstroom van zeven uur.

Onthouding

Zou dit het beste eind voor zijn boek kunnen zijn? Chaparro heeft zojuist verhaald over zijn tweede ontmoeting met Morales in het barretje aan het Plaza Once. Gisteren. En hij voelt de verleiding om het verhaal hier te laten eindigen. Het heeft hem bloed, zweet en tranen gekost om het verhaal hier naartoe te leiden. Waarom niet concluderen dat het zo goed is? Hij heeft verteld van het misdrijf, van de klopjacht en van de vondst. De slechte is gepakt en de goeie is gewroken. Waarom zou hij niet stoppen bij dit happy end? De helft van Chaparro die onzekerheid haat, die wanhopig wenst dat het nu afgelopen is, vindt dat dit een perfect eindpunt is: ondanks alles is het hem gelukt om te vertellen wat hij zich voorgenomen had, en de toon die hij heeft gevonden om dat te doen, is volgens hem de juiste. De personages die hij heeft geschapen, lijken ongewoon veel op de mensen van vlees en bloed die hij heeft gekend, en die personages hebben ook nog eens gezegd en gedaan wat die echte mensen ook gezegd en gedaan hebben. Die voorzichtige helft van Chaparro vermoedt dat als hij verdergaat, hij het hele boek verknalt, dat het hele verhaal uit zijn verband gerukt wordt en dat de personages een eigen leven gaan leiden zonder de feiten te volgen, althans de feiten zoals hij ze zich herinnert, wat voor het effect hetzelfde is, en dat alles dus voor niets is geweest.

Maar Chaparro heeft nog een helft, en een heel sterk verlangen om die andere helft zijn gang te laten gaan. Per slot van rekening is het dat deel van hem dat de behoefte voelde en besloten heeft om te vertellen en op te schrijven wat hij tot nu toe opgeschreven heeft. En die helft herinnert hem er voortdurend aan dat het verhaal nog niet klaar is, maar dat het verdergaat, dat hij nog niet alles verteld heeft. Wat is het dan dat hem zo gespannen, zo nerveus, zo afwezig maakt? Is het simpelweg de onzekerheid, het niet weten hoe hij verder moet? Niets meer en niets minder dan de zenuwen hebben omdat je midden op de rivier bent en de overkant nog niet kunt zien?

Het antwoord is veel simpeler en tegelijkertijd veel moeilijker. Hij voelt zich zo omdat hij al drie weken niets van Irene heeft gehoord. Natuurlijk, waarom zou hij ook? Er is ook geen enkele reden waarom hij iets van haar zou moeten horen. Wat kan het hem ook allemaal schelen, zij, hijzelf en die rotroman van hem. En weer dat gehang rond de telefoon, afgeleid van zijn boek louter en alleen omdat hij alleen nog maar aan de meest ongeloofwaardige smoezen kan denken die hij kan gebruiken om haar te bellen.

Deze keer duurt het maar twee dagen waarin hij niet eet, niet slaapt en niet schrijft, voor hij de hoorn oppakt.

'Hallo?' Zij neemt op, in haar kantoor.

'Hallo Irene, met…'

'Ik weet met wie.' Korte stilte. 'Mag ik weten waar je al die tijd gezeten hebt?'

…

'Ben je er nog?'

'Ja, ja, natuurlijk. Ik wilde je wel bellen, maar…'

'Maar waarom heb je me dan niet gebeld? Was er niet een of andere gunst die je me kon vragen?'

'Nee… ik bedoel, ja… Nou ja, het is niet echt een gunst, ik vroeg me gewoon af of je misschien tijd had om een paar hoofdstukken van mijn boek te lezen, als je zin hebt, tenminste, natuurlijk…'

'Dat wil ik heel graag! Wanneer kom je?'

Als hij ophangt, weet Chaparro niet of hij nu blij moet zijn vanwege het enthousiasme van Irene – en het feit dat hij haar donderdag ziet, en het feit dat ze zijn stem herkende al voordat hij gezegd had wie hij was – of gekweld vanwege het aanbod om haar wat hoofdstukken te brengen zodat ze die kan lezen. Hoe komt hij erop? Gewoon omdat hij met zijn mond vol tanden stond. Chaparro vermoedt dat geen enkele serieuze schrijver bereid is de eerste beginselen van zijn werk te laten zien.

Maar het rare is, hij realiseert zich dat het hem al helemaal niet zoveel meer uitmaakt of hij een serieuze schrijver is of niet. Dat hij donderdag koffie gaat drinken met Irene is nu even veel belangrijker.

24

Isidoro Gómez zat een hele maand in de gevangenis van Devoto voordat hij besloot zich eens te gaan douchen. In die tijd had hij nauwelijks een oog dichtgedaan, alleen af en toe een dutje, en alleen overdag, want 's nachts zat hij met gebalde vuisten op zijn bed, de ogen gericht op de bedden van zijn medegevangenen, op zijn hoede voor een eventuele aanval. Overdag zat hij het grootste deel van de dag in een hoekje, of leunde hij op zijn ellebogen in de getraliede raamopening en keek onverholen naar de andere gedetineerden van zijn vleugel. De hele maand verslapte zijn aandacht geen moment en raakte hij die vechtlustige uitdrukking op zijn gezicht, klaar voor een hanengevecht, niet kwijt.

De dertigste dag van zijn detentie besloot hij eindelijk de stap te zetten. Met vastberaden tred, de borst vooruit, het voorhoofd gefronst, liep hij door het gangpad dat de twee rijen stapelbedden van elkaar scheidde en naar de douches voerde. Hij meende tevreden vast te kunnen stellen dat een paar gevangenen iets opzij gingen om hem door te laten.

Rustiger nu, meer zelfverzekerd, liep Gómez verder tot een houten bankje met grijze latjes en deed zijn kleren uit. Hij liep over de natte vloer van het douchegedeelte en draaide de kraan open. De straal water gaf hem een weldadig gevoel op zijn gezicht en zijn lichaam.

Toen hij gekuch achter zich hoorde, draaide hij zich om en balde zijn vuisten in een gebaar dat meer gespannen en sneller was dan hem lief was. Twee gevangenen keken vanaf de ingang van de douches naar hem. Een van hen was dik, lang, een echte klerenkast met een donkere huid en een door en door crimineel uiterlijk. De andere was mager, had een normaal postuur en lichte huid en ogen. Die laatste liep een paar stappen in zijn richting en stak zijn rechterhand uit om hem te begroeten.

'Hallo. Dus je hebt eindelijk besloten je van je viezigheid te ontdoen, lieverd. Ik ben Quique, en dit is Andrés, maar iedereen noemt hem de Slang.' Hij sprak beschaafd, vriendelijk.

Gómez deed een stap achteruit, naar de muur, en was op zijn hoede. Zijn vuisten waren weer gebald.

'Wat moet je, verdomme?' vroeg hij op de meest droge en agressieve toon die hij in zich had.

De ander leek het niet op te merken, of deed of hij het niet doorhad.

'We wilden een soort welkomstcomité voor je zijn, joh. Ik weet dat je hier al een tijdje bent, maar wat wil je. Je begint nu pas een beetje los te komen, hè?'

'Lazer op!'

De blonde leek oprecht verbaasd.

'Jongen toch, waar zijn je manieren? Is het zo moeilijk om een beetje aardig te zijn? Met zo'n rothouding bereik je hier niks, hoor.'

'Wat ik doe of niet doe, is mijn zaak, klootzak.'

De blonde keek hem aan met wijd open ogen en mond. Hij draaide zich om naar zijn kameraad, als om die uit te nodigen in te grijpen of om een uitleg te vragen. De ander begreep de hint en verliet de deurpost om verhaal te halen.

'Bek dicht, kleintje, anders timmer ik hem dicht.'

'Maar Andrés, praat niet zo tegen hem, je ziet toch dat die arme kerel…'

De blonde kon zijn zin niet afmaken want Gómez duwde hem plotseling keihard tegen de muur en deed hem met zijn achterhoofd tegen de tegels slaan. Het gezicht van zijn vriend vertrok in een furieuze grimas en in twee tellen was hij bij Gómez, en hij was twee koppen groter dan hij.

'Ik trap je helemaal in elkaar, smerige dwerg.'

'Krijg de tering met je dwerg, kutneger…' kreeg Gómez er

nog net uit, maar verder kwam hij niet, want de donkere vent gaf hem een knal en voordat hij kon reageren, trapte hij hem keihard tegen zijn borst, wat hem de adem benam.

Gómez probeerde weg te kruipen, maar de vloer met zeepwater was te glibberig. Hij kon nog net zijn hoofd en borst in zijn armen verbergen en zich als een bolletje oprollen. Het donkere type greep zich vast aan een kraan om niet uit te glijden en begon tegen de rug van Gómez te trappen alsof hij een bal tegen een muur schopte. Af en toe klonk er zacht gekerm. Een paar nieuwsgierige medegevangenen kwamen, gealarmeerd door de herrie, naar de douches toe en riepen ook de anderen erbij. Een van de toeschouwers riep naar de Slang: 'Tss!' Ze gaven hem een mes.

'Pak aan, Slang! Snijd hem aan gort, kerel!'

De Slang pakte het wapen aan, voorzichtig om zich niet te snijden.

'Stop, Andrés, doe niet zo idioot!' De stem van de blonde, die probeerde op te staan, klonk wanhopig en smekend.

'Wind je niet zo op, Quique.' De stem van de donkere klonk nu mild, lief, en enigszins geamuseerd, alsof de wanhoop van zijn maatje hem ontroerde.

Hij draaide zich naar de kant waar hij Gómez kronkelend van de pijn had achtergelaten. Maar zijn tegenstander had van de pauze geprofiteerd en was gaan zitten. Hij pakte met zijn handen zijn buik vast. Zijn rug deed nog meer pijn, maar daar kon hij onmogelijk bij. De Slang leek te aarzelen of hij door zou gaan met zijn straf of naar zijn vriend zou luisteren. Verschillende nieuwsgierigen moedigden hem aan om de nieuweling met het mes te bewerken.

Omdat de trap die Gómez hem tegen zijn enkel gaf verrassend gewelddadig was, omdat hij die absoluut niet aan had zien komen, of omdat hij zijn benen te dicht bij elkaar had op de glibberige vloer, viel de Slang achterover alsof hij geen vaste grond meer onder zijn voeten had. Instinctief probeerde hij op zijn handen te steunen om de klap te breken, maar in zijn rechterhand hield hij het mes en toen hij op de tegels klapte, gleed het lemmet in zijn handpalm en pols. Nu was het zijn beurt om een wilde kreet te slaken. De blonde sprong boven op hem om hem te helpen, maar stond bijna meteen weer op met zijn handen en shirt vol bloed en een brul van paniek in zijn keel.

Gómez lag op de grond en had alles van de zijkant gezien. Hij zag dat er allemaal mensen op hem afstoven, tot hij verblind werd door een nieuwe trap tegen zijn kaak.

25

Drie dagen later werd Gómez wakker in de ziekenboeg van de gevangenis en het kostte hem een flinke tijd om zich te herinneren wie hij was en waar hij zich bevond. Toen de ziekenbroeder hem zag bewegen, riep hij twee bewaarders, die hem zonder al te veel voorzichtigheid in een rolstoel zetten en hem naar een kantorenafdeling brachten waartoe de gevangenen bijna nooit toegang hadden.

Ze brachten hem naar een kantoor waarin een man achter een kale tafel een sigaret zat te roken en op hem leek te wachten. Hij was kaal, op een dunne ring haar na. Hij had een dikke snor en droeg een donker jasje en een bloes met brede kraag zonder stropdas. De bewaarders parkeerden de rolstoel van Gómez tegenover hem aan de tafel, vertrokken en sloten de deur. Gómez zei niets. Hij wachtte tot de man klaar was met roken. Hij hield zijn mond niet alleen omdat hij verward en verrast was, maar ook omdat zijn keel zo zeer deed als hij slikte, dat hij vermoedde dat het bewegen van zijn lippen en tong hem onmiddellijk een onverdraaglijke pijn zou bezorgen.

'Isidoro Antonio Gómez,' zei de man ten slotte langzaam, alsof hij zijn woorden zorgvuldig had gekozen. 'Ik ga u uitleggen waarom u hier naartoe bent gebracht.'

De man speelde met zijn aansteker. Hij had vast een comfortabele stoel, want hij kon er ver genoeg in naar achteren buigen om zijn voeten op een van de hoeken van de tafel te leggen.

'Ik moet tijdens dit aangename samenzijn beslissen, mijn beste, of u een intelligente kerel bent of een eersteklas stomkop. Dat is alles.'

Meteen keek hij hem aan en zette een zeer verrast gezicht op, hoewel alles aan hem overdreven leek.

'Jemig, ze hebben u flink te grazen genomen, vriend. Tjee... Maar goed. Het geval wil dat ik een moeilijke beslissing moet nemen en daarvoor moet ik het antwoord vinden op de kwestie die ik u net voorlegde, snapt u?'

Hij pauzeerde weer en opende een map die naast hem op tafel lag en die Gómez tot dan toe niet was opgevallen. Hij stond vol aantekeningen.

'Sinds de bewakers u gered hebben in uw vleugel (en bedenk wel dat u daar goed bent weggekomen, want als die Slang zich niet zo lelijk snijdt met dat mes en de rest van de gevangenen de bewaking niet roept om hulp te vragen voor die kerel, hakken ze u, mijn beste vriend, in mootjes en bloedt u dood als een varken en kunt u het niet navertellen), zit ik boven op uw zaak. Misschien vindt u dat moeilijk te geloven. Ik kende uw zaak al. Oké, ik kende u niet, maar uw zaak wel. In elk geval het eerste deel. De rest heb ik moeten lezen om op de hoogte te komen. God, het hangt allemaal van toevalligheden aan elkaar. Het is een kleine wereld, niet? Het klinkt idioot, maar ik raak er steeds meer van overtuigd dat het zo is.'

Hij sloeg een paar pagina's om tot hij bij een bladzijde kwam die hem interesseerde. Vanaf daar speurde hij de bladzijden kalm af terwijl hij doorpraatte.

'Oké, ter zake. Die moord op dat meisje... lelijke zaak, man, lelijke zaak. Maar het is niet míjn zaak. In feite interesseert het me geen donder. Maar het viel me op dat op de plaats delict niets te vinden was wat met u in verband kon worden gebracht. En dat u verdween van de plekken waar u vaak kwam toen de politie achter u aan zat. Zeg ik dat goed? En dat u drie jaar als een heilige leefde om door niemand lastig te worden gevallen. Als ik daaraan denk, zeg ik: die man is een slimme kerel. Maar dan kijk ik verder, ziet u, en dan lees ik dat ze u gepakt hebben voor zwartrijden in de Sarmiento en voor het slaan van een conducteur, en dan zeg ik: die kerel is een ongelooflijke stomkop. Maar aan de andere kant houd ik ook rekening met het feit dat die lui van de rechtbank niets hebben om u met de zaak in verband te brengen en zeg ik tegen mezelf: het is ook wel logisch, je kunt ook niet je hele leven op je qui-vive zijn; hij heeft ze wel allemaal op een rijtje. Maar weer verderop lees ik dat ze u verhoord hebben op de rechtbank en dat u alles eruit zingt als Palito Ortega, en dan vind ik dat ik alle recht heb, beste man, en dat zeg ik u met alle respect en achting, om u een eersteklas stomkop te noemen. Maar ik blijf informatie zoeken, snapt u, dat is namelijk mijn werk, wat kan ik zeggen. Daar leef ik van. En dan lees ik dat u in Devoto belandt en daar een hele maand zonder kleerscheuren zit, en dan begin ik weer te twijfelen. Zou die knul zo'n ouderwets bijdehandje zijn? Maar daarna ontdek ik dat u een bezoekje krijgt van de Slang en Quique Domínguez, die nog geen vlieg kwaad doen en bovendien voor de wet getrouwd zijn, het enige wat er nog aan ontbreekt is een setje gouden ringen, en u kunt niets beters verzinnen dan reageren als een vijftienjarige maagd die vreest voor haar eer. U slaat die arme Quique in elkaar en dwingt de Slang om u helemaal kapot te trappen om u die daad betaald te zetten. En bedenk wel dat wat ik over de Slang en Quique zeg, dat ze dat zelfs bij de bakker om de hoek weten. Als u het na een maand tussen die figuren nog niet wist, moet ik toch weer terugkeren naar wat we mijn meest pessimistische ideeën over u zouden kunnen noemen, Gómez, oftewel dat u op-en-top achterlijk bent.'

Hij pauzeerde even om op adem te komen.

'Probeer u eens in mij te verplaatsen, Gómez. Het valt allemaal niet mee. Moet ik het dus doen met uw moed om te proberen die tortelduifjes op hun nummer te zetten of dat geintje om met hen op de vuist te gaan terwijl ze nog minder kwaad doen dan een gemengde salade? Ik weet het niet... ik weet het niet... Aan de andere kant denk ik dat u een mazzelaar bent. Gelooft u niet in geluk? Ik wel. Ik geloof dat er mensen zijn die het geluk aan hun reet hebben hangen en mensen die dat niet hebben. En volgens mij behoort u tot de eerste categorie, wat moet ik ervan zeggen. Laten we het zo stellen: u ontkwam toen u dat meisje omlegde, u ontkwam toen ze op zoek naar u gingen en u ontsprong zelfs de dans toen ze u hierbinnen probeerden te vermoorden. Ik weet het: als ik de slechte kant wil zien, hoef ik alleen maar stil te staan bij het feit dat u zich als een halve zool liet pakken in die trein, dat u zich als een imbeciel liet inpakken tijdens dat verhoor en dat u de plank volledig missloeg in de gevangenis. Maar vooruit, het feit dat u zich af en toe als een debiel gedraagt, verandert niets aan wat er aan uw reet hangt, als u begrijpt wat ik bedoel. En dat is van belang bij de mensen die je uitkiest om mee te werken.'

Hij laste weer een korte pauze in om een nieuwe sigaret op te steken. Hij bood Gómez er ook een aan, maar die schudde zijn hoofd. 'Wilt u nog iets horen waardoor ik denk dat u voor het geluk geboren bent? Dat u hier bent. Dat u hier voor mij zit, voor mij, die uw nieuwe werkgever kan worden. Wat vindt u daarvan? U moet het zo zien. Ik heb nieuwe mensen nodig en daar komt u opeens uit de lucht vallen.'

Hij keek hem een eeuwig durende minuut zwijgend aan. Daarna ging hij verder.

'En nog iets, Gómez. Ik zal u niet vermoeien met de precieze reden, maar... ik zou met heel veel genoegen gebruikmaken van uw diensten, omdat ik daarmee het leven zuur kan maken van iemand die eerst het mijne zuur heeft gemaakt, snapt u?'

De kale man schudde zijn hoofd, alsof hij niet kon geloven welke wending de dingen hadden genomen.

'Maar laat dat maar zitten, dat is niet uw verantwoordelijkheid. Vergeet maar wat ik als laatste heb gezegd. U zult er al genoeg aan hebben om het werk dat ik voor u in gedachten heb, naar behoren uit te voeren.'

Hij nam een laatste hijs van zijn nieuwe sigaret en blies de rook naar het plafond. Hij haalde zijn hand over zijn kale hoofd.

'Ik neem aan dat u mij niet voor schut zult zetten, toch?'

Koffie

Chaparro is van mening dat als het leven sublieme momenten bevat, dit er beslist een van is. De perfectionist in hem fluistert hem in dat het nog veel sublimer kan, maar de rest van zijn ziel doet die negatieve gedachte snel van de hand omdat het geluk hem vermomd als tedere kalmte omringt in al haar mildheid.

De avond valt en hij zit bij Irene in haar kantoor. De rechtbank is op dit tijdstip verlaten. Ze hebben net koffiegedronken en daarna glimlacht Irene naar hem tijdens een lange stilte, tijdens welke hun vragende blikken elkaar over het bureau heen vonden. Dat soort stiltes is altijd ongemakkelijk, maar desondanks geniet Chaparro er enorm van.

De laatste maanden heeft hij het gevoel dat er iets gaande is, of iets veranderd is, en niet alleen in hemzelf maar vooral in de vrouw die tegenover hem zit en op wie hij zo verliefd is. Sinds de middag waarop Chaparro besloot om niet naar zijn eigen afscheid te gaan en terugkeerde om haar de oude Remington te leen te vragen, hebben ze elkaar verscheidene malen gezien. Een keer of zes, zeven, meent hij. Altijd zoals vandaag, aan het eind van de middag. De eerste twee of drie keer had Chaparro excuses gezocht, zodat het er niet al te dik bovenop lag en hij zich niet belachelijk maakte. Maar daarna niet meer. Irene heeft hem op wonderlijk directe wijze gezegd dat ze het heel leuk vindt dat hij langskomt en dat ze wil dat hij dat niet alleen maar doet wanneer daar een concrete aanleiding voor is. Dat zei ze door de telefoon. Chaparro vindt het jammer dat hij haar gezicht niet kon zien toen ze die woorden uitsprak. Maar tegelijkertijd vermoedt hij dat hij het idee dat zij dan zou zien hoezeer het hem in vuur en vlam zette, niet had kunnen verdragen. Wat voor gezicht moest hij opzetten bij het horen van zo'n zin?

Niet alle zinnen van Irene geven hem diezelfde zoete smaak in de mond. Enige tijd geleden had hij het in een poging wat meer de diepte te zoeken aangedurfd om te insinueren dat zijn vooravondlijke bezoekjes wel eens aanleiding tot roddels konden geven. Waarop zij doodleuk en pijnlijk afstandelijk antwoordde, hooghartig bijna, dat er helemaal niets mis is met het drinken van een kopje koffie met een vriend. Die benaming kwetste hem vanwege de afstandelijkheid die ze uitstraalde en omdat ze hem weer even keurig terugplaatste op gepaste, respectabele afstand. In zijn sporadische aanvallen van optimisme zegt Chaparro tegen zichzelf dat het niet zo erg is, dat hij het misschien beter als een manier kan zien om af te komen van zijn eigen oprechte verwarring, die voortkomt uit de angst om door de mand te vallen. Bovendien weten vrouwen prima hoe ze hun gevoelens moeten verhullen en hoe ze de uiterlijke tekenen van hun emoties, die bij mannen meestal van hun gezicht af spatten, uit moeten schakelen. Althans, dat denkt Chaparro, of dat wil hij graag denken. Het lijkt wel of vrouwen ertoe veroordeeld zijn om de wereld en zijn gevaren beter te begrijpen. Daarom is het helemaal geen absurde gedachte dat Irene bij het geven van zo'n antwoord wellicht strijd heeft, eentje die hem boven de pet gaat, met die wereld om ons heen die de hele planeet beslaat behalve dit kantoor, dat naar hout ruikt en waarin Irene net naar hem gelachen heeft, ongemakkelijk, beschaamd misschien zelfs wel.

Die verwarring begrijpt Chaparro wel, want die verraadt... wat verraadt die eigenlijk? Om te beginnen dat er een stilte in hun gesprek is gevallen. Chaparro heeft haar alles al verteld over de laatste ontwikkelingen in zijn boek. Irene heeft hem op de hoogte gesteld van de laatste rechtbankroddels. Dat er nu een stilte valt, dat ze elkaar tijdens die stilte vragend aankijken, dat ze die stilte waarin ze elkaar vragend aankijken niet doorbreken met een zwijgende glimlach, is omdat niets hen daar houdt, in die stilte, behalve dat simpelweg tegenover elkaar zitten, terwijl ze de tijd laten verstrijken zonder enig ander doel dan dicht bij elkaar te zijn. En dat is het mooie van zwijgend, met vragende ogen tegenover elkaar zitten.

26

Op 26 mei 1973 bleven Sandoval en ik tot laat op kantoor om te werken, en hoewel ik geen idee had van wat er aan de hand was, was de geschiedenis van Morales en Gómez net weer nieuw leven ingeblazen.

Het was al avond toen de deur van de griffie openging en er een gevangenbewaarder binnenkwam.

'Penitentiaire Dienst, goedenavond,' groette hij. Hij identificeerde zich, alsof zijn grijze uniform met rode insignes niet geloofwaardig genoeg was.

'Goedenavond,' antwoordde ik. Hoe laat was het?

'Ik sta hem wel te woord,' zei Sandoval en hij liep naar de balie.

'Ik dacht dat er misschien niemand meer zou zijn. Omdat het al zo laat is, bedoel ik.'

'Ja, inderdaad,' zei Sandoval, terwijl hij de stempel zocht voor het boekje dat de man bij zich had en hem nu aanreikte met de vinger bij de plek waar hij moest tekenen voor ontvangst.

'Tot ziens,' groette de bewaarder toen Sandoval klaar was.

'Tot ziens,' antwoordde ik. Sandoval reageerde niet omdat hij de brief las die hij net had aangenomen.

'Waar gaat het over?' vroeg ik hem. Hij gaf geen antwoord. Was het zo'n lange brief of was hij hem aan het herlezen? Ik herhaalde mijn vraag: 'Pablo... wat staat erin?'

Hij draaide de brief in zijn handen om en kwam naar mijn bureau. Hij gaf me het papier aan, waarop het briefhoofd en de stempels van de Penitentiaire Dienst en die van de gevangenis van Villa Devoto stonden.

'Ze hebben die klootzak van een Isidoro Gómez net vrijgelaten,' mompelde hij.

27

Ik schrok zo enorm van wat hij zojuist zei dat ik het papier dat hij me aangaf zonder het te lezen op mijn bureau legde.

'Wat?' was alles wat ik uit kon brengen.

Sandoval liep naar het raam en deed het met een ruk open. De koude avondlucht stroomde het kantoor in. Hij leunde uit het raam en vloekte eindeloos verslagen: 'Die godvergeten teringlijer van een klootzak.'

Het eerste wat ik deed was Báez bellen, met de wanhopige urgentie en met een zekere onbeholpen woede waarmee je iemand die je vertrouwt om opheldering vraagt terwijl je ook wel weet dat diegene er ook niets aan kan doen.

'Ik zal het uitzoeken. Ik bel u zo terug,' zei hij en hij hing op.

Een kwartier later belde hij me.

'Het klopt, Chaparro. Ze hebben hem gisteravond vrijgelaten, met de amnestie die ze aan de politieke gevangenen hebben verleend.'

'Sinds wanneer is die klootzak een politieke gevangene?' schreeuwde ik.

'Ik heb geen idee. Kalmeer een beetje. Geef me een paar dagen, dan zoek ik uit wat er is gebeurd en bel ik u terug.'

Hij heeft gelijk, peinsde ik. 'Het spijt me. Het gaat er gewoon niet in dat ze zo'n stuk stront hebben vrijgelaten. En al helemaal als je bedenkt hoeveel moeite het heeft gekost om hem te pakken te krijgen.'

'Het hoeft u niet te spijten. Het maakt mij ook razend. Geloof het of niet, maar dit is niet het enige geval. Ik ben nog twee keer gebeld in verband met vergelijkbare gevallen. Misschien kunnen we elkaar beter even in een café zien. Ik bedoel, dan kunnen we het er rustiger over hebben.'

'Prima. En bedankt, Báez.'

'Tot ziens.'

We hingen op. Ik draaide me om naar Sandoval. Hij stond nog steeds met zijn ellebogen in het open raam, de blik starend op de gebouwen aan de overkant gericht.

'Pablo,' begon ik in een poging hem weer terug te halen.

Hij draaide zich om.

'Er zijn maar weinig dingen in het leven om trots op te zijn, hè?'

Hij keerde zich weer naar het raam. Ik denk dat ik op dat moment pas besefte hoe belangrijk zijn geweldige bijdrage aan het verhoor van die schoft voor hem was geweest. En die innerlijke onderscheiding aan zichzelf maakte hem nu kapot. Ik wist dat zijn naar de Calle Tucumán gewende gezicht nat van de tranen moest zijn. Op dat moment was de pijn die ik voelde voor mijn vriend sterker dan de woede die ik voelde over wat er net met Gómez was gebeurd.

'Zullen we even ergens wat gaan eten?' vroeg ik.

'Goed idee!' Hij kon zijn sarcasme niet onderdrukken. 'Wil je dat ik je leer hoe je whisky moet drinken tot je knock-out gaat? Het probleem is dan alleen wie ons allebei met een taxi komt zoeken en ons naar huis brengt.'

'Nee man, gek. Zullen we naar jouw huis gaan? Dan eten we met Alejandra en vertellen we haar alles.'

Hij keek me aan als een jongen die net had gevraagd of hij naar de bioscoop mocht en die ze in plaats daarvan afscheepten met een lolly. Ik denk dat de verslagenheid die hij ook in mijn gezicht zag, voldoende was om hem bij zinnen te brengen.

'Goed,' antwoordde hij tot slot.

We lieten de brief op mijn bureau liggen, deden de verwarming en de lichten uit en controleerden of alles op slot zat. Toen liepen we naar beneden. Het was al laat en de ingang aan de Calle Tucumán was al dicht. Dus moesten we naar de Talcahuanokant. Toen we de bus zouden nemen, zei Sandoval dat ik heel even moest wachten. Hij rende naar een bloemenstalletje en kocht een boeket. Toen hij weer bij me kwam, zei hij verbitterd: 'Als we ons dan toch gaan gedragen, laten we het dan ook goed doen.'

Ik knikte. Daar was de bus.

28

Ik had Báez al een paar jaar niet gezien, sinds het uitzinnige waanbeeld van rechter Fortuna over een naderend kamerlidmaatschap wat was geluwd.

'Laten we eens kijken, vriend. Wat ik nu ga zeggen, moet u maar gewoon van me aannemen. Devoto is nadat ze al die types vrij hadden gelaten een complete rotzooi geworden.'

Ik knikte. Ik wist dat de politieman geen tijd zou willen verliezen door uit te weiden over die algehele chaos die wij beiden beschouwden als essentieel in de realiteit waarvoor we ons gesteld zagen en waarvan de complexiteit boven onze pet ging.

'Het lijkt erop dat het min of meer als volgt is gegaan. Jullie hebben Gómez in juni 1972 naar Devoto overgebracht. Zeg ik dat goed? Ze brengen hem onder in een of andere vleugel... even kijken... laten we zeggen nummer zeven. Na een paar weken werkt onze vriend zich in de nesten: hij raakt verzeild in een ruzie die hem bijna het leven kost. In werkelijkheid blijkt hij de strijd te zijn aangegaan met de twee meest ongevaarlijke types van de vleugel, en ze trappen hem helemaal in elkaar.'

Ik luisterde naar hem. Ik schepte een zeker genoegen in de gedachte aan een Gómez die te lijden had onder zijn eigen verkeerde beslissingen.

'Maar het lijkt erop dat die Gómez een engeltje op zijn schouder heeft. In plaats van koud op de vloer te eindigen met vijfenveertig gaten in zijn lijf, lukt het hem het tij zo te keren dat een van zijn aanvallers zichzelf verwondt. In het tumult dat ontstaat, waarin de gevangenen vrezen dat hun vleugelgenoot doodbloedt, roepen ze de bewaking en die neemt hen allebei mee. Gómez is gered. Maar daar komt het eerste vreemde feit al om de hoek, want... weet u waar dit allemaal staat opgetekend? Het incident van de ruzie, de gewonden en de hele rataplan? Nergens. Geen van de twee gewonden belandt in het ziekenhuis. Ze behandelen hen daar, in de ziekenboeg van de gevangenis. Er is geen enkele administratieve aantekening van, geen enkele verklaring, van geen enkele bewaker en van geen enkele gevangene. Wat er wel is, het enige wat er in het dossier van Gómez te vinden is, is een order tot overplaatsing naar een andere vleugel, twee weken later, wanneer hij uit de ziekenboeg ontslagen wordt. U zult wel zeggen: dat is logisch, want als hij teruggaat naar dezelfde vleugel, maken ze hem af. Ja en nee. Het kan zijn dat als ze hem naar dezelfde vleugel terugsturen als waar ze hem te grazen hebben genomen en hij daar met een gekrenkt ego binnenkomt, iemand hem als beschermelingetje neemt en nog zo wat, en klaar. Maar goed, voor hetzelfde geld is dat niet wat er gebeurt. Hoe het uiteindelijk gaat, is dat ze hem naar de vleugel voor politieke gevangenen sturen. Daar, moet ik u zeggen, raak ik het spoor volledig bijster: wat moet Gómez met zijn crime passionnel tussen al die figuren van de FAR, de ERP, de Montoneros? Bovendien vielen die onder speciaal recht en niet onder het algemene strafrecht zoals de rest. Gómez hoort daar helemaal niet thuis, zei ik tegen mezelf.'

Hij pauzeerde om te roeren in wat hij nog aan koffie overhad en die in één teug op te drinken. Het kopje leek belachelijk klein in die kolenschop. Ik maakte me op om naar de moraal van zijn verhaal te gaan luisteren. Dit was het verschil tussen Báez en andere politiemensen die ik kende: anderen zouden zich neergelegd hebben bij het idee dat de zoektocht daar ophield, bij de grens van hun logische mogelijkheden. Báez niet.

'Goed,' ging hij verder. 'Wat ik tot nu toe verteld heb, heb ik redelijk makkelijk uit kunnen vogelen. Vanaf dat moment werd het een stuk lastiger. Dat kwam ten eerste door wat ik zei over dat speciale recht: ik heb niet veel contacten in de wereld van de guerrillabestrijding. Het is een volledig afgescheiden kliek. Ze voelen zich verheven en lopen een beetje mysterieus te doen, snapt u wat ik bedoel? En ten tweede omdat ze na die amnestie van laatst dat hele circus aan het ontmantelen zijn. Ze zitten daar nu zonder werk. Maar goed, te midden van de chaos is altijd wel een nostalgische ziel met wraakzucht te vinden die zijn leed wel met je wil delen.'

Hij stak zijn hand op om nog een koffie te vragen.

'Enfin. Het blijkt dat ze binnen de gevangenis een klein inlichtingencentrum hebben ingericht, dat door de regering wordt aangestuurd. Nu wordt het pas echt verwarrend. Ik weet niet of het onder het staatssecretariaat van Inlichtingen viel of onder het ministerie van Binnenlandse Zaken of onder het leger. Voor de zaak maakt het ook niet uit, want het is allemaal één pot nat, waar ze ook vandaan komen. Maar in de gevangenis richtten ze dat spionagecentrumpje in om de cellen in de gaten te houden, zoals dat in guerrillajargon heet, en dat soort dingen. Ze waren doodsbang dat hun net zoiets zou overkomen als in de gevangenis van Rawson, met die vluchtpoging. Snapt u?'

Het leek inmiddels wel een roman vol intriges en Báez was een begenadigd verteller, maar ik begreep nog steeds niet wat de link met Gómez was. En dus vroeg ik hem daarnaar.

'Daar komen we zo op, mijn vriend, daar komen we zo op. Maar als ik u dit niet uitleg, zult u dat andere niet begrijpen. Het blijkt dat de figuur die verantwoordelijk was voor die hele toko in Devoto, en die zich Peralta liet noemen, probeerde een aantal van zijn mannen te laten infiltreren in de vleugel voor politieke gevangenen. Pas op, dat was niet zonder risico's. Het blijkt dat een of twee mannen die ontdekt werden, gestrekt teruggebracht werden naar die Peralta. Daarom kwam hij op het idee om er gewone gevangenen voor te rekruteren. Klinkt dat gevaarlijk? Ja, maar voor hem was het gratis. In het ergste geval was hij een gevangene kwijt. In het beste geval had hij een directe getuige; bijna alsof hij een microfoontje plaatste bij die beroemde cellen, zoals die apparaatjes die je wel in spionagefilms ziet. Snapt u wat ik bedoel?

Gómez werd daarbinnen geronseld, want die Peralta had hem nodig voor die klus, zo simpel was het. Niet alleen hem, hoor. Het waren er drie of vier in totaal, ik weet het niet precies.'

Hij stopte even toen onze koffie werd geserveerd.

'En dat was het punt waarop ik mezelf de vraag moest stellen: waarom is Gómez een van hen? Want dat is verdorie de vraag. De rest, wat hierna komt, is bijna logisch. Gómez voldeed: per slot van rekening is hij een pienter type en koelbloedig als een standbeeld, als hij tenminste niet uit zijn vel springt. Juweeltjes als hij vind je niet elke dag. Nou ja, ik weet niet of hij een juweeltje was. Maar als het hem gelukt was tot mei te overleven in die vleugel, zou hij het wel niet zo slecht gedaan hebben. Waarom zouden ze dan buiten die vleugel niet verder gebruikmaken van zijn diensten? De procedure om hem eruit te halen was doodsimpel. In werkelijkheid is daar helemaal geen procedure voor. Het gebeurt gewoon. Wanneer de gevangenen die weten dat ze amnestie krijgen, de lijsten opstellen, zetten ze ook met alle liefde en eerbetoon Gómez erop. En als ze dat niet doen, is er ook geen probleem. Dan voegen de mensen van Peralta hem gewoon onder aan de lijst toe, en klaar.'

Báez zocht geld om af te rekenen. Ik hield hem tegen en haalde een paar peso's uit de zak van mijn jasje.

'Dus de vraag die blijft hangen, gaat hier al aan vooraf. Wat brengt die Peralta ertoe om Gómez op de lijst te zetten? Ten eerste valt hem meteen de onverschrokkenheid van die gast al op, die niet aarzelt om het hol van de leeuw in te gaan. Ten tweede, het kost hem niets. Dat zei ik al. Als het slecht afloopt, verliest die Peralta niets. En ten derde... bent u klaar voor het beste?'

Te beoordelen aan de bittere uitdrukking van de politieman was 'het beste' in werkelijkheid het ergste van alles.

'Op basis van het voorgaande alleen zou de baas niet besluiten om hem te gebruiken, maar als hij de gegevens opvraagt van de zaak waarvoor hij zit, verdwijnen zijn twijfels als sneeuw voor de zon. Het geeft hem vleugels. Daar, in de strafzaak, ligt het antwoord, Benjamín.'

Jemig, dacht ik. Zou het zo'n ernstige zaak kunnen zijn dat hij die wat probeert te verzachten door me voor het eerst in zijn leven bij mijn roepnaam te noemen?

'Die jongen voor zijn karretje spannen is een fantastische manier om u het leven zuur te maken.'

Ik stond perplex. Wat had ik ermee te maken? Tot nu toe klonk het verhaal van Báez logisch. Deprimerend, maar logisch. Maar dat laatste sloeg nergens op, net als nachtmerries die eerst geen nachtmerries lijken, maar het opeens worden als ze buiten de oevers van de logica en de rede treden en onbegrijpelijk en verontrustend worden.

'Toen ik geen aanknopingspunten meer had om door te vragen over Gómez, besloot ik het maar eens aan de andere kant van de lijn te proberen. Die beroemde baas, die Peralta. Ik ging ervan uit dat het wel lastig zou worden, omdat het om een inlichtingendienst van de overheid ging, in de gevangenis ook nog. Maar dat viel allemaal wel mee. Het blijven tenslotte Argentijnen en als je een beetje je best doet, kom je er zo achter dat ze die dienst alleen maar met prikkeldraad beveiligd hebben. Anders was het niet zo eenvoudig geweest om de beschrijving en de echte naam van die Peralta te achterhalen.

De jongen van het café pakte de biljetten van tafel en treuzelde met het teruggeven van het wisselgeld, alsof hij me ervan wilde overtuigen dat ik dat hem maar als fooi moest geven. Met een gebaar wimpelde ik hem af.

'Het blijkt een man van uw leeftijd te zijn, Chaparro. Hij is kaal, heeft een dikke snor, net zoiets als die van mij zeggen ze, en hij is niet zo lang. Toen hij jonger was, was hij slank, maar nu schijnt hij best wel dik te zijn. En weet u wat? Hij heeft verscheidene jaren voor het hof gewerkt, bij een instructierechtbank. Begint het u al te dagen?'

Dat kon niet. Dat was onmogelijk.

'Ja, meneer. Denk maar aan het ergste, mijn vriend. Doe eens een wilde gok. Hij werkte met u bij instructierechtbank nr. 41, als eerste ambtenaar van de andere griffie, totdat er een onderzoek naar hem werd ingesteld na een aangifte over het onrechtmatig afdwingen van een bekentenis in 1968. Die zaak liep op niets uit, omdat het van bovenaf werd tegengehouden. Naar het schijnt heeft zijn schoonvader ermee te maken – kolonel, generaal, zoiets – en die nam hem aan de hand mee naar Inlichtingen, zo lijkt het. Kunt u hem al plaatsen? Romano is zijn achternaam.

29

'Dat kan niet waar zijn, zo erg kan het niet zijn,' bracht ik uit toen ik na enkele minuten van razend ongeloof eindelijk accepteerde dat wat er hier gebeurde, simpelweg gebeurde.

Báez keek me aan in de hoop dat ik hem de twee of drie stukjes die nog ontbraken zou aanreiken om het geheel rond te breien. Ik herinnerde hem aan die twee bouwvakkers en het pak rammel dat Sicora hun had gegeven, bijna in opdracht en op aanraden van Romano. Báez luisterde met een mengeling van verrassing en nieuwsgierigheid, omdat hij destijds niet zoveel van het akkefietje had meegekregen. Hij was toen een paar dagen op verlof omdat hij nog vakantiedagen tegoed had. Sicora en die andere klootzak hadden het allemaal vanaf het hoofdbureau afgehandeld. Ik wist niet eens zeker of er ook een onderzoek was ingesteld naar Sicora, zoals we bij de rechtbank bij Romano hadden gedaan. Ik vertelde dat de aangifte tegen mijn toenmalige collega op niets was uitgelopen. Toen ik klaar was, vroeg hij me heel even te wachten. Hij liep naar achteren in het café en belde enkele minuten met de munttelefoon. Toen hij terugkwam, zei hij dat Sicora in 1971 was omgekomen bij een ongeluk op route 2, dus in die richting hoefden we het niet te zoeken.

'Hm,' voegde hij toe. 'Eigenlijk is er geen enkele richting waarin we iets kunnen zoeken.'

Dat klopte. Door die amnestie konden we helemaal niets tegen Gómez beginnen. En om nu te proberen het staatssecretariaat van Inlichtingen binnen te komen om Romano te vervolgen was gekkenwerk en bovendien zinloos. Beiden zouden buiten schot blijven.

Het was zo'n belachelijke kwestie dat we er bijna om moesten lachen, ware het niet dat het tegelijk zo'n drama was dat we wel konden janken. Door aangifte tegen hem te doen wegens het onrechtmatig afdwingen van een bekentenis had ik hem de kans gegeven aan de hand van zijn fascistische schoonvader een bliksemcarrière te maken bij de 'antisubversieve inlichtingendienst'. En als kers op de taart had die klootzak ook nog de kans in de schoot geworpen gekregen om wraak op mij te nemen. Hij wist dat ik degene was die ervoor had gezorgd dat de zaak was doorgegaan en door de schuldige onder zijn beschermende vleugels te plaatsen wist hij dat hij hem vroeg of laat van me af zou pikken. Dat had hij gedaan en ik had het niet eens gemerkt. In elk geval niet voordat het veel te laat was.

'Arme kerel.'

De twee woorden die Báez uitsprak, bleven even boven de tafel hangen tot ze in rook opgingen en het weer stil werd. Ik reageerde niet, maar het leed geen enkele twijfel over wie de politieman het had. Hij had het niet over Romano, niet over Gómez, niet over zichzelf, niet over mij. Hij had het over Ricardo Morales, die direct of indirect, in eerste of in tweede instantie, hoe je het ook wendt of keert, linksom of rechtsom, altijd het levenslange slachtoffer zou zijn. Ik probeerde me zijn gezicht voor te stellen wanneer ik het zou vertellen. Zou ik het hem op de bank kunnen vertellen? Of zou ik beter met hem af kunnen spreken in hetzelfde café als eerdere keren? Wat moest ik antwoorden als hij zou vragen 'wat we nu nog konden doen'? Moest ik hem de waarheid vertellen? Moest ik hem zeggen dat er niets was wat we konden doen?

Ik liet een suikerklontje in de drab op de bodem van het koffiekopje vallen en keek hoe het langzaam uit elkaar viel naarmate het natter werd.

'Ja, arme kerel,' was uiteindelijk het enige wat ik uit kon brengen.

30

'Vertel me als u wilt hoe het zit met die vrijlating,' zei Morales, alsof niets meer echt tot hem doordrong of hem pijn kon doen.

Ik keek hem aan voordat ik antwoord gaf. Die jongeman bleef me verbazen. Hoewel de benaming 'jongeman' misschien inmiddels niet meer zo van toepassing was. Waarom bleef ik die dan toch gebruiken? Uit gemakzucht natuurlijk. Ik had hem altijd zo gezien. Vanaf de eerste keer dat ik hem gezien had, in het filiaal van de Banco Provincia. Toen was hij het ook nog, zonder twijfel. Hij was vierentwintig jaar. Maar nu, vijf jaar later, kon ik hem moeilijk meer zo typeren. En niet omdat zijn donkerblonde haar een stuk dunner was geworden, wat het was. En ook niet omdat bij mensen die we maar af en toe zien de tand des tijds duidelijker zichtbaar lijkt, wat ook zo lijkt te zijn. Morales was geen jongeman meer, hoewel hij nog dertig moest worden. Het voortdurende verdriet had twee diepe groeven aan weerszijden van zijn mond nagelaten, die hij met zijn keurige snorretje niet meer kon verbloemen, en ook zijn voorhoofd was getekend met onuitwisbare groeven. Hij was altijd al slank geweest, maar nu was hij graatmager, alsof zelfs eten hem niet meer een minieme vorm van genot kon verschaffen of een minimaal verlangen kon bevredigen. Uitstekende jukbeenderen, ingevallen wangen, de grijze ogen ergens op een andere planeet. Toen ik Morales zo voor me zag op die middag in juni 1973, begreep ik dat hoe kort of hoe lang een mensenleven duurt, voornamelijk afhangt van de grootte van het verdriet dat de persoon in kwestie moet doorstaan. Voor mensen die lijden gaat de tijd minder snel voorbij, en zorgen en leed laten definitieve sporen achter op zijn huid.

Ik had het net over mijn verbazing over die man. De dagen ervoor had ik lopen piekeren over wat ik moest doen: ergens met hem afspreken of hem op de bank opzoeken. Maar de herinnering aan ons eerste gesprek, toen Báez en ik hem opzochten om hem te zeggen wat we te zeggen hadden, stond nog zo levendig op mijn netvlies dat ik me niet in staat voelde zijn hart weer op dezelfde manier en op dezelfde plek te breken. Daarom belde ik hem op om een afspraak te maken in het café aan de Calle Tucumán. Toen ik hem aan de lijn had, stelde ik me voor dat hij wel verrast zou zijn. Ten eerste vanwege het telefoontje zelf: we hadden elkaar al bijna een jaar niet gesproken. Waarom zou de ondergriffier van de instructierechtbank hem dan op het werk aan de telefoon willen hebben? Hem feliciteren met zijn verjaardag? En dan ook nog om met hem af te spreken in het café van altijd. Morales wist heel goed dat het in de zaak-Gómez nog wel twee of drie jaar kon duren voor er een definitieve veroordeling kwam, de fase voordat de zaak overging naar strafrecht. En voor een kleinigheid zoals het afsluiten van het onderzoek hoefden ze elkaar niet face to face te zien. Wat zou een willekeurige andere normale persoon hebben gedaan met zo'n vreemd en mysterieus telefoontje? Me om meer informatie vragen, hints, in de stijl van 'Is het ernstig?' of 'Kunt u alvast een tipje van de sluier oplichten zodat ik een beetje weet waar ik aan toe ben?'. Maar Morales niet. Hij luisterde naar me, aarzelde even of hij de volgende dag wel wat eerder bij de bank weg kon of dat donderdag beter uitkwam, en bevestigde toen dat 'morgen goed was' nadat hij even met een collega gesproken had. Dat was alles geweest. Alles tot die koude woensdagmiddag, toen ik hem achter in het café aan een tafeltje op me had zien wachten.

'Ik heb u gebeld omdat ik u iets ergs moet vertellen, Morales.' Ik was van plan om zo snel mogelijk ter zake te komen. Hoe kon ik zo dom zijn om me schuldig te voelen over wat er gebeurd was? Wat kon ik eraan doen dat het allemaal op deze manier was afgelopen?

'Als u me wilt gaan vertellen dat Gómez is vrijgekomen, bespaar u dan de moeite. Daarvan ben ik al op de hoogte.'

'Hoezo, op de hoogte?' reageerde ik belachelijk. Dat Morales al ingelicht was, bracht me van mijn à propos en maakte dit gesprek op dat punt dus zinloos. Hoewel ik me in elk geval aan mijn belofte had gehouden.

'Ja. Ik wist het al.'

Nu bleef ik stil. Hoe was hij erachter gekomen?

'Zo moeilijk was dat nu ook weer niet, Chaparro,' voegde hij eenvoudig toe. 'Er stond een lijst van gevangenen aan wie amnestie is verleend in de krant enkele dagen na hun vrijlating.'

'En hoe kwam u erbij dat Gómez daartussen zou kunnen staan?'

Nu was het Morales die even wachtte voor hij antwoord gaf, alsof de vraag hem had overvallen. Ten slotte sprak hij met een ironische uitdrukking.

'Wilt u de waarheid horen? Simpelweg door het existentiële principe dat mijn leven regeert toe te passen.'

…

'Wat slecht kan uitpakken, zal ook slecht uitpakken. En alles wat daarvan is afgeleid. Alles wat goed lijkt te gaan, gaat toch vroeg of laat naar de kloten.'

Was dat niet de eerste keer dat Morales zich in mijn bijzijn een lelijk woord permitteerde? Misschien was dat wel een heel goede graadmeter voor zijn diep ellendige gevoel. Ik had opeens een bespottelijk beeld in mijn hoofd: ik stelde me Morales' ouders voor, die met de wijsvinger in de lucht tegen hun zoon iets zeiden als: 'Ricardito, wat er ook gebeurt, altijd netjes blijven praten. Zelfs als een heel stoute meneer je vrouw verkracht en wurgt en daarna wordt vrijgelaten.' Ik wuifde mijn hersenspinsel weg en keerde terug naar zijn woorden. Wat moest ik daar nu op zeggen? In de vijf jaar dat ik hem kende, leek alles wat er was gebeurd, hem volledig in zijn gelijk te stellen.

'Serieus,' ging Morales verder. 'Toen u me zei dat ze hem gepakt hadden en vertelde hoe hij zich had laten gaan en bekend had, dacht ik: oké, nu dit op de een of andere manier achter de rug is, laat hem dan rotten in de cel. Maar toen ik thuiskwam, of na een dag of drie, vier, dacht ik: klaar? Dit was het? Zo simpel? Nee, dat was té simpel, zelfs na alle ellende van de afgelopen vier jaar. En dus vroeg ik aan een vriend van me, die advocaat is (vriend is wat overdreven, een kennis), hoe het zat met levenslange gevangenisstraf. Toen ik hoorde dat die vent over hooguit vijfentwintig jaar weer buiten zou staan, dacht ik: goed, daar gaan we al. Natuurlijk, levenslang in de gevangenis had ook te goed geklonken. Maar ik kon wel aan het idee wennen, hoor. Ik zei tegen mezelf dat het net zo goed een heel lange tijd was, dat het de maximale tijd was in Argentinië om iemand op te sluiten, en daarmee stelde ik mezelf tevreden. Totdat ik mezelf daarop wees. Let op, Ricardo, dacht ik. Als je je daarbij neerlegt, ben je erbij, want op een gegeven moment zul je zien dat zelfs datgene waarbij je je hebt neergelegd, niet gaat gebeuren. Snapt u wat ik bedoel?'

Ik snapte hem. Het was een onverdraaglijk pessimistisch betoog. Maar hij zei helemaal niets wat op de een of andere manier niet in overeenstemming was met de feiten.

'Dus toen ik ontdekte dat er op 25 mei een heleboel politieke gevangenen in de gevangenis van Devoto amnestie hadden gekregen, en dat geen van hen meer berecht zou worden voor het delict waarvoor hij op dat moment in de gevangenis zat, stelde ik mezelf de cruciale vraag: dus, Ricardo, op welke manier zou de zaak van die klootzak van een Isidoro Antonio Gómez nog slechter kunnen uitpakken? Waarop ik antwoordde: het zou allemaal nog veel erger worden als, ook al heeft hij niets met die politieke gevangenen te maken, de verkrachter en moordenaar van je vrouw op de lijst staat van gevangenen die amnestie krijgen. En weet u wat? Bingo! Hij stond erop!'

Hij eindigde bijna schreeuwend. In zijn wijd open ogen glinsterden de tranen. Daarna werd zijn gezicht weer vlak en staarde hij lange tijd naar buiten. Ik deed hetzelfde. Enige tijd later zei hij tegen me op de neutrale toon van iemand die door niets meer geraakt kan worden, maar niet omdat hij zich gered heeft maar omdat hij bezweken is: 'Vertel me als u wilt hoe het zit met die vrijlating.'

Ik vertelde het hem op dezelfde manier als waarop Báez het mij had verteld. Ik vertelde ook hoe ik erachter was gekomen, via die brief van de Penitentiaire Dienst. En ik vertelde van de reactie van Sandoval. Ik weet niet precies waarom ik dat deed. Waarschijnlijk omdat ik aanvoelde dat de wetenschap dat een paar eerlijke kerels als Báez en Sandoval ook zeer verontwaardigd waren, hem zich iets minder door God of het lot verlaten zou doen voelen. Toen ik klaar was met mijn verhaal, viel er weer een lange stilte. De barman kwam bij het tafeltje naast ons afrekenen en ik maakte van de gelegenheid gebruik om nog een koffie te bestellen. Toen hij vroeg of Morales er ook nog een wilde, schudde die zijn hoofd.

Ik aarzelde. Ik had zitten wikken en wegen, maar kon maar geen besluit nemen over de volgende stap. Maar uit angst dat als ik het nu niet deed, het niet meer zou durven, ging ik overstag.

'Ik vind het heel moeilijk om dit tegen u te zeggen, Morales...' begon ik hakkelend. 'Ik hoop dat u begrijpt dat juist ik de gedachte aan wat ik u nu ga zeggen nauwelijks kan verdragen, maar...' draaide ik om de hete brij heen. 'Ik heb het over...'

'Zeg maar liever niets. Laat het zo. Ik weet wat u bedoelt.'

Ik aarzelde. Zou hij het echt weten?

'Want stel, u zegt tegen me: "Morales, als ik u was zou ik hem met één schot koud maken," en ik zou naar u luisteren, zou u zich dan uiteindelijk niet hartstikke schuldig voelen?'

Ik gaf geen antwoord.

'En ik bedoel niet schuldig vanwege de dood van die klootzak. Ik denk dat we het er wel over eens zijn dat die rat geen knip voor de neus waard is. Maar ik denk dat u zich uiteindelijk schuldig zou voelen voor mij, begrijpt u?'

Weer gaf ik geen antwoord. Ik wist niet wat ik moest zeggen. 'Het zou wel grappig zijn. Want ik durf te wedden dat als ik Gómez zou vermoorden, ik twee minuten later voor de rest van mijn leven in de cel zou zitten. Denkt u niet?' Hij keek naar de deur. Er kwamen een jonge man en vrouw binnen. 'Ik denk het wel... ik weet het zeker.'

Hij keek verstrooid naar hen. Ze zagen eruit alsof ze net een stel waren, beiden straalden het bijna elektrische genot uit van het elkaar verliefd ontdekken. Zou Morales jaloers op hen zijn? Zou het hem wellicht herinneren aan zijn eigen verleden met Liliana Colotto?

'Nee, Chaparro,' pakte hij de draad weer op. 'Niets is zo eenvoudig. Want bovendien...' Morales leek even moeite te hebben om de juiste woorden te vinden, ook al wekte hij de indruk de kwestie al heel vaak overdacht te hebben. 'Stel dat ik hem vermoord. Wat win ik daar dan mee? Wat los ik daarmee op?'

'U zou in elk geval wraak nemen, stel ik me zo voor,' zei ik uiteindelijk.

Wat zou ik doen als ik in zijn schoenen stond? Ik wist het echt niet. Maar dat ik het echt niet wist, kwam voornamelijk doordat ik nog nooit voor een vrouw had gevoeld wat Ricardo Morales voelde voor zijn overleden vrouw. Of voelde ik het wel, voor een vrouw over wie ik me heb voorgenomen in dit hoofdstuk geen woord te zeggen? Misschien als ik aan haar dacht, aan die andere vrouw, mijn enige geheim dat die naam waardig is, zou ik de liefde van Morales voor zijn vrouw wel kunnen begrijpen. Voor haar zou ik denk ik tot alles in staat zijn. Aan de andere kant, ze was nooit de mijne geweest zoals Morales' vrouw de zijne was geweest. Dus was het niet te vergelijken met het verhaal van Morales. Zijn vrouw was echt, tastbaar, van hem, en ze hadden hem haar ontnomen. Omdat dat zo'n afschuwelijke gedachte was, zei ik nog een keer: 'Misschien zou u hem kunnen vermoorden om wraak te nemen.'

Morales zweeg. Hij zocht iets in de zak van zijn jasje. Hij haalde er een pakje lange Jockeys en een bronzen aansteker uit. Het verbaasde me om hem te zien roken en dat merkte hij waarschijnlijk.

'Ik ben een man van hardnekkige gewoonten, weet u,' zei hij met een flauwe glimlach. 'U wist niet dat ik rookte, hè? Voordat ik Liliana leerde kennen, rookte ik als een schoorsteen. Voor haar ben ik gestopt. Hoe kan een man een sigaret opsteken als de vrouw van wie hij houdt hem vraagt te stoppen voor hun welzijn en dat van de kinderen die ze met hem wil krijgen?' Haperend blies hij zijn rook uit en grinnikte. 'Het heeft nu niet meer zoveel zin dat ik mijn longen schoonhoud, wel? En dus rook ik weer als een ketter. Ervan uitgaande dat ketters veel roken, hè? Maar tot nu toe heb ik het nog niet weer in het openbaar gedaan. U bent de eerste bij wie ik het weer durf te doen. Zie het als een teken van vertrouwen.'

Ook nu weer zweeg ik.

'En wat betreft dat vermoorden... Wat zal ik zeggen? Het is te makkelijk, vindt u niet? In die jaren waarin ik hem zocht in de stationshallen had ik tijd genoeg om erover na te denken. Wat als ik hem daar aantrof? Wat moest ik dan doen? Een kogel door zijn borst schieten? Te makkelijk. Te snel ook. Hoeveel pijn kan een man voelen wiens borst net is doorzeefd door een magazijn kogels? Niet zoveel, vermoed ik.'

'Het is in elk geval iets.'

Waarom klonken mijn argumenten in het gesprek met deze man zo stom, zo nietszeggend?

'Dat iets is dan wel heel weinig. Veel te weinig. Maar goed, als u me kunt garanderen dat ik vier kogels door zijn lijf jaag maar hem niet dood, maar ervoor zorg dat hij verlamd raakt, de rest van zijn leven aan bed gekluisterd is en boven de negentig wordt, dan teken ik ervoor.'

Zijn stem klonk wat vals, alsof hij niet gewend was aan zoveel wreedheid, zelfs niet aan hypothetische en verbale wreedheid, maar me wilde imponeren met zijn nieuwe rol van 'Morales de sadist'.

'Maar om terug te komen op mijn grondregel, Chaparro. Ik weet zeker dat ik hem met het eerste schot al naar de hel stuur (ervan uitgaande dat die bestaat) en dat ik die andere drie voor noppes los. En daarna kan ik de rest van mijn leven in de cel slijten (en je kunt op je vingers natellen dat ik niet in aanmerking kom voor een of andere voorwaardelijke invrijheidstelling), en dan zul je zien dat ik ook nog ver in de negentig word. Gómez zal al voordat hij op de grond valt, heel relaxed van alles bevrijd zijn. En dan zit ik een halve eeuw in de cel jaloers op zijn geluk te wezen. Nee, serieus. Sterven kan een te makkelijke weg voor hem zijn, geloof me. De dingen zijn nooit makkelijk.'

Hij drukte zijn peuk uit en met automatische gebaren stak hij de laatste uit zijn pakje op.

'Daarom was die gevangenisstraf ondanks alles toch de beste straf. Het was goed. Al was het dan niet levenslang, al was het geen vijftig jaar. Maar dertig jaar, of zoiets, urine verzamelen in een cel was ook nog niet zo slecht, vindt u wel? Maar…' zuchtte hij gelaten, 'ook dat kreeg hij niet. En dat was al niet het ideaal, daar zijn we het over eens. Het was, om het zo maar te zeggen, het best haalbare gezien de omstandigheden. En daar kom ik dan weer met mijn principe. Omdat alles vroeg of laat toch naar de verdomde kloten moet gaan, verzet God, als hij bestaat, een paar schaakstukken zodat die klootzak uiteindelijk toch zijn zin krijgt.'

Hij had zijn stem zo verheven dat het verliefde stelletje stil was gevallen en naar ons keek. Morales herpakte zich en keek strak naar de houten tafel.

'Ik weet niet hoe ik u kan helpen,' zei ik. Het was waar. 'Ik zou het u allemaal heel graag wat makkelijker willen maken.'

'Ik weet het, Benjamín.'

Het was de eerste keer dat hij me met mijn voornaam aansprak. Enkele dagen geleden had Báez dat ook al gedaan. Wat voor bijzonder soort saamhorigheid ontstond er toch in dit afschrikwekkende verhaal?

'Maar u kunt niets doen. Toch bedankt.'

'Niets te danken. Ik weet serieus niet hoe ik u zou kunnen helpen.'

Morales scheurde het metaalpapier van het lege pakje sigaretten.

'Misschien kunt u me ooit nog wel eens helpen. Maar nu ga ik weg.' Hij stond op en haalde een paar bankbiljetten uit de zak van zijn jasje om zijn koffie met melk af te rekenen. Daarna stak hij me zijn hand toe. 'Ik ben u erg dankbaar voor wat u allemaal voor me hebt gedaan. Echt waar.'

Ik gaf hem een hand. Toen hij vertrok, ging ik weer zitten en zat de hele tijd naar het verliefde stel te kijken dat volledig in elkaar opging en de wereld om zich heen totaal vergat. Ik was stikjaloers op hen.

Meer koffie

Om de een of andere reden – en Chaparro peinst er niet over om uit te zoeken of die reden gewoon een oude vriendschap is of iets diepers, hoopgevenders, persoonlijkers en een heleboel andere dingen – beleeft Irene plezier aan zijn gezelschap, en niet alleen aan zijn beginnendeschrijverspraatje. Ergens om zitten ze weer tegenover elkaar, met een bureau tussen hen in. Ergens om glimlacht ze met een andere glimlach dan haar gewone, gebruikelijke glimlach, die eigenlijk 'nooit gewoon en gebruikelijk is', denkt Chaparro, maar ook niet zoals deze, waarmee ze hem betovert als ze alleen in haar kantoor zijn aan het eind van de middag.

Omdat hij bang is om weer zinloos te gaan zitten dromen, wordt hij nerveus, kijkt op de klok en maakt aanstalten om op te staan. Zij stelt voor nog een kopje koffie te drinken en hij wijst haar er onbeholpen op dat het koffiezetapparaat leeg en uit is omdat ze alle koffie al op hebben gedronken. Irene biedt aan om naar het keukentje te gaan en meer koffie te zetten, maar hij slaat het aanbod af, hoewel hij meteen spijt heeft van die idiote beslissing. Hij neemt het zichzelf zo kwalijk dat hij niet heeft gezegd: 'Ja, lekker, ik loop wel even met je mee,' dat hij weer gaat zitten om de aangerichte schade ongedaan te maken. Welke schade? vraagt hij zich tegelijkertijd af, want het kan ook heel goed zijn dat zij gewoon nog meer koffie wil, punt, dat ze hem nog een laatste roddel wil vertellen en dat was het, want per slot van rekening is er niets bijzonders aan het feit dat twee mensen die elkaar al jaren kennen van het gerecht samen een kopje koffie drinken. Misschien was het wel alleen maar dat.

In elk geval gaan ze allebei weer zitten en het gesprek komt weer op gang als het houvast in deze poel van onzekerheden. Zonder te weten hoe het zover komt, zit Chaparro opeens aan

Irene te vertellen dat hij een paar dagen daarvoor kladversies zat te lezen en te corrigeren terwijl het buiten regende, en dat hij naar van die renaissancemuziek luisterde waar hij zo van houdt, en hij opeens stopt hij geschrokken, precies op het moment dat hij wil zeggen, terwijl hij haar recht in de ogen kijkt, dat het enige wat hij nog miste om zich compleet en eeuwig gelukkig te voelen, zij in de stoel in zijn kamer was, misschien een boek lezend, terwijl hij met zijn vingertoppen over haar hoofd strijkt, zijn vingers zachtjes door haar haar haalt. Hij heeft het niet gezegd, maar het voelt alsof hij het wel gezegd heeft, want hij weet dat hij zo rood als een tomaat wordt. Nu kijkt zij hem geamuseerd aan, of teder, of nerveus, en dan komt eindelijk de vraag.

'Ga je me ook vertellen wat er aan de hand is, Benjamín?'

Chaparro zakt door de grond, want hij heeft net gezien dat die vrouw met haar mond wat anders vraagt dan met haar ogen: met haar mond vraagt ze hem waarom hij rood wordt, waarom hij zo nerveus in zijn stoel zit te draaien en waarom hij om de twaalf seconden op de hoge slingerklok aan de muur naast de boekenkast kijkt; maar daarnaast vraagt ze met haar ogen iets heel anders: ze vraagt hem wat er is, wat er met hém is, met hem en haar, met hen tweeën; en het antwoord lijkt haar te interesseren, ze lijkt ernaar uit te kijken, misschien wel omdat ze ongerust en waarschijnlijk omdat ze onzeker is over het feit of wat er is ook datgene is wat zij vermóédt dat er is. Nou goed, voelt Chaparro aan, eigenlijk is de vraag of ze het vermoedt, vreest of wenst, want dat is de kwestie, de grote kwestie van de vraag die ze formuleert met haar blik, en Chaparro wordt opeens overmand door paniek. Hij staat bliksemsnel op en zegt dat hij moet gaan, dat het al veel te laat is. Zij staat verbaasd op – ook hier is de vraag of ze verbaasd is, punt, of verbaasd en opgelucht, of verbaasd en teleurgesteld – en Chaparro vlucht zo ongeveer de gang op waaraan zich de hoge houten deuren van de kantoren bevinden; hij vlucht over het dambord van als ruiten gelegde zwarte en witte plavuizen en komt pas weer op adem wanneer hij in een lijn 115 stapt die wonderwel leeg is op dit spitsuur van de dag. Hij gaat naar zijn huis in Castelar, waar de laatste hoofdstukken van zijn verhaal wachten om geschreven te worden, want hij kan deze situatie niet meer verdragen, niet die van Ricardo Morales en Isidoro Gómez, maar die van zichzelf, die hem tot hij eraan onderdoor gaat verbindt met die vrouw uit de hemel en de hel, die vrouw die tot in alle hoeken van zijn hart en zijn hoofd zit, die vrouw die hem op afstand blijft vragen wat er met hem is, met de mooiste ogen van de wereld.

Twijfels

'Op 28 juli 1976 dronk Sandoval zich een onmetelijk stuk in de kraag en redde me het leven.'

Chaparro leest de zin waarmee hij een nieuw hoofdstuk is begonnen nog eens door en twijfelt. Is die zin goed als begin van dit deel van het verhaal? Hij is niet overtuigd, maar hij vindt ook geen betere. Hij heeft verschillende bezwaren tegen deze zin. Het sterkste gaat simpelweg over het idee dat hij wil overbrengen. Kan een enkele menselijke handeling, in dit geval zich een stuk in de kraag drinken, het lot van iemand anders veranderen, als je even aanneemt dat er zoiets bestaat als een lotsbestemming? En bovendien, wat betekent dat 'redde me het leven'? Chaparro is niet tevreden over de zin. De scepticus in hem zegt hem dat iets verlengen niet hetzelfde is als iets redden. En iets anders: wie garandeert hem dat het het dronkenschap van Sandoval was en niet een andere onwaarneembare samenloop van omstandigheden wat Chaparro ervan weerhield die avond in juni naar huis te gaan?

Hoe het ook zij, het is te verdedigen dat die zin aan het begin van het hoofdstuk blijft staan. Sandoval was een van de beste kerels die hij in zijn leven was tegengekomen. Hij vindt het een prettig idee om het aan hem te danken te hebben, zelfs aan zijn zwakheden, dat hij die dag niet ergens in een ravijn is geëindigd met twee kogels in zijn achterhoofd. En omdat hij op dat moment geen doodswens had, nu ook niet trouwens, kan hij verdergaan met dat leven dat werd 'gered' door de kosmische zuippartij waaraan Sandoval zich die avond besloot over te geven.

Chaparro heeft het gevoel dat hij in net zo'n impasse zit als aan het begin van deze vertelling, toen hij nog niet wist hoe hij zijn verhaal moest beginnen. Verschillende beelden dringen zich eenstemmig aan hem op: de aanblik van zijn overhoop gehaalde appartement; Báez tegenover hem gezeten in een smerig kot bij station Rafael Castillo; een schuur op het platteland die werd afgesloten met een hoge schuifdeur; een eenzame nachtelijke rit, verlicht door twee krachtige koplampen, gezien door de voorruit van een autobus; Sandoval die grondig een bar op stelten zet in de Calle Venezuela.

Toch denkt hij niet dat deze narratieve nood zo ernstig is als die van het begin. Deze chaos is hem overkomen, en hij hoeft het niet te zoeken in de levens van anderen. Bovendien vonden die dingen niet allemaal gelijktijdig plaats. Ze volgden elkaar op: zeker overweldigend, soms zelfs hartverscheurend, maar ze hebben een chronologische volgorde die hij in het verhaal als houvast kan gebruiken. Het is het beste, besluit hij, om die volgorde aan te houden.

Eerst verbouwt Sandoval een bar in de Calle Venezuela. Daarna treft Chaparro zijn appartement compleet overhoop gehaald aan. Vervolgens praat hij met Báez in een stinkend kot bij station Rafael Castillo. Later neemt hij plaats op de voorste bank van een nachtbus. En daarna, vele jaren later, stuit hij op de hoge schuifdeur van een schuur midden op het platteland.

31

Op 28 juli 1976 dronk Sandoval zich een onmetelijk stuk in de kraag en redde me het leven.

Zijn gezicht had de hele dag op onweer gestaan. Er had nauwelijks een groet af gekund toen hij aankwam en hij was onmiddellijk een ballistisch rapport gaan reviseren, dat niets voorstelde en dat hij in twintig minuten klaar had kunnen hebben, maar waar hij vijf uur over deed. Toen de andere medewerkers aan het eind van de middag afscheid namen en naar huis of naar de faculteit gingen, probeerde ik een gesprek met hem aan te knopen, maar ik stuitte op een muur van verzet. Hij sprak wanneer hij dat wilde, zoals altijd.

'Vandaag ben ik gebeld door mijn tante Encarnación, de zus van mijn moeder.' Hij pauzeerde even, zijn stem trilde. 'Ze vertelde dat mijn neef Nacho gisteren meegenomen is. Ze denkt door militairen, maar ze weet het niet zeker. Ze kwamen binnen en sloegen alles kort en klein, midden in de nacht. Ze waren in burger.'

Weer een stilte, die ik niet doorbrak. Ik wist dat hij nog niet klaar was.

'Mijn arme tantetje vroeg wat ze kon doen. Ik zei dat ze naar mijn huis moest komen. Ik ben met haar meegegaan om aangifte te doen.' Hij stak een sigaret op voordat hij zijn verhaal afmaakte. 'Wat moest ik tegen haar zeggen?'

'Je hebt het goed gedaan, Pablo,' waagde ik te zeggen.

'Ik weet het niet.' Hij aarzelde voor hij verderging. 'Ik had het gevoel dat ik haar bedroog. Misschien had ik de waarheid moeten zeggen.'

'Je hebt het goed gedaan, Pablo,' herhaalde ik. 'Als je haar de waarheid vertelt, maak je haar kapot.'

De waarheid. Wat een rotding is dat soms, de waarheid. Sandoval en ik praatten veel over het politieke geweld en de onderdrukking. Vooral sinds de dood van Perón. Er werden nu minder lijken gevonden op de velden. De moordenaars hadden hun stijl blijkbaar geperfectioneerd. Als werknemers van justitie zaten we te ver van de feiten om het naadje van de kous te weten, maar dichtbij genoeg om het aan te voelen. Daar hoefde je geen helderziende voor te zijn. Elke dag zagen we hoe er mensen werden opgepakt. Of we hoorden ervan. Die opgepakte mensen bereikten echter nooit de cel, werden nooit berecht, werden nooit overgeplaatst naar Devoto of Caseros.

'Ik weet het niet. Ze zal er een keer aan moeten.'

Ik probeerde me het gezicht van Nacho te herinneren. Hij was een paar keer op de rechtbank geweest, op bezoek, maar ik wist niet meer precies hoe hij eruitzag.

'Ik ga.' Sandoval stond plotseling op, pakte zijn jasje en liep naar de deur. 'Tot ziens.'

De eikel, dacht ik. Gaat ie weer. Ik deed het raam open en wachtte. Er verstreken enkele minuten, maar Sandoval stak de Calle Tucumán niet over richting Viamonte. Ik voelde me een beetje schuldig: een overstroming in India heeft het leven gekost aan veertigduizend mensen, maar omdat ik hen niet ken, maak ik me meer zorgen om de gezondheid van mijn oom die een hartinfarct heeft gehad. Ergens in een regiment, of op een politiebureau, werd Nacho op dat moment in elkaar gemept met vuisten en een stroomstok. Toch maakte ik me minder zorgen om hem dan om zijn neef Pablo, die mijn vriend was en van plan was zich vanavond in een coma te zuipen.

Was ik hier de egoïst of waren we dat allemaal? Ik troostte me met de gedachte dat ik voor Sandoval iets kon doen en voor zijn neef niet. Was dat zo? Ik besloot hem de gebruikelijke respijt te geven: drie uur voordat ik hem ging zoeken. Ik ging zitten om een rapport van een preventieve hechtenis te corrigeren. Ik besloot dat het twee uur werden. Drie waren misschien wat te veel van het goede.

32

Terwijl ik de trappen aan de Calle Talcahuano afdaalde, had ik een moment van twijfel. Ik had een flink geldbedrag op zak om de laatste termijn van mijn appartement te betalen. Eigenlijk zou ik dat moeten doen toen ik de rechtbank verliet, want het notariskantoor ging laat dicht, maar omdat ik bang was dat ik dan te veel tijd kwijt was voordat ik Sandoval kon gaan zoeken, koos ik ervoor om op zoek naar mijn vriend te gaan en de betaling de volgende dag af te handelen. Ik voelde of het geld goed op zijn plek zat in de binnenzak van mijn jasje en gebaarde naar een taxi. We reden rondjes rond de Paseo Colón. Ik kon hem niet vinden. De taxichauffeur was goedgemutst en vergastte me op een lang persoonlijk betoog over de eenvoudigste en meest voortvarende manier om de problemen in het land op te lossen. Als ik niet zo bezorgd was geweest en me wat minder had geconcentreerd op een aanwijzing over de plek waar Sandoval rondhing, zou ik hem misschien gevraagd hebben wat hij precies bedoelde met het verband dat hij legde tussen 'de militairen weten wat ze doen', 'hier wil niemand werken', 'je zou hen allemaal moeten doden' en 'River de Labruna is het voorbeeld dat we moeten volgen'.

Ik vroeg hem door de zijstraten te rijden. Uiteindelijk vond ik hem in een foeilelijke bar in de Calle Venezuela. Ik betaalde de illustere analist van de nationale realiteit en wachtte tot hij me het juiste wisselgeld gaf. Terwijl hij enigszins geërgerd door mijn krenterigheid in zijn zak zocht naar kleingeld, ervoer ik een miniem gevoel van wraak. De haast was me eigenlijk wel vergaan. Voor elf uur was het ondenkbaar dat Sandoval vrijwillig met me mee zou gaan en het was nu nog maar negen uur.

Ik ging tegenover hem zitten en bestelde een Coca-Cola. Ze zeiden dat ze alleen Pepsi hadden, dus nam ik die maar. Ik had hem nog nooit zo zien drinken. Ik was oprecht geschrokken, hoewel hij er aan de andere kant bewonderenswaardig goed tegen kon. Met vaste hand pakte Sandoval het volle glas op en leegde het in één of twee teugen. Daarna staarde hij in de leegte voor zich en liet het hete vocht zijn maag bereiken. Enkele minuten later stond er weer een vol glas voor hem.

Het was bijna twaalf uur en het was me niet gelukt om hem van zijn stoel te krijgen, hoewel ik ook niet erg had aangedrongen. Uit ervaring wist ik dat Sandoval in de eerste fase van zijn dronkenschap prikkelbaar en gesloten was, en daarna overging in een wat mildere en meer ontspannen fase. Dat was de fase waarin ik hem mee kon nemen. Maar die avond liet de overgang naar fase twee nogal lang op zich wachten. Ik stond op en ging naar de wc. Terwijl ik in het urinoir stond te plassen hoorde ik het kabaal van brekend glas, gevolgd door geschreeuw en rennende voetstappen op de houten vloer.

Ik liep de wc zo snel uit dat ik mezelf bijna onderplaste. Gelukkig waren er op dat tijdstip nog maar drie of vier stamgasten, die eerder geïnteresseerd dan bang toekeken. Sandoval stond dreigend met een stoel te zwaaien in zijn rechterhand. De eigenaar van de bar, een kleine, gespierde man, was achter de bar vandaan gekomen en hield hem van een afstandje in de gaten, bang waarschijnlijk dat hij het volgende doelwit van de aanval met een stoel was. De spiegel achter de bar was gebroken en het glas van flessen en ruiten lag overal.

'Pablo!' riep ik.

Hij keek me niet aan, maar bleef letten op de bewegingen van de barman. Niemand zei iets, alsof het duel tussen de twee te diep ging om met woorden te verluchtigen. Zonder teken vooraf beschreef de rechterarm van Sandoval plotseling een wijde halve cirkel en liet de stoel los, die met volle kracht tegen een van de ramen aan de straatkant vloog. Opnieuw een oorverdovend lawaai. Weer het geren en gescheld. Nu had de eigenaar niet geaarzeld.

Hij vond zijn dronken en nu ontwapende vijand blijkbaar een makkelijk doelwit en probeerde zich op hem te storten. Hij wist niet (ik wel) dat Sandoval zijn reflexen niet snel verloor, hoe lam hij er ook uitzag, en dat hij al sinds hij een jonge jongen was bokste bij een club in Palermo. Dus toen de eigenaar binnen zijn actieradius kwam, gaf hij hem een directe tegen zijn kaak die hem achteruit wierp waardoor hij tegen een van de lege tafels klapte.

'Sandoval!' schreeuwde ik.

Het ging van kwaad tot erger. Hij keek me aan. Probeerde hij me te betrekken bij dit rare slagveld dat hij had gecreëerd? Hij smeet nog een stoel weg. Toen zette hij een paar stappen in mijn richting. Nu zul je het hebben, dacht ik. Net wat ik nodig heb, midden in de nacht knokken met mijn collega in een of andere duistere tent in de Calle Venezuela. Maar hij had andere plannen. Met zijn vrije hand gebaarde hij me dat ik aan de kant moest gaan. Ik stapte opzij. De stoel vloog met een respectabele snelheid en hoogte door de lucht en sloeg een glazen reclamebord aan diggelen dat whisky aanprees: een meneer met een respectabel aanzien dronk een glas in een leunstoel naast de brandende open haard. Die hadden we bij een andere bar in de buurt ook al eens gezien. Sandoval haatte die reclame, dat had hij me tijdens het verloop van een eerdere zuippartij laten weten.

Met die laatste vernieling, die Sandoval waarschijnlijk zag als een daad van rechtvaardigheid, leek zijn destructieve drang tot bedaren te komen. De eigenaar van de bar zal dat ook gedacht hebben, want hij besprong hem van achteren en de twee rolden tussen de tafels en stoelen door. Ik liep eropaf om hen uit elkaar te halen en liep daarbij, zoals altijd in dat soort gevallen, ook wat klappen op. Uiteindelijk zat ik op de grond met Sandoval tegen me aan naar de eigenaar te schreeuwen dat hij moest kalmeren en dat ik hem wel rustig zou houden.

'Je zult het nog wel merken,' zei hij ten slotte terwijl hij opstond.

Ik schrok van zijn kille, dreigende toon. Hij liep naar de bar. Ik dacht dat hij een pistool zou pakken en ons lek zou schieten, maar ik vergiste me. Wat hij tevoorschijn haalde, was een muntje voor de telefoon. Hij ging de politie bellen. De twee of drie klanten die er nog waren, en die het niet nodig hadden gevonden om in te grijpen, begrepen zijn intentie en verlieten haastig hun plaats. Ik keek om me heen. Was het mogelijk dat er in dit kot een munttelefoon was? Die was er ook niet. Hij liep naar de deur en keek ons moordlustig aan. Het laatste wat we konden gebruiken was de nacht in de cel eindigen. Ik stond op. Sandoval leek het allemaal niet zo mee te krijgen. Ik liep achter de eigenaar aan naar buiten. Hij liep naar El Bajo. Ik riep hem. Bij de derde poging draaide hij zich om en wachtte tot ik hem had ingehaald. Ik zei hem dat het allemaal wel meeviel en dat ik zou zorgen dat het allemaal goed kwam. Hij keek me sceptisch aan. Daar had hij natuurlijk alle reden voor. Die ruiten kostten een vermogen. Daarnaast waren er wat tafels en stoelen naar de filistijnen, en dan had ik nog niet eens de exemplaren meegeteld waarmee Sandoval gegooid had. Ik drong aan. Uiteindelijk ging hij ermee akkoord dat we teruggingen naar zijn kroeg. We liepen zwijgend terug. Toen we daar aankwamen, kon ik niet anders dan de woede van de man begrijpen. De ruiten lagen in duizend stukjes op de stoep en de sporen van de ruzie waren in de hele omgeving zichtbaar.

Hij spreidde zijn armen en keek me aan, als om me om een verklaring te vragen, of alsof hij er nog eens over nadacht en zijn mildheid van een moment daarvoor toch te veel van het goede vond.

'Hoeveel zou het kosten om alles te herstellen?' Mijn vraag miste zelfvertrouwen en kracht, en de eigenaar moest dat wel in de gaten hebben.

'Eh… een schip met geld. Wat denkt u?'

Ik was niet in de wieg gelegd voor handjeklap. Ik werd heen

en weer geslingerd tussen het gevoel een profiterende sadist te zijn en het gevoel een onverbeterlijke sukkel te zijn. En deze situatie na middernacht, met Sandoval tegen de bar aan op de grond gezeten – hij had zich een fles whisky toegeëigend die de slooppartij had overleefd en bleef drinken als een tempelier – en die kerel die nog altijd de troef in handen had om de politie te bellen, had me volledig van mijn stuk gebracht.

Hij noemde een belachelijk bedrag, waarmee je dat verrekte krot vanaf de fundering opnieuw zou kunnen opbouwen en inrichten. Ik zei dat ik onmogelijk over zoveel geld kon beschikken. Hij antwoordde dat hij geen peso minder zou accepteren. Er schoot me een aanzienlijk lager bedrag door het hoofd: dat van de bundel biljetten die ik nog steeds in mijn binnenzak had en die ik, hoe naïef, als de aflossing van mijn hypotheek had beschouwd. Ik bood het hem aan en probeerde het als mijn definitieve bod te laten klinken.

'Dat is goed,' ging hij overstag, 'maar dan moet u me dat wel nú betalen.'

Die kerel moest wel zijn twijfels hebben bij het feit dat een figuur als ik, die rondliep als de reddende engel van een hopeloze dronkenlap, dat soort bedragen op zak zou hebben. Ik gaf ze hem. Hij telde de briefjes en leek te kalmeren.

'Maar u moet me wel helpen een beetje orde op zaken te stellen. Als ik dit nu zo laat, kan ik morgen niet open.'

Daar ging ik mee akkoord. We sleepten Sandoval naar een kant waar hij niet in de weg zat, veegden het glas op, zetten de kapotte tafels en stoelen in een hok waartoe een smerige patio toegang bood en verdeelden het meubilair dat heel was gebleven over de zaak. Op de spiegel en de ruit na was het er weinig minder van geworden. Die whiskyreclame was per slot van rekening niet om aan te zien. Sandoval had er bijna goed aan gedaan om hem kapot te smijten.

33

We namen de enige taxi die ons durfde mee te nemen. Om drie uur 's nachts en getekend door de strijd – Sandoval was alle knopen van zijn overhemd kwijt en ik had een oppervlakkige maar opvallende snee ter hoogte van mijn kin – zagen we er waarschijnlijk niet als een al te betrouwbaar stel uit.

Ik keek de hele rit strak naar de meter. Ik had precies voor ogen hoeveel geld ik nog had. Ik had al aardig wat uitgegeven aan de taxi voor de heenreis en een klein fortuin betaald als schadeloosstelling voor de vernieling van dat stinkhol. Ik wilde niet bij Sandovals huis aankomen en Alejandra om geld moeten vragen.

Arme meid. Ze zat in het portiek te wachten, een omslagdoek om haar nachthemd en ochtendjas geslagen. Samen brachten we Sandoval het huis in en naar bed. Voordat we naar binnen gingen, betaalde ik voor de taxi. Alejandra zei nog dat ik hem beter kon laten wachten, zodat hij mij ook nog naar huis kon brengen. Ze wist niet dat ik blut was en uiteraard vertelde ik haar dat ook niet. Ik zal wel een of ander smoesje gemompeld hebben. Toen we hem in bed hadden gelegd, bood Alejandra me koffie aan. Ik wilde die afslaan, maar ik zag haar zo hulpeloos staan, zo verdrietig, dat ik besloot nog maar even te blijven.

Ik vertelde haar van Nacho. Ze huilde stilletjes. Pablo had het haar niet verteld. 'Hij vertelt me nooit iets,' concludeerde ze hardop. Ik voelde me ongemakkelijk. De situatie was complex. Ik hield van Sandoval als van een broer, maar zijn verslaving riep momenteel meer ongeduld dan mededogen op. Vooral wanneer ik de ongerustheid in de groene ogen van Alejandra zag.

Groene ogen? Mijn innerlijke alarm begon te loeien. Ik sprong op en vroeg of ze meeliep naar de deur. Ze vroeg me hoe ik op dat uur van de nacht nog een taxi zou kunnen krijgen; het was al na vieren. Ik zei dat ik liever ging lopen. Ze antwoordde dat ik gek was als ik het in mijn hoofd haalde om midden in de nacht helemaal naar Caballito te lopen, vooral na wat er was gebeurd. Ik zei dat ik er geen problemen mee had. Als er iets zou gebeuren, zou ik gewoon even wapperen met mijn insigne van de gerechtelijke macht en klaar. Het was echt zo. Ik had wat dat betreft nog nooit problemen ondervonden. Behalve natuurlijk toen ik ermee weg probeerde te komen in een aan puin geslagen kroeg met mijn collega van het gerecht al drinkend naast me op de vloer.

Bij de deur nam ze afscheid van me en bedankte me. In de bijna vijfentwintig jaar die er sindsdien verstreken zijn, heb ik me al heel vaak afgevraagd wat mijn gevoelens jegens Alejandra waren. Ik heb er nooit moeilijk over gedaan om te zeggen dat ik haar bewonderde en waardeerde, en medelijden met haar had. Hield ik van haar? Toen kon ik daar geen antwoord op geven, en nu denk ik nog steeds dat die vraag niet relevant is. Ik heb de vrouwen van mijn vrienden nooit kunnen begeren. Ik bedoel dat niet moralistisch. Maar ik heb haar gewoon nog nooit anders kunnen zien dan als de vrouw van mijn vriend Pablo Sandoval. De keer dat ik verliefd werd op de vrouw van een ander, zorgde ik ervoor dat ik niet bevriend raakte met haar man. Maar ik heb mezelf beloofd om hier niet over haar te praten, dus dit terzijde.

Ik doorkruiste te voet de halve stad in die koude julinacht. Er passeerden een paar auto's en een militaire patrouille in een busje, maar ze lieten me met rust. Het was al na zessen toen ik thuiskwam. Zoals me wel vaker overkwam wanneer ik de hele nacht niet had geslapen, begonnen mijn recentste herinneringen en de eerste van de vorige avond door elkaar te lopen, waardoor de beelden van de klappen in de bar, het nieuws van de verdwijning van de neef van Pablo en mijn ontbijt van de vorige dag versmolten tot een en dezelfde herinnering. Het enige wat ik nu wilde, waren een lekker bad en een paar uur slaap om los te komen van alles wat er was gebeurd. Ik had geen idee wat me te wachten stond toen ik de lift uitstapte op de vierde verdieping.

De deur van mijn appartement was open en vanbinnen scheen een bundel licht de donkere gang in. Was er ingebroken? Ik liep naar de deur en liep naar binnen zonder me te realiseren dat de indringer misschien nog wel in mijn huis was. Maar er was niemand. Dat bedacht ik echter pas achteraf, want ik was nog niet binnen of ik moest geschokt vaststellen dat mijn hele appartement overhoopgehaald was. De stoelen waren omgegooid, de boekenkast was van de muur getrokken, de boeken lagen verscheurd en verspreid door de kamer. In de slaapkamer was de matras opengesneden en er lag overal schuimrubber. Ook in de keuken was het een complete chaos. Ik was zo in de war dat ik pas laat in de gaten had dat de televisie en de radio er niet meer waren, niet op hun vaste plek, maar ook niet ergens anders. Waren het dus dieven? In dat geval begreep ik niet waarom ze als een wervelstorm door het huis waren gegaan. Tot slot ging ik de badkamer binnen, wetende dat ook die volledig op zijn kop zou staan. Maar er was nog iets aan de hand. Niet alleen was het douchegordijn aan gort gescheurd, lag de inhoud van het medicijnkastje over de vloer verspreid en stonden de kranen van het bidet wagenwijd open om de hele boel onder te laten lopen. Op de spiegel stond met zeep een boodschap geschreven: 'Deze keer heb je geluk gehad, Chaparro, klootzak. De volgende keer ben je er geweest.'

Het was geschreven in grote, nette letters. Van iemand die geen haast had en controle over de situatie had. Aan het eind stond nog een krabbel die, hoezeer ik ook mijn best deed om hem te lezen, onleesbaar was. Ik maakte eruit op dat het wel de handtekening zou zijn van het stuk ongeluk dat dit op zijn geweten had. Hoe kon iemand zich zo straffeloos voelen dat hij anderen zo kon overdonderen? Wie had er met mij nog een appeltje te schillen? Terwijl ik over die vragen nadacht, werd ik overspoeld door een ijskoude golf angst.

Ik ging weg. Ik nam de naïeve voorzichtigheid in acht om te proberen de deur op slot te draaien. Pas toen merkte ik dat de deur opengetrapt was.

34

Die 29 juli was ik, nadat ik helemaal kapot mijn appartement had achtergelaten, de kluts volledig kwijt. Het konden niet gewoon inbrekers zijn, of een ondoordachte overval. Even kwam het in me op om terug te gaan en een praatje te maken met de portier, maar ik werd afgeschrikt door de gedachte dat de mensen die me 's nachts hadden gezocht, 's ochtends wel eens terug zouden kunnen komen. Ik zei tegen mezelf dat vluchten het beste was wat ik kon doen. Maar waar moest ik heen? Als ze wisten waar ik woonde, zouden ze ook zo weten waar het huis van mijn ouders was, of dat van Sandoval. Dat risico kon ik niet lopen, konden zíj niet lopen. Maar ik had geen rooie rotcent. Dus ik liep daar door Rivadavia naar het centrum, maar zonder een bestemming in gedachten te hebben. Ik keek omhoog en kreeg zin om keihard te vloeken. Wat nu?

Ik kon naar de rechtbank gaan en aangifte doen bij de Kamer van Beroep als ik het niet vertrouwde om dat rechtstreeks op het politiebureau te doen. Maar ik twijfelde. Wat als ze me bij de rechtbank stonden op te wachten? Maar wíé dan, in vredesnaam? Wie waren 'ze'? Ik besloot naar een bar met munttelefoon te gaan. Ik kwam binnen en keek mijn zakken na. Tussen de vier of vijf muntstukken zat ook een telefoonmuntje. Ik belde Alfredo Báez, de enige die ik blind vertrouwde.

Mijn telefoontje overviel hem, maar, misschien gealarmeerd door de paniek in mijn stem, hij bracht orde in de chaos van mijn verhaal door enkele gedetailleerde en samenhangende vragen te stellen. Op zijn initiatief spraken we af elkaar enkele uren later te ontmoeten, op het Plaza Miserere, aan de kant van Pueyrredón.

Ik zwierf daar de hele ochtend wat rond. Tegen twaalf uur realiseerde ik me dat ik me niet had afgemeld op de rechtbank.

Met mijn laatste kleingeld kocht ik een telefoonmunt en belde naar kantoor. Ik zei dat ik griep had. Ze vertelden dat Sandoval zich ook ziek had gemeld. Ik gaf een paar instructies, wat ik altijd deed als ik niet op kantoor kwam. Ik troostte me met de gedachte dat het niet al te drukke dagen waren op het werk. Ik zou me meer zorgen gemaakt hebben als ik op dat moment had geweten dat het zeven jaar zou duren voor ik weer een voet binnen die rechtbank zou zetten.

Om twee uur ging ik op een bankje op het plein zitten. Om halfdrie schrok ik op: er was iemand naast me gaan zitten. Ik keek opzij. Het was Báez.

'U doet niet erg uw best om u te verbergen, wel?' Hij had ook nog zin om te klieren, dacht ik.

'Het spijt me dat ik u gestoord heb. Ik wist niet wie ik anders moest bellen.'

'Maak u geen zorgen. Vertel eens wat er aan de hand is.'

Ik vertelde hem tot in detail wat ik had gezien vanaf het moment dat ik bij mijn appartement was aangekomen tot ik 'm weer gesmeerd was. Dat kostte me niet veel tijd, al denk ik wel dat ik er langer over deed om het te vertellen dan om het mee te maken.

'Wat zei u dat er miste in uw huis?' vroeg hij toen ik klaar was.

'De televisie en de radio.'

'En die zin op de spiegel...'

'Ze zeiden dat ik eraan zou gaan en dat ik nu geluk had gehad.'

'En uw naam stond erbij, toch?'

'Ja.'

Báez staarde een paar minuten naar de punten van zijn schoenen. Daarna draaide hij zijn hoofd naar mij en begon te praten.

'Luister, Chaparro. Als het is wat ik denk dat het is, zit u goed in de problemen. Het is beter dat u niet terug naar huis gaat, en ook niet naar de rechtbank of naar een andere plek waar ze u kennen. In elk geval niet tot ik weer contact met u heb opgenomen.'

'Maar wat moet ik dan in godsnaam doen?' Op een willekeurig ander moment zou ik me geschaamd hebben om me zo kwetsbaar op te stellen tegen Báez, maar onder deze omstandigheden kon het me niets schelen.

Hij dacht weer een tijdje na.

'Doe het volgende. Ga vandaag naar een pension dat La Banderita heet, op de hoek van de Calle Humberto I en Defensa. Maar nu nog niet, wacht nog even. Geef me even de tijd om erlangs te gaan en met de eigenaar te praten. U komt daar en heet... Rodríguez, Abel Rodríguez, en treft daar een betaalde kamer aan. Ik zal het u voor de hele week voorschieten. U hebt trouwens zeker nog geen stuiver op zak, of wel?'

'Nee, maar... ik zou wel even langs de rechtbank kunnen gaan...'

'Wat heb ik u nu net gezegd, man? Haal het niet in uw hoofd om daarheen te gaan. Nergens heen. U gaat dat pension in en gaat hooguit voor een snelle boodschap naar buiten. Hier hebt u wat geld. Kom op, niet zo moeilijk doen. Ik krijg het wel weer eens van u terug.'

'Bedankt, maar...'

'Een week. Over een week zal ik wel meer duidelijkheid hebben over de hele kwestie. Hoewel je het met de chaos van tegenwoordig nooit weet. Maar goed, laten we hopen van wel.'

'Kunt u me niet iets meer vertellen? Waar denkt u aan?' Ik verbaas me er nu nog steeds over hoe debiel iemand kan zijn die zo geschrokken is als ik toen was. Gelukkig was Báez zo tactvol om zich niet druk te maken om mijn domheid.

'Ik neem contact met u op. Maak u geen zorgen.'

Hij begon al weg te lopen, maar stond toen stil en draaide zich naar mij om.

'Is er op de rechtbank op dit moment een flink iemand op wie u terug kunt vallen? Ik bedoel iemand met een beetje gewicht, uw griffier, de rechter, de andere griffier...'

'Onze griffier is met zwangerschapsverlof,' zei ik en in gedachten dreef ik even af. Maar ik herpakte me snel en zei toen: 'En de andere griffier is zo dom als het achtereind van een koe.'

'Dat komt wel vaker voor.'

'En een rechter hebben we niet. Fortuna Lacalle is met pensioen en er is nog geen nieuwe benoemd. We hebben Aguirregaray als tijdelijke vervanger, die van instructierechtbank nr. 12.'

'Aguirregaray?' Báez leek geïnteresseerd.

'Ja, kent u hem?'

'Dat is me er een. Eindelijk goed nieuws. Pas goed op uzelf. Ik zie u over ongeveer een week. Ik kom u opzoeken in het pension, blijf daar maar rustig zitten.'

Ik volgde zijn instructies letterlijk op. Ik hing wat rond in het centrum en aan het eind van de middag ging ik richting San Telmo. Degene die me hielp in het pension, vermoedelijk de eigenaar, gaf me een sleutel zodra ik me had voorgesteld als Abel Rodríguez. Het was er schoon. Toen ik op het bed ging liggen, nam ik niet eens de moeite om mijn kleren uit te doen. Ik had anderhalve dag niet geslapen en de afgelopen zesendertig uur was ik betrokken geweest bij een caféruzie, had ik half Buenos Aires doorlopen, de hele nacht en de hele dag, was ik getuige geweest van de complete verwoesting van mijn huis en was mijn status veranderd in die van voortvluchtige, al wist ik niet precies waarom. Ik legde mijn hoofd op het kussen, dat lekker fris rook, en viel als een blok in slaap.

35

Het stinkhol waar Báez me zeven dagen later heen liet komen, lag naast station Rafael Castillo en was te smerig voor woorden. Drie krakkemikkige tafeltjes van grijs formica, een bar vol stolpen met daaronder zeer verdacht uitziende sandwiches, en enkele afgebladderde houten barkrukken. Het toch al minuscule tentje leek nog kleiner door de vettige damp die van een grill kwam waarop stapels droge, gebakken chorizo's en hamburgers lagen die over waren van tussen de middag. Met hun ellebogen op de bar zaten een paar eenvoudige mannen wijn te drinken en met luide stem te praten. Elke vijftien of twintig minuten schudden de plafondplaten door het kabaal van de locomotieven die de treinen voorttrokken, en viel er een fijne regen van aarde vanaf de dwarsbalken naar beneden op de klanten en de spullen. Om het tafereel compleet te maken schalde de stem van een jolige presentator, bijgestaan door twee uitzinnige omroepsters, uit een radio die met het volume op tien aanstond.

Na een week in spanning te hebben gezeten, ondergedoken in een pension op kosten van het spaargeld van Alfredo Báez, zou je zeggen dat ik niet al te hoge eisen meer stelde. Die stelde ik ook niet, maar ik kon toch niet voorkomen dat een dergelijke verschrikkelijke sfeer in staat was mijn gemoed nog verder te teisteren. Het was vast een veilige plek, waar je niet gezocht werd, tenzij je nog een rekening had te vereffenen met de kakkerlakken.

Van Báez had ik de hele week niets gehoord, behalve dan dat hij me de details voor deze afspraak had doorgegeven via de eigenaar van het pension. Omdat ik wat te vroeg was, had ik de tijd om me op te winden over wat er allemaal wel niet fout had kunnen lopen in deze zeven dagen. Wat als Báez op dezelfde manier was belaagd als ik? Of als hij was aangevallen omdat hij zijn neus in zaken stak waar hij niets mee te maken had? De opgehoopte spanning van de hele week, versterkt door de misselijkmakende geur, de viezigheid en het geschreeuw en de luide reclameboodschappen op de radio, zorgde ervoor dat ik op het punt stond te ontploffen en ervandoor te gaan. Gelukkig was de politieman zoals altijd stipt op tijd. Ik denk dat ik anders niet zou zijn gebleven. Hij gaf me een hand en ging zitten op een van de smerige, krakende, zwarte metalen en skaileren stoelen.

'Bent u iets te weten gekomen?' brandde ik los nog voor hij goed en wel zat. Ik was niet in de stemming voor de subtiele benadering.

Báez keek me strak aan alvorens antwoord te geven.

'Ja. Ik ben inderdaad het een en ander te weten gekomen, Chaparro.'

Hij maakte me bang. Niet door wat hij zei, maar door de manier waarop hij me aankeek. Hij keek alsof hij niet goed wist hoe hij zijn boodschap moest brengen. Zou het zo erg zijn? Ik besloot hem er maar recht op de man af naar te vragen.

'Goed. Ik luister.'

'Het is zo veel dat ik niet goed weet waar ik moet beginnen.'

'Begin maar ergens,' probeerde ik grappend, 'we hebben tenslotte tijd genoeg.'

'Denk dat maar niet te hard, Benjamín, zoveel tijd hebt u niet.' Ik luisterde en probeerde mijn groeiende paniek niet te laten doorschemeren. 'Vannacht nog moet u een bus nemen naar San Salvador de Jujuy. Hij vertrekt om tien over twaalf vanaf Liniers. Onder de brug van General Paz.'

'Waar hebt u het over?' lukte het me te vragen, schreeuwend bijna, toen ik voelde dat ik weer wat lucht kreeg.

'U hebt gelijk, sorry. Ik ben geloof ik bij het moeilijkste deel begonnen. Ik vraag u om een heel klein beetje geduld.'

'Ik luister,' zei ik nogmaals, op mijn hoede.

'Het eerste waar ik over nadacht na onze ontmoeting vorige

week was wie u in vredesnaam zou hebben kunnen aanvallen. Het was niet zomaar een willekeurige overval. Maar juist daardoor, en al het andere daarbij opgeteld, stelde me in staat vrij makkelijk te achterhalen wie het zijn geweest.'

'Wat bedoelt u met "al het andere"?'

'Alles, mijn vriend.' Hij realiseerde zich dat mijn ongerustheid enige toelichting vereiste en voegde toe: 'Om te beginnen de manier waarop ze zijn binnengekomen en het tijdstip waarop ze binnenkwamen. Hebt u enig idee van de rotzooi die ze hebben gemaakt door alles kapot te maken wat ze kapot hebben gemaakt? Gewone dieven zouden veel behoedzamer te werk zijn gegaan. Deze kerels zijn naar binnen gegaan alsof het hun eigen huis was. Het kon ze geen klap schelen of ze gehoord werden. Denk eens na, Chaparro: een knokploeg die midden in de nacht ongestraft tekeergaat... Je hoeft er tegenwoordig niet zo heel lang over na te denken wat voor kerels dat zijn, wel?'

Het kwartje begon te vallen. Maar het was ongehoord. Wat zouden dat soort types van mij willen?

'U hebt te maken met een van die groepen vogelvrijverklaarden die door de regering gebruikt worden, mijn vriend. Niets meer en niets minder. U hebt ongelooflijk veel geluk gehad dat ze u niet aangetroffen hebben. Anders kon u het nu niet navertellen. Ze hadden u aan uw haren naar de achterbak van hun auto gesleept en van de achterbak naar een ravijn met vier kogels in uw lijf.'

Báez zat even in gedachten verzonken, waarbij hij de beelden van wat er had kunnen gebeurde reconstrueerde. Opeens ging hij verder: 'Alles klopt. De straffeloosheid, de beestachtigheid, het optreden in een groepje (de buurvrouw van appartement B, ik weet niet of u haar kent, heeft uiteindelijk aan me toegegeven, nadat ik lange tijd op haar in heb zitten praten, dat ze door het spionnetje vier mannen voorbij heeft zien komen).'

'En wat zouden ze van me willen?'

'Daar komen we zo op, Chaparro, nog even wachten. Want de volgende stap was het controleren, of bevestigen, liever gezegd, dat het om een aan Romano of Gómez gelieerde groep was.'

'Wat?' Die twee achternamen kwamen mijn gehoor binnen met het angstaanjagende kabaal van een lichaam dat van de tiende verdieping op de stoep valt. 'Waar hebt u het over?'

'Rustig, Chaparro. Hou u in. Maar ook dat past in het plaatje. U bent geen politiek activist en ook geen publieke persoon. U werkt niet aan een onderwerp dat de militairen zou kunnen interesseren (sterker nog, volgens mij interesseert justitie hun sowieso geen moer). Wat zou er dan de reden voor kunnen zijn dat u zo'n bende achter u aan krijgt? Het moest dus wel iets met uzelf te maken hebben, iets ouds, iets persoonlijks...'

Ik telde op mijn vingers. Daarna zei ik: 'Het is belachelijk, sorry dat ik het zeg. Ik heb al bijna drie jaar niets over Isidoro Gómez gehoord, sinds hij is vrijgelaten uit Devoto. En ook niet van die andere klootzak.'

'Ik weet het, ik weet het. Daar heb ik ook over nagedacht. Maar het hele verhaal moet wel met hen te maken hebben, volgt u me?'

'Ik volg u.' Volgde ik hem echt?

'En dus moest ik na gaan denken over de motieven die ze zouden kunnen hebben om u te pakken te nemen. Nieuwe motieven kon ik niet verzinnen. Oude motieven klonk nog minder logisch. Al wikkend en wegend kwam ik terug bij de huidige situatie, die van nu. Eerst vreesde ik dat het erg moeilijk zou worden om iets te weten te komen over die figuren die voor de inlichtingendienst en die hele club werken. Misschien zijn dat soort organisaties in een serieus land hermetisch afgesloten. Dat denk ik wel. Maar hier zijn ze zo lek als een mandje. Want ze lopen er ook maar wat graag mee te koop, weet u? Dat rijdt rond in auto's zonder nummerborden, met donkere brillen, loopt overal op te scheppen... u kent het wel.'

Hij was weer afgeleid en van zijn gezicht was een mengeling van spot en minachting te lezen.

'Dus zijn ze redelijk makkelijk te traceren. Twee of drie gesprekken met zo'n gast, een dom gezicht opzetten en doen of ik geïnteresseerd was in hun sterke verhalen, en ik had al bijna een compleet organigram van hoe ze te werk gaan.'

'Ik kan me bijna niet voorstellen dat ze zo dom zijn,' waagde ik te zeggen.

'Geloof me, dat zijn ze. Als het niet van die gewetenloze klootzakken waren, zou je hen keihard in hun gezicht uitlachen. Maar ik zal verder vertellen. Het schijnt dat Romano een groepje van zeven of acht van die gekken heeft. Toen ze die bende in Devoto oprolden, ging hij toch door. Aan de andere kant is dat ook logisch. Waar zou zo'n niksnut zich anders mee bezig moeten houden?'

Ik probeerde zijn uitleg te volgen, maar ik kreeg steeds het beeld voor ogen van die klootzak van een Romano die juichend om het bureau van de rechter heen stond te springen, acht jaar geleden. Hoe kwam het dat ik in die tijd niet zag dat die vent met wie ik werkte een sadist en een moordenaar was?

'Romano staat aan het hoofd van dat groepje. Maar meestal is hij er niet bij wanneer ze mensen gijzelen van wie ze vinden dat dat nodig is en hen naar hun schuilplek brengen.'

Ik knikte. Ik dacht aan de neef van Sandoval, die waarschijnlijk hetzelfde had moeten doorstaan. Was het mogelijk dat dat pas vorige week gebeurd was? Ik had het gevoel dat het in een vorig leven had plaatsgevonden, lang geleden en definitief onbereikbaar.

'Feit is dat Romano weinig naar buiten treedt. Hij doet… hoe zeg je dat? Het ware inlichtingenwerk, de diepte-interviews. Wat er vrij vertaald op neerkomt dat die hufter degene is die de leiding heeft over de martelsessies waarbij ze hun gevangenen namen proberen te ontfutselen. Daarna stuurt hij zijn zware jongens om degenen die verraden zijn van hun bed te lichten.' Het gezicht van

Báez werd weer somber. 'Maar daar spreken die figuren weinig over. Zoveel hersenen hebben ze dan blijkbaar weer wel, daar scheppen ze niet over op.'

Wat Báez me vertelde, was zo luguber, zo irrationeel, zo afgrijselijk, en vulde zo eenvoudig aan wat Sandoval en ik al aanvoelden, dat ik zeker wist dat wat hij zei waar was.

'Raad eens wie een van de zware jongens is die het straatwerk voor Romano uitvoeren…'

Ik dacht aan Morales en zijn stelling dat alles wat fout kan gaan, ook fout gaat, en dat alles wat slechter kan worden, ook slechter zal worden.

'Isidoro Gómez…' stamelde ik.

'In hoogsteigen persoon.'

'Wat een klootzak,' was alles wat ik uit kon brengen.

'En… ze zijn één pot nat, hè? Nou ja, ze waren één pot nat, schijnt.'

'Wat bedoelt u?'

'Vergeet niet dat deze hele situatie voortkomt uit het feit dat die kerels uw hele appartement hebben verbouwd.'

'Dus?'

'Dat ze dus een motief hadden om u uit de weg te ruimen, een motief dat ze een paar jaar geleden nog niet hadden.'

'Ik snap het niet.'

'Het is allemaal heel logisch, ik zal het u uitleggen. Romano wilde u dolgraag om zeep helpen laatst in uw huis. Waarom? Heel simpel: uit wraak. Wraak waarvoor? Denk er maar eens over na. Wat hebben jullie twee gemeen? Niets, of bijna niets, behalve Gómez. Kunt u zich de amnestie van Cámpora nog herinneren?'

Ik knikte. Alsof ik dat zou kunnen vergeten.

'Goed. Romano zal gevoeld hebben, op dat moment bedoel ik, dat hij u op alle fronten te pakken nam. Daarom liet hij u de tijd daarna met rust. Omdat hij meende dat hij u zo wel genoeg had vernederd.'

'En dus?

'... En dus is het moeilijk te begrijpen waarom Romano nu opeens als een razende Roeland tekeerging om u te liquideren.'

'Ik snap er niets meer van.'

'Heb nog even geduld, het komt zo. Het is als een potje schaken, een duel. U hebt hem te kakken gezet toen u hem uit de rechtbank liet gooien. Hij nam wraak door Gómez vrij te laten. Waarom zou hij u dan nu, drie jaar later, aan gort willen laten slaan? Simpel: omdat hij er blijkbaar van overtuigd is dat u weer een schaakstuk verplaatst hebt. Of om precies te zijn: dat u, Chaparro, een van zijn vertrouwelingen een kopje kleiner hebt gemaakt, oftewel Gómez.'

Mijn gezicht liet vast doorschemeren dat ik geen idee had waar hij het over had.

'Romano wil u uit de weg ruimen, Chaparro, omdat hij denkt dat u Isidoro Gómez naar de andere wereld hebt geholpen. Niets meer en niets minder.'

Een moment was ik volledig verbouwereerd, maar ik moest me herpakken, anders liep ik het risico te missen wat Báez verder vertelde.

'Ik zeg niet dat u dat hebt gedaan. Ik zeg dat het is wat Romano denkt dat u hebt gedaan. Op de avond van 28 juli zijn ze bij u thuis geweest, toch? Tel maar op: twee nachten daarvoor, op 26 juli, heeft iemand Isidoro Gómez te pakken genomen in de buurt van zijn appartement in Villa Lugano.'

Het werd me veel te complex, en de bedompte lucht van de bar stompte me af.

'Voelt u zich niet goed?' vroeg Báez bezorgd.

'Ik ben een beetje duizelig.'

'Kom, we gaan een luchtje scheppen.'

36

We liepen naar het station. We gingen zitten op het enige bankje met houten latjes dat nog heel was, op het perron van de treinen die naar Capital gingen, dat op dit tijdstip bijna leeg was. Aan de andere kant van het spoor daarentegen stapte in de loop van de middag uit elke trein die aankwam een groeiend aantal mannen en vrouwen die zich in alle richtingen verspreidden, of het op een rennen zetten om een van de rode bussen met zwart dak te halen.

De frisse lucht deed me goed. Hij stelde me in elk geval in staat helderder te denken en me te realiseren dat er nog iets was wat ik tegen Báez moest zeggen. Iets wat niet kon wachten en waar ik nu pas aan dacht.

'Er is iets wat ik niet verteld heb, Báez,' begon ik aarzelend. 'Weet u nog dat ik in het begin van de hele zaak de detective uithing en Gómez in de gaten kreeg dat hij gezocht werd?'

'Ach, zo erg was dat niet. Bovendien…'

'Laat me heel even uitpraten. Na de amnestie heb ik een vergelijkbare blunder gemaakt. Tenminste, dat besef ik nu. Toen dacht ik van niet. Toen dacht ik dat het niets was.'

Báez strekte zijn benen en sloeg ze over elkaar, alsof hij zich klaarmaakte om eens goed naar me te luisteren. Ik legde het hem zo nauwkeurig mogelijk uit. Ik vond het al gênant dat ik de eerste keer, acht jaar geleden, zo achterlijk voor hem had gestaan. En nu moest ik die rol nog een keer spelen. Ik vertelde hem dat ik na de amnestie had besloten Ricardo Morales een laatste gunst te verlenen: de verblijfplaats van Gómez voor hem uitzoeken, voor het geval hij een keer de moed zou verzamelen om hem een kogel in zijn lijf te jagen. En dat ik dat uiteraard mondeling had geregeld, zonder dat er een letter van op papier stond, met een politieman die ik kende. Báez vroeg me naar zijn achternaam.

'Zambrano, van Roof en Diefstal,' antwoordde ik. En meteen daarna vroeg ik hem: 'Is dat een halve zool of een klootzak?'

'Nee…' aarzelde Báez. 'Een klootzak is hij niet.'

'Dan is hij dus een halve zool.'

'Eh… vergeet die Zambrano maar.' Báez wilde me niet voor gek laten staan. 'Het heeft geen zin. Hoe liep het af?'

'Er gingen twee maanden voorbij, maar uiteindelijk kreeg ik van Zambrano een adres in Villa Lugano. Ik weet echt niet meer waar het was. U weet hoe het zit met die adressen. Blok dit en dat, gebouw zus en zo, gang weet ik veel wat, enzovoort.'

'Goed. Het is mogelijk dat hij het goed voor u heeft uitgezocht.'

'Ik weet het niet. Ik heb het nooit gecontroleerd.'

Er viel een stilte, waarin Báez probeerde de informatie die ik hem net had gegeven in te passen in de puzzel in zijn hoofd.

'Nu snap ik het,' concludeerde hij. 'Romano is erachter gekomen. Vooral als die Zambrano niet wist hoe delicaat de hele kwestie was. Maar omdat er verder niets gebeurde, bleef hij rustig. Hij zal het gezien hebben als een actie die voortkwam uit uw woede, uw vernedering, Chaparro, omdat u uw gevangene kwijt was.'

We zwegen weer. Allebei zaten we waarschijnlijk te denken aan de volgende logische stap in de opeenvolging van gebeurtenissen. Báez was de eerste die weer iets zei.

'Ik neem aan dat u het adres aan Morales hebt doorgegeven?'

'Nee, dat heb ik niet. Hoe ironisch, nietwaar? Ik was bang dat hij het verkeerd zou opvatten… ik weet niet. Dus uiteindelijk heb ik er niets mee gedaan.'

Er kwam een trein aan uit het centrum. Weer stapte een stroom mensen uit die zich vervolgens verspreidde.

'Hoe het ook zij, de weduwnaar zal het adres wel op eigen houtje achterhaald hebben. Die jongen is niet op zijn achterhoofd gevallen,' zei Báez na weer een pauze.

'Denkt u dat Morales degene is die Gómez te grazen heeft genomen in Villa Lugano?'

'Twijfelt u daaraan dan?' Báez had zich naar mij toe gedraaid. Tot dan toe hadden we allebei tijdens het gesprek naar het perron voor ons zitten kijken.

'Ik weet inmiddels niet meer wat ik moet denken en wat ik moet zeggen,' bekende ik.

'Ja. Het was Morales. Ik kan u zeggen dat dat bevestigd is. Oké. Meer bevestigd dan dit kun je het niet krijgen. Eergisteren ben ik in Lugano geweest. Ik heb een beetje rondgevraagd. Een paar buren konden me wel wat vertellen. Sterker nog, ze zeiden zelfs dat er al een paar 'jongemannen' hetzelfde soort vragen waren komen stellen.'

'Mensen van Romano?'

'Zeker weten. In een klein winkeltje in de buurt hoorde ik dat er een stel oudjes was dat alles had gezien. Dus die heb ik even opgezocht. U kunt zich wel voorstellen hoe dat ging. Zo veel als er in de winkel gekletst wordt, zo weinig behoefte heeft men om dat met de politie te doen. Ik moest tot mijn eigen ongenoegen dreigen dat ik hen mee zou nemen naar het politiebureau om een verklaring af te leggen, maar gelukkig was dat niet nodig; ik had niet geweten waar ik hen mee naartoe had moeten nemen. Maar ze gingen overstag. Uiteindelijk werden we dikke maatjes. Ze hadden alles gezien. U weet hoe die oudjes zijn. Of moet ik zeggen: hoe wij zijn? Ze staan voor dag en dauw op, ook al hebben ze geen klap te doen. Omdat er rond die tijd nog niets op de televisie is, luisteren ze naar de radio en kijken uit het raam. Dan zien ze een jonge vent die ze van gezicht kennen omdat ze hem elke ochtend vroeg het gebouw aan de overkant binnen zien gaan. Het vreemde aan deze keer is dat er opeens nog een andere man achter hem uit de bosjes komt en hem een ongelooflijke klap op zijn kop geeft, waardoor die knul in elkaar zakt op de grond. De aanvaller – een lange vent, donkerblond denken ze, al hebben ze het niet heel goed kunnen zien – haalt een sleutel uit zijn zak en opent de kofferbak van een witte auto die vlakbij langs de stoep geparkeerd staat. De ouwe mensjes weten niet zoveel van automerken. Ze zeiden dat de auto groter was dan een Fitito en kleiner dan een Ford Falcon.'

Ik dacht even na.

'Morales heeft, of had, een witte Fiat 1500.'

'Daar heb je het al. Dat gegeven miste ik nog. Daarna doet die lange vent voorzichtig de kofferbak dicht, stapt in en rijdt weg.'

We keken even zwijgend voor ons uit. Báez doorbrak als eerste de stilte.

'Die jongen van Morales was altijd heel geordend, volgens mij. U hebt een keer beschreven hoe geduldig hij de treinstations afspeurde. Het leek me niet dat hij hem daar neer zou knallen om daarna op de vlucht te slaan. Hij had vast al wel ergens een plek gekozen om hem te begraven nadat hij hem uit de auto gehaald en doodgeschoten had.'

Ik herinnerde me mijn laatste gesprek met Morales, in de bar aan de Calle Tucumán, en durfde het aan om het niet helemaal eens te zijn met het verhaal van de politieman. Ik vond dat het mijn beurt was om met een hypothese te komen.

'Nee. Hij zal hem vastgebonden hebben en gewacht hebben tot hij weer bij kennis was. Pas daarna zal hij geschoten hebben. Want anders zou het wel een heel zoutloze wraak zijn.' Toch begon ik te aarzelen. 'Is er in geen enkel ziekenhuis in de buurt een gewonde binnengebracht, een ernstig gewonde?'

'Nee, dat heb ik allemaal gecheckt.'

'Dan vond hij het blijkbaar toch te riskant om erop te gokken dat hij blijvend invalide zou raken.' Ik legde Báez uit waar Morales en ik het de laatste keer over gehad hadden.

'Het is nog niet zo makkelijk,' besloot Báez. 'Je kunt het 's avonds in je bed met je ogen op het plafond gericht allemaal wel bedenken. Maar de uitvoering van dat plan is iets heel anders.

Aangezien het een voorzichtige man is, gefocust, zal hij wel gedacht hebben dat het met Gómez in zijn achterbak natuurlijk beter was om één vogel in de hand dan tien in de lucht te hebben. Misschien wilde hij inderdaad liever wachten tot hij bij was gekomen.'

'Wie weet in welk veld hij hem neergegooid heeft,' zei ik voorzichtig.

Aan het perron waarop wij zaten, kwam een trein binnen, maar er stapten weinig mensen in en uit. Het werd al later en de treinen naar Capital werden steeds leger.

'Ik denk niet dat hij hem ergens neergegooid heeft.' Nu was het Báez die mij bijstelde. 'Hij heeft hem vast heel netjes begraven, zodat ze hem de komende tweehonderd jaar zelfs niet bij toeval vinden.'

De herinnering aan Morales die aan de tafel in het café zat en de foto's zorgvuldig ordende op nummer en onderwerp, schoot door mijn hoofd.

'Ja, dat klopt. De plek en de manier waarop moet hij al maanden van tevoren gekozen hebben,' concludeerde ik.

Het duurde even voor ik de nieuw ontstane stilte doorbrak.

'Vindt u dat hij er goed aan heeft gedaan om hem te vermoorden?'

Er kwam een magere, vieze zwerfhond bij ons, die aan de schoenen van de politieman begon te snuffelen. Báez schopte hem niet weg, maar toen hij zijn benen bewoog, schrok de hond en rende weg.

'Wat vindt u?' speelde hij me de vraag terug.

'U ontwijkt de vraag.'

Báez glimlachte.

'Ik weet niet. Je moet in de schoenen van die man staan om daar iets van te vinden.'

Het leek of hij klaar was, maar na een tijd voegde hij toe: 'Ik denk dat ik hetzelfde zou hebben gedaan.'

Ik zei niet meteen iets. Maar ten slotte stemde ik toe: 'Ik denk ik ook.'

37

In de taxi, een paar uur later, wisselden Sandoval en ik nauwelijks een woord, alsof we beiden te zeer betreurden wat er ging gebeuren en geen zin meer hadden om te doen alsof, hij dat hij blij was en ik dat ik overtuigd was.

'Rij maar onder de General Paz en laat ons daar uitstappen, waar de touringcars stoppen,' instrueerde Sandoval de bestuurder.

We haalden de koffers uit de achterbak en ik wilde afscheid nemen. Het was tien voor twaalf. Sandoval hield me tegen.

'Nee, ik wacht tot je bent ingestapt.'

'Doe niet zo gek. Ga nu maar, morgen moet je weer werken. Hoe ga je naar huis? Neem deze taxi toch terug.'

'Ja, natuurlijk. En ik laat jou hier alleen wachten, in Ciudadela. Doe even normaal.' Hij draaide zich om naar de taxichauffeur en betaalde hem.

We brachten de koffers naar het kleine groepje mensen dat op dezelfde bus bleek te staan wachten.

'Hij komt uit het zuiden, uit Avellaneda, daar ergens,' legde Sandoval uit. 'Je komt morgenavond aan.'

'Wat een reis,' klaagde ik.

Ondanks alles, toen de enorme glanzende bus aankwam en voor ons stopte, kon ik een aanval van kinderlijke emotie ten aanzien van het vooruitzicht dat ik een verre reis ging maken, niet voorkomen, net zoals me gebeurde wanneer mijn ouders me meenamen op vakantie. Daarom was ik blij toen Sandoval me mijn kaartje gaf en ik zag dat ik op nummer drie zat: eerste stoel rechts. We letten goed op toen een van de chauffeurs met lichtblauwe bloes en donkerblauwe stropdas mijn koffers achter in de bagageruimte gooide nadat hij zich ervan had vergewist dat ik naar San Salvador ging. Een beetje meer vooraan plaatsten ze de koffers van de passagiers die naar Tucumán en Salta gingen. Ik ging echt naar de verste uithoek van Argentinië. Vlak daarna gingen we uit elkaar, nadat de chauffeur de klep van de bagageruimte met een klap had gesloten en de motor had aangezet.

We omhelsden elkaar naast de deur van de bus. Ik draaide me om en liep het trappetje op, maar plotseling draaide ik me om om iets tegen hem te zeggen.

'Ik wil dat je iets voor me doet.' Ik wist niet waar ik moest beginnen. 'Of liever gezegd, dat je het niet doet.'

'Rustig maar, Benjamín.' Sandoval leek dit gesprek te verwachten. 'Hoe kan ik me nu gaan bezatten als ik niemand heb die voor me afrekent en me in een taxi naar huis brengt?'

'Beloofd?'

Sandoval glimlachte, zonder op te kijken van het asfalt.

'Hé, niet overdrijven, hè! Zoveel vraag je nu ook weer niet van me.'

'Tot ziens, Sandoval.'

'Tot ziens, Chaparro.'

Wij mannen vinden het soms makkelijker om ons achter een zekere koelbloedigheid te verschuilen bij de mensen van wie we houden. Ik groette hem door het raam nadat ik was gaan zitten. Ik stak mijn hand op, glimlachte en hij ging weg, naar lijn 117, die op dit tijdstip ongeveer zo vaak ging als dat het regent in de Sahara.

38

'Zárate 18.' De gedachte dat mijn hele leven in die drie koffers onder in de bus paste, bezorgde me een gevoel van ongemakkelijkheid, minderwaardigheid of hulpbehoevendheid. Ik had maar een paar van mijn lievelingsboeken kunnen redden. Bijna geen kleren, want een van de slechte berichten die ik van Sandoval had gekregen toen ik in het pension zat, was dat ze daarvan het grootste deel kapotgesneden hadden, vooral mijn overhemden en colberts.

Ik had geen afscheid van mijn moeder genomen. En ook niet van de mensen op de rechtbank.

'Rosario 45.' De koplampen doorkliefden de duisternis en verlichtten soms groene borden met witte letters. Waren we al in Santa Fe? Op hoeveel kilometer lag Rosario van de grens van Buenos Aires? Als we die al gepasseerd waren, had ik dat niet gemerkt.

Ik had een paar keer geprobeerd te slapen, maar ik had uiteindelijk geen oog dichtgedaan. De dagen in het pension waren een lange, monotone leegte geweest waarin de tijd zich uitrekte als ware hij van kauwgom. Maar de laatste dag waren er zo veel dingen gebeurd en was ik achter zo veel dingen gekomen dat ik het gevoel had dat de tijd van zijn kabbelende verstrijken ineens in een stroomversnelling was geraakt.

Báez had onze ontmoeting op station Rafael Castillo afgesloten door me het adres te geven van rechter Aguirregaray in Olivos. Ik vroeg hem wat hij met dit alles te maken had.

'Dat is wat ik u aan het begin probeerde uit te leggen en waarvan ik zei dat ik het beter tot het eind had kunnen bewaren.'

Toen pas herinnerde ik me het.

'Jujuy?'

'Precies. Hij is een eerlijke kerel. En hij heeft de contacten om uw overplaatsing te regelen. Het was zijn idee,' zei hij.

'En waarom?'

'Ik weet het niet. Of liever gezegd: ik denk dat het beter is dat hij u dat uitlegt. Hij verwacht u.'

'Maar is er geen andere oplossing dan de benen nemen als een voortvluchtige?' Ik kon me er niet zomaar bij neerleggen dat ik van de ene op de andere dag mijn hele leven kwijt zou zijn.

Báez keek me een tijdje aan, misschien in de veronderstelling dat ik het antwoord op die vraag zelf wel kon bedenken. Dat gebeurde niet, dus legde hij het me uiteindelijk uit.

'Weet u wat het is, Chaparro? De enige manier om zeker te weten dat Romano ophoudt u het leven zuur te maken is door hem de waarheid te vertellen. Ik kan wel een ontmoeting regelen, als u dat wilt. Maar daarvoor moet ik dan wel tegen Romano zeggen dat niet u zijn vriendje te grazen hebt genomen, maar Ricardo Morales.' Hij pauzeerde, en ging toen verder. 'Als u dat wilt, doen we dat.'

Verdorie, dacht ik. Dat kon verdomme niet. Dat kon ik niet.

'U hebt gelijk,' aanvaardde ik mijn lot. 'Laat het maar zoals het is.'

We namen afscheid zonder al te veel drama. Op een papier schreef hij de nummers van de bussen die ik moest nemen om naar Olivos te gaan. Ik was de schaamte inmiddels al ver voorbij, dus vroeg ik zelfs wat voor kleur ze hadden.

Ik deed er meer dan twee uur over om er te komen. Die koude middag van die vreselijke winter liep op zijn einde. Het huis van Aguirregaray was een mooi chalet met voortuin. Ik zei tegen mezelf dat als ik ooit nog eens terugkwam naar Buenos Aires, ik in Castelar zou gaan wonen, waar ik was opgegroeid. Geen appartementen in het centrum meer voor mij.

De rechter deed zelf de deur open en liet me gelijk doorlopen naar zijn werkkamer. Ik meende op de achtergrond het geluid van activiteit in de keuken en van kinderen te horen. Ik kreeg het ongemakkelijke gevoel dat ik hem wellicht stoorde en zei dat tegen hem.

'Het is geen enkel probleem, Chaparro, maak u geen zorgen. Maar hoe minder mensen u zien, hoe beter, lijkt me.'

Daar was ik het mee eens. Ik liet me naar twee grote leunstoelen leiden. Hij bood me koffie aan, maar die sloeg ik af.

'Báez heeft me op de hoogte gesteld van alles,' begon hij. Daar was ik blij om, want als ik er alleen al aan dacht dat ik het hele verhaal nog een keer moest vertellen werd ik al moe. 'Wat ik niet weet, is of u tevreden bent met de oplossing die we bedacht hebben.'

Ik probeerde ontspannen te klinken.

'Jujuy…' zei ik.

'Jujuy,' bevestigde de rechter. 'Báez zegt dat die kerel…'

'Romano.'

'Ja, Romano. Dat die Romano achter u aan zit vanwege een persoonlijke kwestie, een soort privévendetta. Zeg ik dat goed?'

'Klopt,' zei ik. Báez had hem dus niet 'van alles' op de hoogte gesteld. Ik merkte dat de politieman zelfs met zijn eigen vrienden voorzichtig was. En daar was ik hem dankbaar voor. Voor de duizendste keer.

'Dus hij zit achter u aan met zijn eigen knokploeg, heb ik gehoord. We gaan ervan uit dat hij buiten die eigen ploeg niet over al te veel middelen beschikt.'

'Een soort voorstedelijke maffia,' probeerde ik te grappen.

'Zoiets ja. Maar lach maar niet te hard, want ik denk dat die term aardig klopt.'

'En wat denkt u, meneer?'

'Báez en ik denken dat we u zo ver mogelijk weg moeten sturen om te voorkomen dat hij u nog lastigvalt, ook al zouden ze u traceren. En daar komt Jujuy in beeld. Want vroeg of laat komt Romano erachter dat u verhuisd bent, Chaparro. U hebt zelf kunnen vaststellen hoe lang zaken geheim blijven aan het gerecht.

Maar de oplossing is hem ontmoedigen; het hem te ingewikkeld maken.'

Hij was een moment stil omdat er vrouwenstappen in de gang klonken, die uiteindelijk naar een andere kamer gingen. Aguirregaray liep naar de deur en deed die zachtjes dicht. Toen ging hij weer zitten.

'Mijn neef is federaal rechter in San Salvador de Jujuy. Ik weet dat dit voor u als het eind van de wereld moet klinken. Maar Báez en ik konden niets beters verzinnen.'

Ik zweeg, nieuwsgierig naar de ontelbare voordelen die het verhuizen naar en werken in die godverlaten uithoek ongetwijfeld zouden hebben.

'U weet dat de federale rechtbanken afhankelijk zijn van de nationale gerechtelijke macht, oftewel dat ze binnen ons eigen systeem zitten. Het gaat dus gewoon om een overplaatsing, u houdt uiteraard uw functie.'

'En dat moet in Jujuy gebeuren?' Ik probeerde niet al te gevoelig te reageren.

'Weet u wat het is? Hoewel u dat nu misschien niet kunt zien, heeft het zijn voordelen. Een daarvan is dat het op bijna 1900 kilometer afstand bijna onmogelijk voor die kerels wordt om u nog lastig te vallen. Een ander voordeel is dat, mochten ze toch naar u op zoek gaan, mijn neef er dan is.'

Dat moest hij maar eens even uitleggen. Wie was zijn neef dan? Superman?

'Het is een man met nogal traditionele ideeën. Stel u voor. U weet hoe het in bepaalde plaatsen in het binnenland is.' Dat wist ik niet, maar ik begon het te vermoeden. 'Denk vooral niet dat hij een aardige, prettige kerel is. Dat is hij niet. Mijn neef is onuitstaanbaar. En gemeen als een schorpioen. Maar het voordeel van mijn neef is dat hij daar een belangrijke en gerespecteerde persoon is, en als hij tegen vier of vijf belangrijke mensen zegt dat u onder zijn bescherming staat, zal geen vlieg u meer kwaad doen. En alle vreemde dingen die er gebeuren, zoals vier onbekende mannen die de provincie binnenkomen in een Falcon zonder nummerborden, weet hij onmiddellijk. Als een vicuña in de heuvels van de Siete Colores een scheet laat, is mijn neef daar binnen een kwartier van op de hoogte. Begrijpt u wat ik bedoel?'

'Ik denk het wel.'

Geweldig, dacht ik. Ik ging in een uithoek van het land wonen en werken voor een feodale heer. Maar op dat moment kwam het beeld van mijn verwoeste appartement me voor de geest en bond ik automatisch in. Als ik bij die kerel veilig was, was het beter dat ik mijn eigenwijsheid maar even overboord zette en mijn schouders eronder zette. Ik herinnerde me de plaatsvervangende schaamte toen ik jaren geleden rechter Batista zag terugkrabbelen toen hij niet de moed had om Romano te berispen in de zaak van dat onrechtmatig afdwingen van een bekentenis. Ik was ook een lafaard. Ik had ook mijn grens bereikt.

Toen hij met me mee liep naar de deur, bedankte ik hem nogmaals.

'Niets te danken, Chaparro. Maar zodra het mogelijk is, wil ik dat u terugkomt. Er zijn niet meer zoveel ondergriffiers als u.'

Die woorden gaven me in één klap mijn zoekgeraakte identiteit terug. Ik besefte dat het ergste van dat acht dagen onderduiken was geweest dat ik niet meer voelde dat ik ík was.

'Nogmaals bedankt,' zei ik, en ik stak hem energiek mijn hand toe.

Ik liep naar het station van Olivos. De treinen van de Mitre waren elektrisch, net als die van de Sarmiento. Maar deze waren schoon, bijna leeg en reden op tijd. Maar zelfs die lokale afgunst liet me zien hoezeer ik Castelar miste. Heeft iedereen die op de vlucht is last van die nostalgie naar het verleden? In Retiro nam ik de metro en daarna liep ik naar het pension.

'Er zit iemand in uw kamer op u te wachten,' kreeg ik daar te horen. Mijn knieën knikten. 'Hij zegt dat u wist dat hij kwam. Hij heeft zich voorgesteld als uw barmaatje, kan dat?'

'Ah, ja.' Ik lachte op een manier die waarschijnlijk nogal overdreven op de man overkwam. Die Sandoval veranderde ook nooit.

Hij zat onderuitgezakt op het bed op me te wachten. We omhelsden elkaar.

Ik ging me douchen. En daarna namen we die taxi waarin we bijna geen woord met elkaar wisselden.

39

Helaas kwamen de ziekte en de dood van Sandoval niet plotseling en de mensen die van hem hielden, hadden meer dan een
jaar om aan het idee te wennen. Hij ging er op dezelfde ondoor-
grondelijk ironische manier mee om als met alles. Hij verklaarde
(aan zijn dierbaren, want jegens anderen had hij zich altijd gereserveerd en zelfs afstandelijk opgesteld) dat niemand het heil-
zame effect van de alcohol op zijn lichaam op waarde had weten
te schatten, en dat hij zich die in vurige doses had toegediend.
Dat dit verval, deze verbluffende en onherroepelijke fysieke afta-
keling, was te wijten aan het feit dat zijn onthouding het heilige
evenwicht had doorbroken dat de whisky hem verschaft had. Hij
zei het met een glimlach, en de mensen die altijd tegen hem
gezegd hadden dat hij moest stoppen met drinken, waren hem
dankbaar voor die mildheid. Verder bleef hij tot het einde, of
bijna tot het einde, voor de rechtbank werken.

Die laatste maanden sprak ik regelmatig met Alejandra. Meer
eigenlijk dan met hem. Omdat we ons bewust waren van wat die
langeafstandsgesprekken wel niet kostten, of omdat we het zoals
goede kerels betaamt diep vanbinnen een teken van zwakte vonden als we ons verdriet lieten zien, spraken Sandoval en ik, als we
elkaar aan de telefoon hadden, over koetjes en kalfjes en ontwe-
ken als ware experts elke persoonlijke, gevoelige of melancho-
lieke noot. Ik vroeg hem niet naar zijn ziekte en hij vroeg mij niet
naar mijn isolement in Jujuy. Ik denk dat het feit dat we elkaar
niet aan konden kijken als we beleefdheden uitwisselden de ver-
schraling van die gesprekken nog in de hand werkte. Maar toch
wilden we er niet mee stoppen.

Ik schrok dus niet toen ik op een donderdag de telefoon aan-
gereikt kreeg van een klerk met de woorden 'telefoniste, inter-

lokaal gesprek' en ik aan de andere kant van de lijn met de echo en het geruis waarmee bellen toen nog gepaard ging, de stem van Alejandra hoorde, eerst ingehouden, daarna diepbedroefd en uiteindelijk kalm en bijna uitgeput.

Die nacht ging ik voor het eerst met het vliegtuig. Het was bijzonder hoe ik met het verdriet omging. Ik had zo veel tijd gehad om me op dit nieuws voor te bereiden dat ik meer bezig was met het gevoel dat ik van tevoren had bedacht te zullen hebben dan met het ware voelen van het gladde, vlakke verdriet vanwege het verlies van mijn vriend.

Buenos Aires bood gezien vanuit de nachtelijke hemel een indrukwekkende aanblik. Dezelfde gevoelsafstand die ik had ervaren toen ik hoorde van de dood van Sandoval, voelde ik jegens mezelf toen ik voet aan de grond zette op Aeroparque. Ik voelde geen angst. Zelfs geen nostalgie. Ik was ook niet blij om na zes jaar weer terug te zijn. Mijn schuldgevoel achtervolgde me even: ik had mijn moeder niet op de hoogte gesteld van dit bliksembezoek, omdat ik dat niet langer wilde laten duren dan noodzakelijk, maar haar ook geen verdriet wilde doen door te vertellen dat ik op twintig kilometer afstand van haar huis zou zijn in plaats van bijna tweeduizend zonder even bij haar langs te gaan. Ik kon beter wachten tot juli, wanneer ze zoals elk jaar bij mij op bezoek kwam.

De taxichauffeur kon niets beters verzinnen dan me te trakteren op een voordracht waarin hij me wilde uitleggen, zoals ik voorzag, dat de Engelsen nooit de Falklandeilanden zouden kunnen veroveren met die flutvloot die ze net gestuurd hadden. Ik kapte hem kortweg af.

'Ik heb liever dat u niet tegen me praat. Ik moet uitrusten.' En voor het geval hij mijn gebrek aan interesse opvatte als een verdacht verraad van ons vaderland, voegde ik toe: 'Bovendien ben ik Oostenrijker.'

Hij hield verder zijn mond. Terwijl de auto naar Palermo

reed, drongen zich allerlei herinneringen aan me op. Bijna met genoegen constateerde ik dat ze pijnlijk waren. Ik was geschrokken van mijn eigen kille houding in de uren ervoor. Misschien daarom vroeg ik me uiteindelijk af hoe het met die hufter van een Romano zou zijn. Zou hij me nog steeds willen liquideren? Dat was nogal een vraag. Het antwoord was bepalend voor het al dan niet voortzetten van mijn verblijf in Jujuy. Maar tegelijkertijd zou ik niet weten aan wie ik die vraag zou moeten voorleggen. Báez was in 1980 overleden. Ik had het toen niet aangedurfd om naar Buenos Aires te gaan, hoewel er al vier jaar was verstreken sinds de wraakactie van Morales en de aanval waar ik op het nippertje aan was ontkomen. Ik had zijn zoon een lange brief geschreven. Ik had het altijd belangrijk gevonden dat de kinderen van bepaalde ouders wisten hoe moedig die waren geweest. Zonder Báez zou ik me reddeloos voelen. Daarom leek het me het best om het vliegtuig te pakken en naar zijn wake te gaan, van de wake naar de begrafenis en van de begrafenis weer naar het vliegtuig.

Het was niet in het huis van Sandoval maar in een rouwcentrum. Ik had al van kinds af een grondige hekel aan de steriele parafernalia behorende bij onze begrafenisrituelen. Die dunne lijkwaden, de kaarsen, de vreselijke geur van dode bloemen. Ik zag altijd de ijdele trucs van illusionisten voor me, die de waardige en wrede stelligheid van de dood probeerden te verdraaien. Misschien dat ik daarom de aula waarin hij lag opgebaard oversloeg. Alejandra probeerde in een grote stoel nog wat slaap te krijgen. Volgens mij was ze blij om me te zien. Ze huilde een beetje en legde me iets uit wat te maken had met de laatste behandeling die haar man had ondergaan, in de hoop op een wonder. Het klonk als een verhaal dat ze al de hele dag afdraaide, maar ik had niet de moed om haar te onderbreken. Pas toen het er de schijn van had dat ze uitgesproken was, durfde ik te praten.

'Je man was de beste kerel die ik in mijn leven heb gekend.'

Ze wendde haar blik van me af en keek opzij. Ze knipperde een paar keer, maar niets kon haar tranen tegenhouden. Toch was ze wel in staat om te reageren.

'Hij hield zoveel van je. En hij bewonderde je zo. Ik denk dat hij gestopt is met drinken omdat hij niet wilde dat jij je zorgen om hem maakte nu je hem niet meer kon helpen.'

Nu was het mijn beurt om te huilen. We omhelsden elkaar zwijgend. Uiteindelijk was het ons gelukt om de misleidende rituelen van deze plek te ontlopen en de herinnering aan haar echtgenoot en mijn vriend te eren.

Ze bood me koffie aan en we spraken over van alles en nog wat. Het was al na twaalven. Als er nog een schuld openstond, zou ik 's ochtends vroeg langskomen, voor de begrafenis. Ik nam de tijd om haar op de hoogte te stellen van de details van mijn ballingschap in Jujuy. Ze vroeg naar Silvia en wilde alles weten. Pablo had haar verteld dat er een nieuwe vrouw in mijn leven was, maar de vrouwelijke nieuwsgierigheid van Alejandra moest gestild worden met veel meer informatie dan die waar Sandoval genoegen mee had genomen in onze brieven en telefoongesprekken. Ik vertelde dat ze de jongere zus van de griffier van een civiele rechtbank was, dat het onafwendbaar was dat we elkaar zouden leren kennen in die plaats ter grootte van een vingerhoed, dat ze beeldschoon was, dat het aura van mysterieuze politieke balling met een duister verleden dat me vooruit reisde naar dat afgelegen gebied wellicht had geholpen om haar te veroveren, en dat ik heel veel van haar hield. Toen ik klaar was met mijn verhaal en in de veronderstelling verkeerde dat het zo voldoende was, stak ze van wal met haar vragenvuur. Ik deed wat ik kon, maar kon me niet ontrekken aan de verbazing over wat een vrouw allemaal wel niet wilde weten over een andere vrouw. Het was een uur of drie toen ik haar er eindelijk van kon overtuigen dat ze naar huis moest gaan om te slapen. Op dat uur zou er niemand meer komen. Ik denk dat zij het een fijn idee vond dat ik een tijdje alleen zou zijn met wat er over was van haar echtgenoot. En mij klonk dat verwarrend genoeg ook wel gepast in de oren.

Er kwamen niet veel mensen op de begrafenis. Een paar familieleden, een enkele vriend, een stuk of wat collega's van de rechtbank. Er waren er verschillende bij die ik niet kende: die onbekendheid was misschien wel het meest tastbare bewijs van mijn eigen ballingschap. Ik troostte me met de gedachte dat er ook anderen waren die ik wel kende van vroeger. Met hen wisselde ik groeten en een praatje uit. Fortuna Lacalle en Pérez waren er ook, onze voormalige meerderen. De gepensioneerde rechter was zo oud geworden dat het leek of hij zo uit elkaar kon vallen, maar zijn onnozele gezicht ging nog geheel intact de strijd met de tand des tijds aan. Pérez was geen advocaat meer. Hij was nu strafrechter, tot verbijstering van de mannen en vrouwen met enig verstand van zaken.

Terwijl de anderen terugkeerden naar de auto's, bleef ik nog even hangen om een kluit aarde op de kist te gooien zonder dat iemand het zag. Ik draaide me om om zeker te weten dat er niemand keek: aan het eind van de teruglopende groep liepen toevallig onze oude griffier en onze net zo oude rechter. Ik pakte een grote, vochtige kluit op en brak die in stukjes. Terwijl ik die langzaam in het graf gooide, zei ik half hardop een soort niet-kerkelijk gebed op: 'Op de dag dat alle stomkoppen van de wereld een feestje houden, doen deze twee de deur open voor de rest, serveren hun drankjes, bieden hun taart aan, voeren de toost aan en vegen de kruimels uit hun mondhoeken weg.'

Daarna liep ik met een glimlach weg.

Meer twijfels

Ik heb alles, denkt Chaparro terwijl hij naar huis loopt met warm brood in zijn tas. Hoe zou het ook niet warm kunnen zijn, ze hebben de bakkerij zo ongeveer voor hem geopend.

Het stoort hem van die beginnende oudersdomsgewoonten bij zichzelf te ontdekken, zoals anderen misschien hebben met rimpels of grijze haren. Tot zijn pensioen was uitslapen een luxe en een genot waaraan hij zich veelvuldig en zonder er drie keer over na te denken overgaf, maar nu wordt hij voorturend heel vroeg wakker. Wanneer hij genoeg heeft van het gewoel in zijn bed en zijn ogen verblind zijn door het licht dat door de luiken naar binnen piept, staat hij daarom maar op en gaat de deur uit om een blok verderop brood te halen. Hij zorgt er wel voor dat hij netjes aangekleed is, bang als hij is om een echte oude man te worden die de straat op gaat met een hemd, bretels en sloffen.

Als hij terugkomt, maakt hij maté klaar en neemt hij een paar broodjes mee naar zijn bureau, op een bord, om niet te veel te kruimelen. Hij vindt het wel een vermakelijke gedachte dat zijn twee relaties hem in elk geval wat huishoudelijke gewoonten bij hebben gebracht.

Als hij gaat zitten, leest hij het laatste wat hij heeft schreven over en wordt er triest van. Hij twijfelt of het wel zin heeft het als deel van het boek te gebruiken. Draagt het bij aan het verhaal dat hij vertelt? Als het verhaal dat hij vertelt over Ricardo Morales of Isidoro Gómez gaat, niet, met hen heeft het niets mee te maken. Maar als het verhaal dat hij vertelt zijn eigen verhaal is, dat van Benjamín Miguel Chaparro, dan wel: dat vluchtige bezoekje aan Buenos Aires in mei 1982 kan dan niet weggelaten worden.

Hij stelt zichzelf nogmaals de vraag over welk van de twee boeken hij aan het schrijven is en hij wordt overvallen door nieuwe twijfels, of oude, terugkerende twijfels. Want als hij een soort autobiografie aan het schrijven is, laat hij wel een heleboel omstandigheden en personen buiten beschouwing die toch heel veel betekend hebben voor zijn leven. Wat heeft hij bijvoorbeeld gezegd over Silvia, zijn tweede vrouw? Bijna niets. Hij zou het na moeten kijken, maar volgens hem alleen iets in het vorige hoofdstuk over de dood van Sandoval. Maar wat zou hij dan toe kunnen voegen? Dat ze tien jaar samengeleefd hebben? Dat ze na zijn terugkeer naar Buenos Aires eind 1983, toen niemand meer bang was voor militairen of verraders, nog vier jaar samen waren? Dat het tijdens die laatste jaren Silvia was die in ballingschap leek te leven, ver van haar familie, haar vriendinnen, die plaats waar ze over klaagde toen ze er woonden, maar die ze al miste vanaf de eerste dag dat ze in Buenos Aires was neergestreken, de stad die ze altijd als vijandig en agressief had gezien?

Toen Chaparro over trouwen was begonnen, nu de nieuwe echtscheidingswet hem daartoe in staat stelde, had ze daar lang over na moeten denken, en toen hij de druk was gaan opvoeren, haar dwong om een beslissing te nemen, had ze gezegd dat ze niet wist of ze daarvoor wel genoeg van hem hield.

Chaparro had haar zelf geholpen met inpakken, had een auto te leen gevraagd om haar naar het Aeroparque te brengen en had haar daarna met het eergevoel van een klerk alle gezamenlijke bezittingen doen toekomen waar zij om vroeg, van een elektrische broodrooster tot een prachtige uitvoering van *Moby Dick* die ze samen hadden gekocht tijdens een bezoek aan Salta.

Daarna hadden ze elkaar niet meer gesproken. Chaparro hoorde later dat ze getrouwd was, maar had er nooit veel over willen weten. Het was in die periode dat hij had besloten zonder vrouw door het leven te gaan, in elk geval zonder vrouwen die wat voor hem zouden kunnen betekenen en hem dus konden kwetsen. In het begin vond hij dat zo makkelijk dat hij meende dat het een wijs besluit was geweest. Dat het een vergissing was geweest te denken dat hij zijn leven met iemand wilde delen, want dat had hij uiteindelijk altijd betreurd. Marcela was hij uit afkeer kwijtgeraakt, Silvia omdat die dat zelf had besloten. Hij wilde niet blijven kwijtraken. Het was beter zo. Er was altijd wel een vrouw beschikbaar om hem kortstondig genot te geven, in ruil voor hetzelfde. Hij kon beter naar Castelar verhuizen, zoals hij al zo graag wilde toen hij naar Jujuy moest uitwijken. Naar het huis dat van zijn ouders was geweest. Het huis waarin hij nu dit verhaal zit te schrijven, terwijl hij af en toe naar de tuin kijkt of opstaat om maté te maken. Moet hij dat in een roman vertellen? Dat heeft helemaal geen zin. Hij kan beter terugkeren naar het thema Morales en de weinige pagina's die hij nog nodig heeft voor zijn verhaal. En daarna?

Daarna niets. Of wel: de typemachine terugbrengen naar de rechtbank, naar die verrekte rechtbank onder leiding van edelachtbare Irene Hornos, die verdraaide vrouw, want alles (vrouwen ergens op het laatste plan zetten, af en toe iets hebben met een vrouw zonder enige verplichtingen, als een weduwnaar leven in Castelar) verliep uitstekend tot 9 februari 1991, toen zij na vijftien jaar weer door de deur van de griffie kwam lopen, nu als rechter.

Chaparro had met zichzelf afgesproken dat hij niet weer zou toestaan zich door die meid het hoofd op hol te laten brengen, want hij vond het prima zo en zat niet te wachten op weer een keiharde teleurstelling, slapeloze nachten, een baksteen in zijn maag. Daarom zei hij tegen haar: 'Hoe gaat het, mevrouw, lang niet gezien.' Maar hij merkte dat zij in de war was, want ze stak haar wang uit voor een kus en ze stamelde als iemand die iets anders aantreft dan ze had verwacht, iemand die van plan is te tutoyeren maar tegen een muur van vier meter oploopt, zonder scheuren, tegen wie ze moet antwoorden: 'Prima, en met u? Klopt, dat is zeker lang geleden.' En daarom, omdat de hele situatie hem boos, bang of triest maakte – of alles tegelijk –, prevelde

Chaparro als smoes dat hij nog een heleboel werk had liggen en ging hij er als een haas vandoor. Hij vluchtte snel genoeg om te ontsnappen aan haar parfum van altijd, maar niet snel genoeg om zich te onttrekken aan de gebruikelijke antwoorden op de gebruikelijke vragen als hoe gaat het met je gezin, Irene, goed, met de meiden gaat het heel goed, en je man, met mijn man ook, hij werkt veel en is gezond. Hij kon naar de maan lopen, die verrekte klootzak, sorry voor het woord want die sukkel kon er natuurlijk ook niets aan doen dat hij met haar was getrouwd, maar dan nog, ze had niet het recht hem dit aan te doen, het ging net zo goed met hem, alleen en heel af en toe met iemand.

Want van nu af aan zal niets meer naar niets smaken, of erger nog, alles zal naar haar smaken. De lucht, zijn toast, de slapeloze nachten en de kussen van iedere willekeurige andere vrouw die zijn pad kruist, en dus kan hij het best een overplaatsing aanvragen, hoewel dat eigenlijk ook niet. Want hij heeft niet het lef om maar de hele tijd van rechtbank en medewerkers te wisselen, en dus is er geen oplossing voor dit probleem, behalve dan zijn mond houden, de tijd laten verstrijken, het vuur in haar ogen negeren als ze elkaar aankijken, zijn blik verre van haar decolleté houden wanneer hij naar haar bureau loopt met zaken die ondertekend moeten worden, en, verdomme, zo moeten leven is een lijdensweg.

Nee, hij gaat definitief geen roman schrijven met zichzelf als hoofdpersoon. Hij heeft genoeg van zichzelf, hij heeft geen zin om zich ook nog even lekker in zichzelf te gaan verdiepen. Maar hij heeft besloten het hoofdstuk over de dood van Sandoval te laten staan. Dat verdomde verhaal van Morales is nu eenmaal verweven met zijn eigen leven. Heeft hij niet zeven jaar geiten zitten tellen in de Altiplano omdat hij nu eenmaal bij die tragedie betrokken was? Hij heeft er geen spijt van. Hij verloochent dat verleden niet. Maar precies om die reden gaat hij niets weglaten van wat hij heeft opgeschreven.

En dan die andere kwestie: wat gaat hij eigenlijk doen met alles wat hij heeft opgeschreven? Er ligt al een mooie stapel op zijn bureau, dat zes maanden geleden nog leeg was, of beter gezegd, waar toen naast de typemachine nog een onaangebroken pak papier lag. Hij zou het aan Irene moeten geven. Zij vindt het leuk als hij meeneemt wat hij geschreven heeft. Er is de laatste anderhalve maand geen week voorbijgegaan zonder dat hij haar bezocht heeft met een paar hoofdstukken. Is het goed wat hij schrijft? Zij prijst hem de hele tijd de hemel in. Laat het maar slecht zijn. Want als het goed is, betekent het feit dat ze hem prijst alleen maar dat wat hij schrijft haar bevalt. Maar als het slecht is en ze prijst hem toch, dan doet ze dat om hém te behagen. En Chaparro vermoedt dat hij om die reden aan het schrijven is. Om het aan haar te geven, opdat zij iets over hem weet, iets van hem heeft, aan hem denkt, al is het alleen maar tijdens het lezen. En als het nu slecht is en ze hem prijst omdat ze hem waardeert als vriend en verder niets? Ze kan het helemaal niets vinden wat hij schrijft, maar ze wil hem niet kwetsen, en niet omdat ze van hem houdt, tenminste niet op de manier waarop Chaparro wenst dat ze van hem zou houden, maar omdat hij haar oud-collega is, haar oude baas, haar oud-medewerker, de zwerfhond die, o arme ziel, meelij wekt.

Dan schreeuwt Chaparro: 'Afgelopen met die verdomde klerezooi!', wat in fatsoenlijker taal betekent dat hij dat soort gedachten een halt moet toeroepen en aan het werk moet gaan. Hij hoort het gefluit van de ketel en herinnert zichzelf eraan dat terwijl hij was verzonken in zijn amoureuze overpeinzingen, het water voor de maté een temperatuur heeft bereikt van een uitbarstende vulkaan. Nieuw water opzetten en wachten tot het warm wordt, stelt hem in staat de gevoelstoon te zoeken die hij nodig heeft om dit laatste stuk te schrijven. Dat stuk dat midden op het platteland eindigt. Bij de schuur met de schuifdeur.

Wanneer hij het water in de thermoskan schenkt en een lichte wolk damp hem aangeeft dat de temperatuur nu goed is, is Chaparro zijn afleidende gedachten kwijt. Zijn hoofd is drie jaar terug in de tijd gereisd, naar 1996, naar het werkelijke eind van het verhaal, twintig jaar na het denkbeeldige eind waarin ze allemaal (Báez, Sandoval, hijzelf, zelfs die klootzak van een Romano) heel naïef hadden geloofd.

Hij zet de spullen voor de maté op zijn bureau en loopt naar het dressoir in de salon. Hij weet dat de brieven in de tweede la liggen, nog in hun envelop. Ze zijn niet vergeeld, omdat ze nog niet zo heel oud zijn. En hoewel hij ze niet opnieuw heeft gelezen, denkt hij nog precies te weten wat erin staat, bijna woordelijk. Maar hij wil de waarheid die hij in handen heeft geen geweld aandoen. Daarom haalt hij ze uit de la en neemt ze mee naar zijn bureau. Om er zo vaak hij nodig acht uit te kunnen citeren.

Waarom moet het allemaal zo exact? vraagt hij zich af. Gewoon, omdat dat moet, is zijn eerste antwoord. Omdat in die brieven de waarheid verscholen ligt, of het eigen woord van Ricardo Morales, dat in dit geval de ultieme waarheid is, antwoordt hij daarna. Want op die manier, met het gedocumenteerde bewijs in handen citerend wat er geciteerd moet worden, heeft hij veertig jaar lang voor het gerecht gewerkt, voegt hij eraan toe. En dat andere antwoord is ook waar.

40

26 september 1996 was een donderdag zoals elke andere, behalve dan misschien als je afging op de herrie op straat. Vanaf twaalf uur begon de eerste algemene staking tegen de regering van Carlos Menem en een stoet van leden van de vakbond voor justitie maakte een oorverdovend kabaal met knalvuurwerk en kwam bijeen bij de trappen aan de Calle Talcahuano. Om tien uur kwamen de medewerkers van de post. Althans, dat denk ik, want mijn bureau stond een eind van de balie af. Een stagiair kwam naar me toe met een grote handgeschreven envelop zonder gewone postzegels maar aangetekend verzonden. Ik bekeek hem met de nieuwsgierigheid die persoonlijke post opwekt tussen de stapel algemene, openbare berichtgevingen waar we aan gewend waren.

Verstrooid zocht ik mijn leesbril, tot ik de gaten kreeg dat ik die op had. Ik herkende het handschrift niet. Had ik ooit iets gelezen in die elegante, rechte, verticale, nette letter? Ik kon het me niet herinneren. Wat ik me wel kon herinneren (hoewel ik dacht dat ik daar nooit meer aan zou denken), was de naam van de afzender en zijn verhaal: Ricardo Agustín Morales, die na twintig jaar afstand en stilte opeens weer in mijn leven kwam.

Voordat ik de envelop opende, keek ik nogmaals naar de naam waaraan de brief gericht was. Dat was ik, zonder twijfel. 'Benjamín Miguel Chaparro. Nationale Instructierechtbank van Eerste Aanleg voor Strafrecht nr. 41, Griffie nr. 19.' Hoe wist Morales dat ik daar te vinden was? Ik vond het een beetje ongepast dat hij me post op mijn werk stuurde, hoewel... wat was het dan precies wat me eraan stoorde? Ik hield hem niet verantwoordelijk voor mijn wanhopige vlucht in 1976. Ik had altijd helder voor de geest gehad dat dat de schuld van die eikel van een

Romano was. Stoorde het me dan dat hij me zoveel jaar na dato schreef? Nee, dat was het ook niet. Ik koesterde aangename herinneringen aan hem, liefdevolle bijna. Wat was het dan? Het duurde even voordat ik me realiseerde dat wat me werkelijk verwarde zo voorspelbaar, zo monotoon, zo à la mij was, dat iemand me twee decennia na ons laatste contact kon traceren aan dezelfde rechtbank, op dezelfde griffie en achter hetzelfde bureau.

Het was een redelijk lange brief, gedateerd op 21 september in Villegas. Hij was dus vertrokken uit de hoofdstad. Zou hij een nieuw leven hebben kunnen opbouwen? Ik hoopte oprecht van wel en begon te lezen.

Voor ik begin, bied ik u mijn excuses aan voor het feit dat ik u na zoveel tijd zomaar lastigval.

Ik maakte snel een simpele berekening: het was twintig jaar en een paar maanden geleden.

Dat ik in al die jaren geen contact met u heb gezocht, komt voornamelijk voort uit mijn angst om u nog meer ongerief te bezorgen dan dat ik al gedaan heb. Ik hoorde enkele maanden nadat u was weggegaan van uw vertrek naar San Salvador de Jujuy toen ik naar uw rechtbank belde. Ik vroeg niet naar de redenen van uw verrek, maar had al snel in de gaten dat mijn daden daaraan ten grondslag moesten liggen.

Een kantoorhulp stelde me een domme vraag. Ik vroeg hardop aan hem en aan de rest of ze me een tijdje niet wilden storen.

Dat ik u nu na al die jaren schrijf, is omdat ik me verplicht voel het aanbod te aanvaarden dat u me tijdens onze laatste ontmoeting deed, toen u me vertelde over de omstandigheden die hadden geleid tot de vrijlating van Isidoro Gómez.

Weer die naam, dacht ik. Zou Morales die ook al jaren niet meer hebben uitgesproken? Of was hij eigenlijk nooit uit zijn hoofd gegaan?

Die keer zei u dat als ik u nog een keer nodig had, dat ik dan niet moest aarzelen contact met u op te nemen. Zou u het heel brutaal vinden als ik nu van dat aanbod gebruikmaak? Dat zeg ik omdat ik me bewust ben van het enorme offer dat u onvrijwillig hebt moeten brengen toen u in 1976 moest vertrekken. Het is een schrale troost, maar ik zweer u dat ik lang gezocht heb naar een mogelijkheid om u te verlossen van die tegenslag.

Ik vroeg me af hoe Ricardo Morales er nu uit zou zien om me het gezicht achter die woorden voor te kunnen stellen. Hoe hard ik het ook probeerde, ik kon me hem niet twintig jaar ouder voorstellen: hij bleef de lange, donkerblonde jongeman met het kleine snorretje, de trage gebaren, de starre uitdrukking die ik dertig jaar geleden had leren kennen. Zou hij zich nog net zo kleden? Zijn stijl was heel anders dan die van zijn leeftijdgenoten begin jaren zeventig. Ik dacht van wel en merkte dat zijn manier om zich schriftelijk uit te drukken ook ouderwets klonk:

Het is duidelijk dat ik er niet in geslaagd ben u uw ontberingen af te nemen, maar ik was blij te horen, enkele jaren later, dat u was teruggekeerd naar uw oude werkplek bij de rechtbank.

Hij zei het niet, maar ik nam aan dat Morales af en toe naar de rechtbank had gebeld en naar me had gevraagd, net zolang tot ze hadden gezegd dat ik weer terug was. Maar waarom had hij dan niet met me willen praten? Waarom was die constatering voldoende geweest? En waarom deed hij dan nu wel een beroep op me? En aan de andere kant: wat voor beroep deed hij dan op me? Ik las verder.

Overbodig te zeggen dat als u nog wrok koestert over de manier waarop ik uw leven op zijn kop heb gezet – ik herhaal dat dat absoluut niet mijn intentie was –, ik denk dat u volledig in uw recht staat om deze brief te verscheuren en te vergeten als u hem uit heeft. De komende dagen zult u nog twee ontvangen, identiek aan deze. Ik verzoek u dat niet te zien als een buitensporige opdringerigheid: ik heb zo gehandeld uit angst dat de brief zoek zou raken. Ik zal er een sturen met datum maandag 23 en een met datum 24 september, beide aangetekend. Als u deze ontvangt en leest, verzoek ik u de andere twee te vernietigen.

Ik weet niet waarom – of wel – het beeld in me opkwam van Morales gezeten in het barretje op station Once. Dezelfde zorgvuldigheid, dezelfde vasthoudendheid. Ik voelde een zekere droefenis.

Soms vindt het leven vreemde wegen om onze raadselen op te lossen. Vergeef me dat ik hier wat onhandig filosofisch word. Ik weet niet of ik u wel eens verteld heb dat ik als jonge man een verstokte roker was, tot Liliana me ervan overtuigde dat dat schadelijk voor me was en toen ben ik meteen gestopt.

Liliana Emma Colotto de Morales. Die naam nam een vaag hoekje in mijn herinnering in beslag. Logisch, ze was slechts een vluchtige passant in mijn leven geweest, het jaar na haar dood. Mijn herinneringen van na die tijd betroffen alleen Morales, haar weduwnaar, en Gómez, haar moordenaar. Maar nu kwam ze terug, aangevoerd door de man die het meest van haar had gehouden.

Na haar dood, als een daad van rancune, of, erger nog, alsof die rancune ergens toe leidde, ben ik weer begonnen met roken, en steeds meer ook. Twee pakjes per dag maakten een einde aan mijn goede gezondheid en mijn weerstand. En paradoxaal genoeg maken ze wellicht ook op tijd een einde aan mijn laatste dilemma.

Arme man, dacht ik. Straks sterft hij ook nog aan kanker. Altijd als ik van de dood of naderende dood van iemand hoor, maak ik een snelle berekening van zijn leeftijd, alsof een jonge leeftijd en de onrechtvaardigheid van de dood zich evenredig tot elkaar verhielden, en alsof mijn verontwaardiging ten aanzien van vroegtijdig overlijden enig nut had. Deze keer vormde daarop geen uitzindering: ik rekende uit dat Morales tegen de vijfenvijftig moest lopen.

Het zou dwaas zijn als ik tegen u zou zeggen dat de dood me zorgen baart. Niet echt. Misschien, als u mijn situatie wel beschouwt, bent u het zelfs wel met me eens dat het ook wel een opluchting is. Als u het niet erg vindt, wil ik u graag condoleren met de dood van uw vriend, meneer Sandoval. Ik las het bij de overlijdensadvertenties in La Nación. *U kunt u niet voorstellen hoezeer ik zijn dood betreurde. Ook hem heb ik nooit terug kunnen betalen voor alles wat hij voor me gedaan heeft, of voor Liliana en mij, of wat ook maar. Om redenen die ik verderop zal uitleggen (als u tenminste voor die tijd niet al hebt besloten dat ik uw tijd verdoe en dit ellenlange epistel aan de kant legt), kan ik onmogelijk langere tijd weg van mijn huis. Daarom ben ik enkele maanden na de dood van meneer Sandoval naar de begraafplaats van La Chacarita gegaan om hem een zeer bescheiden eerbetoon te brengen. Ik had zijn weduwe toen graag wat financiële steun willen doen toekomen, veel tastbaarder en zinvoller dan mijn eerbied, maar in die tijd zat ik in een nogal krappe financiële situatie, wat te wijten was aan grote schulden die ik had opgebouwd. Enfin, als u nog steeds bereid bent me die gunst te verlenen (eigenlijk zou u moeten zeggen of u bereid bent die op te tellen bij de reusachtige hoeveelheid gunsten die ik vermom als één grote gunst), zou ik u willen vragen die mevrouw een bedrag te doen toekomen dat ik gespaard heb en dat ik haar graag zou willen geven als teken van dankbaarheid jegens wijlen haar man.*

Die Morales was me er eentje. Hij stelde voor dat ik naar het huis van Alejandra ging, die ik bijna nooit meer zag, met een pakje poen namens een anonieme wreker die het gevoel had dat hij nog een schuld had openstaan bij haar echtgenoot, die veertien jaar daarvoor was overleden. Stond de tijd soms stil voor die man? Was alles een eeuwig heden dat gewoon bij het vorige opgeteld kon worden? Maar in mezelf gaf ik me over en antwoordde ik van ja, dat ik de weduwe van Sandoval het geld zou brengen dat Morales wilde sturen.

Maar goed, dat ik de dood van meneer Sandoval noemde, was omdat ik niet wil dat u me zo onbeschoft vindt dat ik zo luchthartig denk over alle sterfgevallen. Absoluut niet. Zelfs mijn eigen dood durf ik niet als zodanig te beschouwen. En het is ook niet zo dat ik hem als iets luchtigs tegemoet zie, ik zou hem eerder als iets verkwikkends willen kwalificeren, iets wat eindelijk rust brengt. Ik lees wat ik heb opgeschreven nog een keer en heb het gevoel dat ik afdwaal en u vermoei met gedachten die nergens toe leiden. U hebt er al genoeg aan dat ik zomaar vanuit het niets verschijn, en dan ook nog om u om een gunst te vragen, dan moet ik niet ook nog eens van u vragen mijn uitweidingen te verdragen. Neem me niet kwalijk. Laten we terugkomen op waar het om ging. Eerder zei ik dat als u mijn verzoek niet wilt inwilligen, u deze en de andere twee brieven beter kunt vernietigen. Toch verzoek ik u om een dezer weken contact op te nemen met meester Padilla, die hier in Villegas notaris is, want in mijn testament heb ik laten opnemen dat ik u mijn weinige bezittingen wil nalaten. Ik hoop dat u dat niet impertinent vindt. Het is niet veel, behalve het huis waarin ik woon, dat tegenwoordig wel een lieve duit zal opleveren, want er hoort dertig hectare goed land bij.

Het verraste me. Ik woonde in de stad. Ik had mezelf nooit gezien als man van het platteland. Zijn gulheid vleide me, maar ik voelde me er ook enigszins ongemakkelijk bij: ik had hem geholpen zonder dat ik daar iets voor terug verwachtte.

Dat huis dus en een auto die in goede staat maar wel heel oud is.

De witte Fiat 1500. Herinneringen komen nooit alleen, maar altijd in een hele groep. Het beeld van die oude auto ging gepaard met dat van Báez, toen we samen op het bankje op station Rafael Castillo zaten en hij me vertelde van de getuigenis van die oudjes uit Villa Lugano die hadden gezien hoe Morales een bewusteloze maar levende Gómez meenam in de kofferbak van die auto, twintig jaar geleden.

Meer is er niet, behalve wat oude meubels, daarvoor mag u zelf een bestemming kiezen. Goed, mocht ik op uw medewerking kunnen rekenen om mijn laatste zaken hier in Villegas af te handelen, dan zou ik u willen vragen of u in de loop van zaterdag de 28e naar mijn huis zou willen komen. Ik hoop niet dat u dat opvat als weer een aanmatigende gedraging van mijn kant. Ik zou bijna willen zeggen dat ik het voor u doe,

om u een nog groter ongerief te besparen dan hetgene waar-
voor ik u onmogelijk kan behoeden.

Ik dacht het te snappen. Het was wreed maar supersimpel. Morales zou zelfmoord plegen en hij vroeg me om zaterdag te komen om te voorkomen dat ik zondag of maandag een nog veel vreselijker schouwspel aan zou treffen. Hij zei het niet in de brief, maar hij had in zijn plannen zelfs rekening gehouden met het detail dat het voor mij prettiger zou zijn om in het weekend te komen dan om een paar dagen vrij te moeten vragen op de rechtbank. Zou hij weten dat we nog lang geen dienst hadden en het dus niet zo heel erg druk hadden? Het zou me niet verbaasd hebben als hij zelfs dat nog uitgezocht had.

U zult inmiddels wel geraden hebben – in elk geval gedeelte-
lijk – wat u zult aantreffen als u bij mijn huis aankomt. Ik
vraag u het me te vergeven. En ik herhaal dat ik het heel goed
zou begrijpen als u ervan af wilt zien. Wat u ook beslist, ik
groet u met mijn grootste achting en breng nogmaals mijn
zeer grote dankbaarheid over voor alles wat u voor ons gedaan
hebt.

Ricardo Agustín Morales

Ik stopte met lezen en hield de brief in mijn handen. Pas na enkele minuten kon ik reageren. De klerk vroeg me wat er was, waarom ik zo keek. Ik gaf een ontwijkend antwoord. Toen kwam de griffier zijn kantoor uit. Ik greep mijn kans om te zeggen dat ik wat vroeger weg moest om mijn auto naar de garage te brengen voor een beurt, omdat ik zaterdag op reis moest voor een persoonlijke kwestie. Hij antwoordde dat dat prima was.

41

Ik vertrok bij het krieken van de dag omdat ik er voor de middag wilde zijn. Dat leek me het minst vreselijke tijdstip om een leeg huis binnen te komen, of erger nog, een huis waar me de overblijfselen wachtten van een man die ik had gekend en gewaardeerd.

De aanwijzingen in de brief van Morales waren concreet en simpel. De toegangswegen tot de stad voorbijrijden en ook de YPF achter me laten die ik aan mijn rechterhand zou zien. Vier kilometer doorrijden en dan zou ik aan mijn linkerhand drie heel hoge silo's zien. Een kilometer doorrijden tot de bestrate gemeentelijke weg, ook links. Twee kilometer verder, de laatste, opletten op het hek dat nu aan de rechterkant zou verschijnen, tussen de hoge graslanden.

Volgens mij was het een uur of elf toen ik uitstapte om het hek open te doen. Ik reed er met de auto door en stapte weer uit om het te sluiten. Er liep een goed onderhouden grindpad. Ik reed een kilometer of twee, drie, of misschien is dat overdreven. Ik reed langzaam vanwege de staat van het pad en de hoge weidegronden aan de zijkanten boden me weinig aanwijzigen. Als Morales privacy wilde, had hij die gekregen. Ten slotte ging het pad over in een redelijk grote open vlakte voor een huis. Het was een eenvoudig gelijkvloers huis met hoge, betraliede ramen, met daaromheen een veranda zonder opsmuk of plantenbakken of stoelen, niets. Aan een van de zijkanten van het huis stond de Fiat, beschermd door de veranda. Ik bekeek hem niet gedetailleerd, maar ik zag dat hij nog net zo smetteloos oogde als toen.

Ik wist – Morales had het me verteld in zijn brief – dat er meer dan dertig hectare land bij het huis hoorde. Ik nam aan dat de weduwnaar zich om het te kunnen kopen tot aan zijn nek in de schulden had moeten steken. Ik herinnerde me vaag dat hij in de brief had gezinspeeld op zijn schulden. O ja: het geld voor de weduwe van Sandoval. Dat was het. Destijds had hij haar niet kunnen helpen, maar blijkbaar had hij vijftien jaar later zijn lening afbetaald. Ik nam aan dat Morales zover was gekomen door flinke offers te brengen. Als kassier van een bankfiliaal zou hij niet al te veel verdienen en ik vermoedde dat dit land niet goedkoop was. De financiële krapte waarin hij zich had gewaagd om dit landgoed te kopen verklaarde de gecontroleerde maar overduidelijke achteruitgang van het huis en de toegangsweg.

Ik parkeerde mijn auto vlak bij het huis en liep naar de deur. Zoals Morales al had aangekondigd, was die niet op slot. Toen ik de deur opendeed, werd ik bevangen door een kinderlijke hoop.

'Morales!' riep ik.

Niemand gaf antwoord. Ik vloekte in mezelf, omdat ik wist dat ik hem ergens dood zou vinden. Ik liep door de woonkamer. Weinig meubels, een goed voorziene boekenkast, geen enkele versiering. Aan de muur twee geweren. Ik liep er niet naartoe om ze te bekijken (ik heb altijd een hartgrondige afkeer van wapens gehad), maar ze zagen er schoon en klaar voor gebruik uit. Op tafel, netjes tegen een aardewerken asbak, een dikke envelop met daarop de woorden: 'Voor mevrouw Sandoval.' Ik liep erheen, pakte hem op en stopte hem in mijn binnenzak, want ik vond het ongepast om de inhoud te tellen. Aan het eind van de kamer was een gang naar de badkamerdeur, en daarachter de keuken. En de slaapkamer dan? Ik draaide me om. Ik had een gesloten deur over het hoofd gezien naast de boekenkast. Dat moest de slaapkamer zijn. Ik deed de deur open; de zenuwen gierden door mijn keel.

Wat ik zag, was een stuk minder erg dan ik had verwacht. De luiken voor de ramen waren open en het zonlicht stroomde naar binnen. Morales wist blijkbaar dat het licht hem deze ochtend niet zou storen. Geen teken van bloed of stukken hersenen tegen het hoofdeinde van het bed, wat de beelden waren die mijn ver-hitte verbeeldingskracht had gevormd vanaf het moment dat ik de brief had gelezen. Wel het lichaam van de weduwnaar, op zijn rug, onder de dekens, die tot aan zijn kin waren opgetrokken.

Ik zal niet zo stom zijn om te schrijven dat het leek of hij sliep, want ik heb de mensen die dat soort dingen zeggen over een overledene nooit begrepen. Voor mij zagen doden er dood uit, en Morales vormde daarop geen uitzondering. Zijn huid had bovendien een opvallende blauwachtige kleur aangenomen. Zou dat te maken hebben met de manier waarop hij er een einde aan had gemaakt? Ik wist nog niet hoe hij het gedaan had. Maar ik wist wel dat het nog niet zo lang geleden was. Ik waardeerde het dat hij zo fijngevoelig was geweest om me de schokkende aanblik van zijn lichaam in staat van ontbinding te besparen, waarmee ik onvermijdelijk geconfronteerd was als er meer tijd had gezeten tussen zijn dood en mijn aankomst.

Er stond bijna niets in de kamer. Een tweedelige klerenkast, een gesloten hutkoffer, een kale tafel met een rechte stoel en een eenpersoonsbed met een nachtkastje aan een kant, vol met medi-cijnen, injectiespuiten, buisjes serum. Pas toen realiseerde ik me hoe moeilijk het voor hem moest zijn geweest om zijn ziekte te doorstaan als man alleen, overgeleverd aan zijn eigen krachten om de pijn te verminderen.

Of het nu kwam doordat ik mijn onderzoek was gestart met een poging het geheel te omvatten, of doordat ik te laf was om al te indringend naar het lijk te kijken, of doordat mijn ogen mak-kelijker rustten op een trouwfoto die met moeite uitstak boven de hoop medicijnen op het nachtkastje, feit was dat ik pas na een tijdje de lange witte envelop zag die aan het nachtlampje hing met een touwtje en plakband. Ik liep erheen om hem te pakken. Hij was aan mij gericht. In grote letters stond onder mijn naam: 'Lees dit alstublieft eerst voor u de politie belt.'

42

Die man bleef me maar verbazen. Zelfs na zijn dood. Wat zou hij me in die tweede brief willen vertellen? Ik liep terug, voorzichtig om niets aan te raken. Het laatste waar ik op zat te wachten was betrokken raken bij een dood onder verdachte omstandigheden. Ik zei tegen mezelf dat er geen reden tot zorg was: ik had de brief bij me die Morales naar de rechtbank had gestuurd, en die ongeveer eindigde met de woorden 'niemand treft enige blaam' voor de autoriteiten. Ik keerde terug naar de salon met het nieuwe epistel in mijn hand. Ik ging op de enige stoel zitten, dicht bij de kachel.

Beste Benjamín,

Als deze brief u bereikt, betekent dat dat u me de enorme gunst hebt verleend om naar mijn huis te komen. Voordat ik verderga, wil ik u daar dus alvast voor bedanken. Opnieuw, en zoals in zoveel andere gevallen: dank u wel. U zult zich wel afvragen wat de reden van deze brief is. Laten we rustig aan beginnen, zoals altijd wanneer je iemand nieuws moet brengen dat op een bepaalde manier onaangenaam kan zijn.

Ik begon me vreemd te voelen. Was het mogelijk dat het met deze man nooit ophield, dat er altijd nog meer was?

U zult tussen de bergflesjes en andere middeltjes op het nacht-kastje een gebruikte injectiespuit aantreffen, met de naald erop. Ik verzoek u die niet aan te raken, al zal die waarschu-wing wel niet nodig zijn. Ik schat in dat bij de autopsie aan het licht komt dat ik mezelf een monsterdosis morfine heb

273

toegediend en dat is dat. Ook al maakt de forensisch arts die de autopsie doet misschien wel een mooi staatje om het kaf van het koren te scheiden: ik heb de laatste maanden zo'n enorme hoeveelheid middelen gebruikt dat ik denk dat mijn lever haast wel op een apotheek moet lijken, maar goed, dat zoekt hij maar uit, ik heb al genoeg aan mijn eigen dingen.

Dat was Morales ten voeten uit: een perfecte scheiding van woorden en pijn, een vleugje ironie, een oprechte melancholie zonder zelfmedelijden.

Maar dat is niet het belangrijkste. Ik heb u nog niet gevraagd wat ik u moet vragen. Ik wil dat u twee dingen weet voor u het doet. Het eerste is dat ik het u vraag omdat ik er zelf de kracht niet meer voor heb. Ik heb een zekere zaak niet uit nalatigheid onafgerond gelaten, maar uit principe. Ik heb echter mijn eigen conditie overschat. Ik bedoel, ik had het zelf kunnen doen, twee of drie maanden geleden. Maar het leek me toen niet het juiste om te doen. Ik vond dat ik tot het laatste moment moest wachten. Maar nu dat moment gekomen is, kan mijn lichaam de krachtsinspanning niet meer leveren.

Waar had hij dan in vredesnaam kracht voor nodig? Waar had die man die net dood was het over?

Het tweede is dat ik niet wil dat u zich ergens toe verplicht voelt. Als u het niet kunt, dan is het pech. Dan moet de politie het maar oplossen. Want om eerlijk te zijn heeft het verzoek dat ik u ga doen een bepaalde ijdelheid in zich, een lachwekkende wens om mijn goede naam hier niet op het spel te zetten. U bent door het dorp gereden zonder te stoppen. Maar in de komende uren zult u mensen tegenkomen die misschien over mij zullen praten. Ik denk niet dat ik ernaast zit als ik zeg dat ze zich me herinneren als een vriendelijk, misschien zelfs aangename man. Vergeet niet dat ik hier al 23 jaar woon en in het dorp werk. Om redenen die u zo zult ontdekken heb ik er al die tijd voor gezorgd dat ik hier kon blijven en niet werd overgeplaatst naar een ander filiaal. Dat was lastig, want mijn bazen hebben er vaak op aangedrongen dat ik voor een promotie ging. Blijkbaar was ik door de bank genomen een efficiënte werknemer. Al die keren heb ik geweigerd, waarbij ik mijn best deed om niet onbeleefd of ondankbaar over te komen. Ik zal niet tegen u liegen: niemand in het dorp kan zeggen dat hij me echt kent. Dat kon en wilde ik niet. Maar ik denk dat de meeste mensen zich me zullen herinneren als een vriendelijke en onschuldige misantroop. En in deze laatste overgang naar het niets (ik zou willen dat ik ergens anders in geloofde), geeft het me een fijn gevoel dat ik kan rekenen op de welwillendheid van een beminnelijke herinnering van de mensen die me in al die jaren hebben meegemaakt.

Waar wilde hij toch heen? Waarom zou ik deze brief niet aan de politie mogen laten zien? Dachten ze in Villegas zo slecht over zelfmoordenaars? Ik hield mijn diepgewortelde ongeduld bij het lezen in, die er vaak voor zorgt dat ik van regel naar regel spring, uit angst om tijdens een van die sprongen het belangrijkste te missen.

Ik moet u vragen, beste vriend (sta mij toe u zo te noemen, want zo voel ik het), om zo goed te zijn om naar de schuur te gaan. Het is vijfhonderd meter van hier, aan de achterkant. Als het regent, vindt u naast de keukendeur een paar laarzen. Gebruik ze, anders verpest u uw schoenen en broek.

Ik snapte er niets van, of ik snapte in elk geval niet wat dit verzoek te maken had met de dood van Morales.

Hier eindigen mijn instructies. Vergeef me dat ik er niet verder op inga. U bent intelligent genoeg om verdere verduidelijkingen overbodig te maken. En ik vertrouw op uw fatsoenlijke inborst om te ontkomen aan uw morele veroordeling.

Met hoogachtende groet,

Ricardo Agustín Morales

En nu dan? Ik draaide het papier om, op zoek naar een naschrift, een uitleg, een aanwijzing. Maar er stond niets. Ik liet de brief op de stoel liggen en liep naar de keuken. Door het raam zag ik enkele rijen fruitbomen en aan de zijkant, vlak bij het huis, een sobere moestuin. Ik liep naar buiten. Ik zag de laarzen staan, maar op een mooie dag als deze had ik die niet nodig. Om mezelf hier als goede observator neer te zetten, als perfect analist, zou ik waarschijnlijk moeten zeggen dat ik stellingen bedacht, overdacht en weer verwierp over wat Morales in die tweede brief probeerde te zeggen. Maar dat was niet zo. Wat ik dacht, dacht ik pas later, toen de vragen (die ik zelfs niet formuleerde terwijl ik tussen de citroen- en sinaasappelbomen doorliep) zichzelf beantwoordden.

43

De tuin was zorgvuldig bewerkt. Aan de achterkant zag het huis er slechter uit dan aan de voorkant. Misschien had de eigenaar wegens zijn financiële nood besloten dat hij beter een bepaald decorum kon bewaren aan de voorkant, mocht er eens iemand onuitgenodigd op bezoek komen. Er was geen buitenoven, geen barbecue, zelfs geen tafel met stoelen. Ik nam aan dat het buitenleven op het platteland niet echt aan Morales besteed was. Hij bleef een stadsmens. Dat was niet veranderd.

Achter de fruitbomen, op ongeveer vijftig meter afstand, was een dichtbegroeid en bladerrijk stuk met eucalyptusbomen. Ik ben niet goed in het schatten van de leeftijd van een boom, maar ik nam aan dat Morales deze had geplant toen hij hier kwam wonen. Hij had toch drieëntwintig jaar gezegd? Wat ik wel uit kon rekenen was dat hij dus niet al te lange tijd na de amnestie van 1973 naar Villegas was gekomen.

De eucalyptusbomen vormden een dicht gordijn van tweehonderd meter lang dat het land in een schuine lijn scheidde van het huis en de tuin. Later besefte ik dat de bomenrij de richting van de gemeentelijke weg volgde, en zo dus het zicht vanaf de weg ontnam. Vanaf de afscheiding van de tuin liep een spoor naar de eucalyptusstrook, een duidelijk pad waar regelmatig overheen gelopen werd. Toen ik het beboste stuk inliep, veranderde het ochtendlicht in een vochtige duisternis. Aan de andere kant was duidelijk een behoorlijk grote schuur zichtbaar. Ik vond het lastig in te schatten hoe groot die precies was, omdat hij twee- tot driehonderd meter achter de bomen stond. Maar ook van die afstand was ik niet helemaal zeker. Ik ben ook een stadsmens, en ik mis stedelijke referenties om min of meer exacte schattingen te maken. Het gebouw stond op een kleine heuvelrug, misschien om overstromingen te voorkomen, hoewel het hele land volgens mij hoog lag, met een lichte helling naar het noorden, dat wil zeggen, in de richting tegengesteld aan die van de gemeentelijke weg.

Ik liep naar de golfplatenconstructie. De schuifdeur was gesloten met drie enorme hangsloten. De sleutels hingen aan een haak aan de buitenkant. Het zag er niet al te goed beveiligd uit. Wie hangt er nu de sleutels naast de sloten, zo voor het grijpen? Zou hij met de jaren zijn scherpzinnigheid van een schaker verloren hebben?

De schuifdeur kraakte toen ik hem opzijschoof. Het zonlicht drong met geweld de duistere ruimte in. Ik keek naar binnen. Naarmate meer tot me doordrong wat ik zag, begonnen mijn knieën te knikken en dwong een gevoel van lichamelijke weerzin me eerst om tegen de golfplaten te leunen en daarna om op de cementvloer te gaan zitten.

De schuur was best groot: ongeveer tien bij vijftien meter. Aan de muren hing wat gereedschap, een opklapbaar aluminium trapje met twee treden, een draagbaar apparaat dat me een slijptol leek, een paar wandrekken.

Maar dat zag ik eigenlijk pas toen ik hijgend op de grond zat. Want gedurende enkele minuten kon ik mijn ogen niet afhouden van de cel, de cel in het midden van de ruimte, de vierkante cel met dikke tralies van de grond tot aan het plafond, met een deur met twee sloten zonder deurklink en een klein deurtje in een hoek, van het type dat ze gebruiken om in de gevangenis dingen naar binnen en naar buiten te schuiven, de cel met een wasbak en een wc in een hoek en een tafel met een stoel in een andere hoek, met een soort bed tegen de tralies aan de achterkant, de cel met op dat bed een op zijn zij, met zijn rug naar me toe liggend lichaam.

Ik denk dat ik op dat moment ontzetting, ongeloof, afkeer, verbijstering voelde. Maar bovenal voelde ik een buitengewone

verbazing die me overviel met de woestheid van een paar honge-
rige kaken en die beetje bij beetje het beeld dat ik de afgelopen
twintig jaar van Morales en zijn verhaal had gehad, tot de grond
toe afbrak.

Toen ik na enkele minuten merkte dat mijn benen me weer
konden dragen, stond ik op en liep ik om de cel heen. Me ver-
mannend ging ik op mijn hurken zitten, dicht bij de tralies, om
het gezicht van de man op het bed te zien.

Het lichaam van Isidoro Antonio Gómez had dezelfde blauwe
kleur als dat van Morales. Het was wat dikker, uiteraard ouder,
licht grijzend, maar verder niet heel anders dan vijfentwintig jaar
geleden, toen ik die verdachtenverklaring bij hem afnam.

44

Ik ging op de helling zitten met netjes gemaaid gras om de schuur heen.

Hij had het me gezegd. De laatste keer dat we elkaar zagen, had Morales het me gezegd, toen ik hem min of meer voorstelde om wraak te nemen door hem neer te schieten. Wat had hij me ook alweer geantwoord? 'Het ligt allemaal heel complex,' of zoiets. Nee: 'Niets is zo eenvoudig.' Dat had hij tegen me gezegd. Ik dacht aan Báez. Hij had ook niet bedacht dat Morales een zo dramatische wending aan de feiten zou geven. Sandoval ook niet. Maar wie dan wel? Alleen Morales zelf. Niemand anders dan Morales.

Ik ging de schuur weer in om een schop te zoeken. Ik liep met de schop in de hand om het bouwsel heen en bekeek de omgeving. Het eucalyptusgordijn dat ik was doorgestoken om hier te komen, was in werkelijkheid een wijde cirkel van meer dan duizend meter omtrek, met de schuur erbinnenin. Hij stond niet in het midden, maar meer langs een van de kanten, ik nam aan zo veel mogelijk uit het zicht. Ik probeerde uit te rekenen hoeveel bomen Morales in totaal had geplant. Maar ik zag er algauw van af. Ik had geen idee. Maar het moest maanden werk geweest zijn, dat hij had gedaan als hij terugkwam van de bank en in het weekend. Voor de bouw van de schuur moest hij professionals hebben ingeschakeld. Ze zullen er wel raar van opgekeken hebben dat hij een schuur zo ver van zijn huis wilde, net zoals zijn buren het wel vreemd gevonden moeten hebben dat Morales in al die jaren nooit zijn land bebouwd heeft, en net zoals de mensen in het dorp, te beginnen bij zijn collega's bij de bank, gevonden moeten hebben dat Morales zo teruggetrokken leefde, zo wars van bezoek en van een sociaal leven in het algemeen. Ik dacht aan het impliciete verzoek in zijn laatste brief. Ik nam aan dat we allemaal wel een bepaalde vorm van affectie nodig hebben. Ondanks zijn excentrieke levensstijl zouden ze Morales uiteindelijk wel gemogen hebben, en de weduwnaar wilde die goede herinnering graag intact houden. En daarom liep ik verder met die schop in de hand.

Op het ruime, door de eucalyptusbomen begrensde terrein stonden her en der groepjes bomen en andere begroeiing. Ik ging naar een bosje van populieren en twee gigantische eikenbomen, die daar al gestaan moesten hebben ver voordat Morales hier kwam wonen. Ik ging ermiddenin staan en speurde de omgeving af. Het leek bijna onmogelijk dat ik bespied werd door blikken van buitenaf. Ik stak de schop in de grond en duwde hem er met mijn voet helemaal in. De grond was niet zo hard. Ik begon te graven.

45

Met de politie kwamen er ook wat nieuwsgierigen mee. Niet zo heel veel, gelukkig, want ik had de politie tijdens de siësta gebeld. En dat, en het feit dat veel potentiële pottenkijkers van de prachtige dag geprofiteerd moesten hebben om te gaan jagen of vissen, had ervoor gezorgd dat het nieuws zich niet al te snel had kunnen verspreiden. Ik zag geen onthutste of ongelovige gezichten. De politiechef van de provincie Buenos Aires die de hele procedure leidde, kende Morales. En hij niet alleen. Ze zagen hem allemaal al jaren en jaren als kassier achter het glas van het Villegasfiliaal van de Banco de Provincia zitten, of door het dorp lopen. Ze hadden ook gezien hoe hij ziek werd, en vermagerde, en hoe hij steeds vaker naar de kliniek of de apotheek ging.

'Ik had niet gedacht dat het zo erg was,' zei een van de twee bankmedewerkers die met de politie meekwamen.

'Ja. Het ging heel slecht met hem, maar dat hing hij liever niet aan de grote klok,' zei de andere zachtjes.

Er waren ook twee oudere mannen die eruitzagen als handelaars. Niemand wist goed waar ze moesten stoppen en het leek of ze het huis voor het eerst zagen. Het was duidelijk dat geen van allen er eerder was geweest.

Zodra ik kon, gaf ik de politiechef de brief die Morales me op de rechtbank had gestuurd. Hij ging hem zitten lezen in dezelfde stoel als waarin ik de andere brief had gelezen, die ik voor de zekerheid onder in mijn koffer had gestopt in de kofferbak van mijn auto. Hij was bijna klaar met lezen toen de ambulance arriveerde. Een van de politieagenten kwam de slaapkamer uit met in een doorzichtig plastic zakje de injectiespuit die Morales had gebruikt voor zijn zelfdoding.

'Wat doen we, baas?'

'Heeft Gutiérrez al foto's gemaakt?'

'Ja.'

'Goed, daar is de ambulance. We nemen hem al mee. Een ogenblikje.' Hij wendde zich tot mij: 'Dus u…'

'Benjamín Chaparro,' stelde ik me voor. En het leek me geen slecht idee om alvast maar een vrijbrief voor mezelf te creëren: 'Ondergriffier van de Instructierechtbank voor Strafrecht nr. 41, in de hoofdstad,' voegde ik toe terwijl ik mijn insigne liet zien.

'Kende u elkaar goed, meneer?' Zijn toon was licht veranderd in beleefd en ietwat onderdanig respectvol.

'Ja, best wel, al hadden we elkaar al jaren niet gezien. Sinds hij hier is komen wonen.' Ik twijfelde of het relevant was om te zeggen wat me voor in de mond lag. 'We waren bevriend in Buenos Aires.' Dat waren we niet, zei ik in mezelf. Maar als we dat niet waren, wat waren we dan? Ik wist het antwoord niet.

'Ik begrijp het. Zou u even naar de slaapkamer willen komen? Ik bedoel, als getuige van het weghalen van het lichaam?'

'Goed.'

Ze hadden de deken weggehaald. Hij had een ouderwetse gestreepte pyjama aan. Het was een nutteloze gedachte, maar het beeld van Liliana Emma Colotto de Morales drong zich aan me op, om wier dode lichaam vergelijkbare handelingen waren verricht, waar ik ook onvrijwillig getuige van was geweest. Er waren nu minder mensen, en er stond ook geen kring nieuwsgierigen die alleen maar een glimp van het lichaam op wilden vangen.

Ze hadden de potjes als bewijsmateriaal van het nachtkastje gehaald. Omdat ze ze even op de grond hadden gezet, was het lijstje met de foto van Morales en zijn vrouw in hun trouwkleding nu op het lege kastje veel beter zichtbaar. Waar had ik die foto eerder gezien? Op de tafel in het café waar Morales de foto's ordende om ze aan mij te laten zien voor hij ze zou vernietigen? Nee. Ik heb hem gezien in de slaapkamer van hun huis, bijna dertig jaar geleden, vlak naast het levenloze lichaam van Liliana

Colotto. Zoals zo vaak verbaasde me het ijzeren geduld waarmee voorwerpen ons overleven. Volgens mij dacht ik nu voor het eerst aan hen samen, levend, koffiedrinkend in de keuken van hun huis, kletsend en lachend. Het leven scheen me onverdraaglijk wreed en twistziek toe. Het was tevens de eerste en laatste keer dat mijn ogen volliepen als ik aan hen dacht.

We liepen achter de brancard aan naar de ambulance, in een soort miniprocessie. Achter de ambulance startten de auto's met daarin de collega's van Morales en de twee oudere heren. Toen ze het pad naar de weg afreden, draaide de politiechef zich naar mij om: 'Ik neem aan dat u van plan bent vandaag terug te gaan?'

'Ik denk eigenlijk dat ik maar tot morgen of maandag blijf. Dus ik sta tot uw beschikking.'

'Ah, perfect.' Dat leek de politieman te verheugen, want dan hoefde hij het me niet te vragen. 'Maar maak u hoe dan ook geen zorgen. Ik praat vandaag met de arts die het onderzoek doet en met de rechter. Dat is een geweldige kerel, Urbide heet hij, ik weet niet of u hem kent.'

Ik schudde mijn hoofd.

'Oké, nou ja, maakt niet uit. Deze zaak is in elk geval glashelder.'

'Ja, dat neem ik wel aan,' bevestigde ik, blij om hem dat te horen zeggen.

Op dat moment hoorde ik dat hij van achter het huis werd geroepen. Ik had niet gemerkt dat er een paar agenten naar de schuur waren gelopen.

'Niets bijzonders, meneer,' zei een met de strepen van een onderofficier. Ik neem aan dat hij zich zo formeel gedroeg omdat hij erachter was gekomen dat die buitenstaander, ik dus, verstand van zaken had. 'Een redelijk grote schuur met gereedschap en wat oude meubels.'

'Akkoord.'

'Weet u, chef,' deed de andere agent een duit in het zakje. Hij was jong, donker, en zag eruit alsof hij net van de politieschool kwam. 'Die man moet wel heel bang geweest zijn dat zijn gereedschap gestolen werd. De deur van de schuur was met ik weet niet hoeveel hangsloten afgesloten, en weet u wat het raarste was?'

'Nou?'

'In die schuur staat een soort kooi om de duurste dingen in op te bergen. Een benzinemaaimachine, een slijptol, een paar zeisen, een paar uitstekende boormachines. Het lijkt erop dat hij bang was om beroofd te worden.'

'Ja... als alle politieagenten zulke klunzen zijn als jij, zal het hier wel niet erg veilig zijn...' grapte de politiechef. De jongen was een groentje, maar ook weer niet zo erg dat hij niet wist dat hij zijn mond verder moest houden en het geintje moest accepteren.

We liepen weer naar het huis. Ze hadden niets gezegd over de wasbak en de wc die ze ongetwijfeld in de hoek hadden gevonden, naast een van de wandrekken. Ik had in de cel de afvoerbuis van het sanitair met aarde bedekt tot het op dezelfde hoogte was als het cement van de vloer. Het stelde me gerust dat ze niets verdachts leken te zien. Ze hadden geen idee van wat zich hier had afgespeeld. Maar ja, wie zou dat ook kunnen hebben?

'Vallejos,' riep de politiechef. 'Jij hebt nachtdienst, voor het geval de rechter tussen vandaag en morgen nog de ronde wil doen.'

Vallejos keek hem aan met een uitdrukking die bijna zijn irritatie verraadde. De politiechef leek met zijn hand over het hart te strijken.

'Oké, laten we het dan zo doen. Ik bel de rechter en als hij zegt dat we door moeten gaan, roep ik je op via de radio en kom je naar het bureau. Wat zeg je daarvan?'

'Dank u, chef. Heel erg bedankt. Het is zaterdag, weet u...'

'Dus hij had een kooi daarbinnen om zijn gereedschap in te bewaren?' vroeg de politieman nu aan het jonge agentje. Er klonk geen spoortje gealarmeerdheid in zijn stem. Hij praatte daarover, maar het had net zo goed ergens anders over kunnen gaan. Hij praatte om te praten en om te voorkomen dat er stiltes vielen.

'Zoals ik u vertelde, meneer. Met twee dikke sloten. Mensen doen soms rare dingen, vindt u niet?'

De chef pakte zijn pet, die hij op de tafel in de salon had neergelegd. Hij keek het vertrek rond met de uitdrukking van iemand die weet dat hij niet zal terugkomen in de ruimte waar hij zich bevindt.

'Ja, zeker. Mensen doen soms rare dingen.'

Daarna werd er niet meer gesproken. Ze stapten in de auto's en ik volgde hen in mijn eigen auto. Ze kregen de lijkschouwer snel te pakken, die zo vriendelijk was diezelfde avond nog een autopsie uit te voeren, en de rechter gaf de opdracht om de boel af te ronden en de zaak te sluiten.

De begrafenis van Morales was maandagochtend. Een aanhoudende motregen gaf de dag van de vroege ochtend tot de late avond een melancholiek tintje. De hele dag brak er geen straaltje zon door. Ik vond het goed dat het op die manier ging.

Terugbrengen

Nu wel, denkt Chaparro. Nu is hij wel klaar en heeft hij niets meer te vertellen. Niets wat met Morales en Gómez te maken heeft. Nu heeft hij het gevoel dat het verhaal hem definitief verlaat. Chaparro vraagt zich af of de levens van mensen die gestorven zijn, verdergaan in de levens van anderen, die nog wel leven en zich hen herinneren. Toch heeft hij het gevoel dat het leven van die twee mannen definitief afgesloten is, omdat Chaparro zeker weet dat niemand behalve hij nog aan hen denkt.

De laatste getuigen die hen in levenden lijve hebben gezien zullen inmiddels wel zijn overleden of dat zal niet lang meer duren. Wat zijn de laatste sporen van Morales? Een formulier met zijn handtekening en stempel in het archief van de Banco Provincial, filiaal Villegas. Die van Gómez gaan veel verder terug. Een set vingerafdrukken misschien, ergens in de krochten van het archief van de gevangenis van Devoto, samen met de opdracht tot vrijlating van 25 mei 1973. Er is nog iets wat hen verbindt en overleeft. De handtekeningen onder hun verklaringen van dertig jaar geleden. Die van Morales onder zijn getuigenverklaring. Die van Gómez onder zijn bekentenis. Allemaal goed bewaard in een vergeeld dossier, meesterlijk in elkaar genaaid door Pablo Sandoval tijdens een van zijn katers. Wat er ook nog is, zijn de botten van de twee. Die van de ene op het kerkhof van Villegas. Die van de andere in een gat zonder steen, midden op het land, aan de voet van een paar eikenbomen. Maar ook botten praten niet.

Dit is het eind van het verhaal, denkt Chaparro. Op de scheidslijn tussen hun verwoeste levens en het zijne. En hij heeft geen behoefte om daar iets over te zeggen. Hij weet niet eens zeker of er niet iets van zijn eigen leven per ongeluk binnen is geslopen op deze pagina's die netjes op een stapel liggen naast de Remington.

Hij kijkt naar de getypte vellen en voelt dat ze hem ondervragen. Hij moet nu beslissen wat hij ermee gaat doen. Proberen ze uit te geven? Ze in een la bewaren, zodat iemand ze op een dag na zijn dood vindt en voor hetzelfde dilemma wordt gesteld? Voor wie zijn ze dan eigenlijk bedoeld?

Hij moet ook een besluit nemen over de Remington. Hij heeft hem geleend, niet gekregen. Hij moet hem dus weer terugbrengen. Naar de rechtbank. Het is staatseigendom. Maakt het wat uit dat helemaal niemand nog wat heeft aan dit prehistorische apparaat, op een gepensioneerde ondergriffier na die er bijna een jaar op heeft zitten tikken om zich in te beelden dat hij een schrijver is? Nee, hij moet hem hoe dan ook terugbrengen, en dan moeten zij er maar mee doen wat ze willen.

Hij moet de Remington naar de griffie brengen, alle medewerkers begroeten, een van de houten stoelen pakken om dat museumstuk op de bovenste plank te zetten en hun, als onderdeel van zijn onvermoeibare manier om hun te leren hoe ze moeten werken, uitleggen dat ze een verzoek moeten indienen bij de administratie om het apparaat op te laten halen. En daarna? Weer een rondje groeten en naar huis.

En Irene dan? Zal ze zich niet beledigd voelen als ze hoort dat hij geweest is en niet even bij haar langs is geweest om gedag te zeggen? Jammer dan, zegt Chaparro in zichzelf, want nee, hij gaat niet bij haar langs. Hij heeft niet de ballen om haar te zeggen dat hij haar aanbidt, maar kan er ook niet meer tegen dat hij altijd maar zijn mond moet houden.

Hij staat op. Hij legt een zwaar woordenboek op het origineel van zijn boek, want hij moet er niet aan denken dat een windvlaag zijn herinneringen door elkaar gooit. Hij loopt langs de badkamer, poetst zijn tanden, doet wat lavendellotion op zijn handen en haalt die door zijn grijze haar. Daarna kamt hij ze netjes met zijn kleine zwarte kammetje.

Hij twijfelt als hij naar de slaapkamer loopt: stropdas of

bovenste knoop los? Hij kiest voor het tweede. Hij is geen onder-griffier meer. Hij is nu schrijver – hij laat geen kans onbenut om de draak met zichzelf te steken – en daar passen informele kle-ding en nonchalant haar beter bij. Hij kijkt op zijn horloge. Zou er nog een lege trein gaan vanaf Castelar zo aan het eind van de ochtend? Hij vermoedt van niet, en hij heeft geen zin om de hele rit te moeten staan met die typemachine in zijn armen. Hij loopt naar het station. Het lot lijkt hem goedgezind: het is vijf over elf en de laatste stoptrein van de ochtend onthaalt hem met een heleboel lege zitplaatsen. Hij gaat aan de rechterkant zitten om de tijd te kunnen doden met het kijken naar de auto's op de Ave-nida Rivadavia.

Opeens schrikt hij op. De trein rijdt lawaaiig tussen de lugu-bere dikke muren die zich tussen Caballito en Once verheffen aan beide kanten van het spoor. Waar heeft hij het laatste halve uur aan zitten denken? Hij weet het niet meer. Aan Morales? Aan Gómez? Nee. Die rusten inmiddels in vrede. Het is opvallend dat sinds hij alles opgeschreven heeft, ze hem niet meer de hele tijd overvallen, storen, berispen. Wat dan? Hij stapt de trein uit op station Once en wordt bevangen door een plotselinge nieuws-gierigheid naar de plek waar het barretje zat waar hij Morales destijds tweemaal getroffen had. Zou het nog bestaan? Maar als hij de stoep op loopt naast Pueyrredón, heeft hij weer dat rare gevoel van dat hij niet meer weet wat hij ging doen. Waar wilde hij naartoe? O ja, natuurlijk, het barretje. Hij kan er op de terug-weg wel even naar kijken. Die beginnende neiging om weg te zinken in een ongebruikelijke staat van afwezigheid verontrust hem, alsof hij plots wordt overmand door de tand des tijds.

Daar piekert hij over terwijl hij richting de halte van lijn 115 loopt. De typemachine is zwaar en hij verandert af en toe van arm om hem te dragen. Hij wil niet weer zo wazig worden. En dus koopt hij een kaartje en gaat zitten. Hij denkt voornamelijk aan wat het precies is waar hij aan denkt. Dat werkt een blok of drie, vier lang. Maar dan, als de bus richting de Avenida Corrientes gaat, dwaalt hij weer af. Lieve god, waar zit hij toch de hele tijd met zijn gedachten? Zelfs het geschommel van de bus als die de Avenida verlaat en Paraná op draait, brengt hem niet terug in de realiteit. Het is bijna toeval dat hij nog net kan uitstappen voordat de chauffeur de achterste deur van de bus alweer sluit.

Hij kijkt naar zichzelf in een winkelruit. Benjamín Chaparro staat op een smalle stoep. Hij is lang, grijs, slank. Hij is nog steeds zestig jaar. In zijn linkerhand houdt hij een typemachine uit het jaar nul. Wat moet hij nog in het leven? Zijn roman niet meer. Hij is klaar met het uitkauwen van het verhaal over die twee mannen. Het antwoord vormt zich langzaam in zijn hoofd, zoals alle moeilijke beslissingen.

Hij is in dit leven om te doen waarover hij eindeloos heeft zitten peinzen, zonder te weten waarover hij zat te peinzen, sinds hij om vijf over elf de trein heeft genomen in Castelar, of eigenlijk al sinds hij de Remington te leen vroeg elf maanden geleden, of eigenlijk al sinds hij tegen een jonge stagiaire zei hoe ze de telefoon op moest nemen, dertig jaar geleden.

Daarom komt hij uiteindelijk in beweging en rent met twee treden tegelijk de trappen op van de ingang aan de Calle Lavalle. Hij neemt de lift naar de vijfde verdieping. Hij loopt met grote passen door de gang met witte en zwarte, in ruitvorm gelegde plavuizen.

Hij gaat niet langs griffie nr. 19 om gedag te zeggen. Nu niet meer uit angst dat ze de liefde zien die hem vanbinnen verteert. Maar omdat hij voor het eerst weet dat hij vandaag wel, beslist en zonder te treuzelen, direct naar het kantoor moet gaan; op de deur moet kloppen; naar haar stem moet luisteren die 'binnen' zegt; zich als een vent moet opstellen tegenover de vrouw van wie hij houdt; de triviale vraag moet negeren die uit haar mond komt als ze hem met een glimlach welkom heet; de schuld moet betalen, of innen, die nog openstaat en die de enige geldige reden is voor hem om verder te leven. Omdat Chaparro voor eens en voor altijd die vrouw antwoord moet geven, antwoord moet geven op de vraag in haar ogen.

Ituzaingó, september 2005

Noot van de auteur

In februari 1987 kwam ik als medewerker te werken op de Nationale Instructierechtbank van Eerste Aanleg voor Strafrecht 'Q', in Buenos Aires C.F. Op een willekeurige ochtend vertelden mijn meest ervaren collega's me een oude anekdote: op basis van de amnestie voor politieke gevangenen die de regering van Cámpora uitschreef in 1973, en onder omstandigheden die altijd in duisternis gehuld zouden blijven, kwam er een gewone gevangene vrij die op bevel van het hof vastzat in de gevangenis van Devoto. Hij was schuldig bevonden aan zeer ernstige delicten en er wachtte hem een zeer lange straf. Toch kreeg hij, om voor iedereen volstrekt onduidelijke redenen, die dag zijn vrijheid terug.

Tijden later herinnerde ik me dat verhaal, en in mijn fantasie kwamen daar ontelbare feiten en situaties bij die, hoewel ze verzonnen waren, prima konden dienen als voorafgaand aan en volgend op de onterechte vrijlating van een veroordeelde moordenaar.

Voor de rest berust het verhaal in dit boek volledig op fictieve gebeurtenissen en personen. De griffies nr. 18 en 19 behoorden in de jaren zestig feitelijk tot een strafrechtbank en niet tot een instructierechtbank. Bovendien bestond er geen instructierechtbank met nr. 41 in de hoofdstad. Wat betreft het bloedige Argentinië van de jaren zeventig dat af en toe dient als achtergrond voor dit verhaal, ik zou willen dat ook dat fictief was, of volledig niet-bestaand.

Hoe het ook zij, ik kan dit boek niet besluiten zonder een buitengewoon liefdevolle groet aan de mensen met wie ik werkte op rechtbank 'Q'; vooral mijn collega's op griffie nr. 19: Juan Carlos Travieso, Evangelina Lasala, Jorge Riva, Edy Pichot en

Cristina Lara. Naar die laatste gaat ook mijn grote dank uit voor de fantastische hulp die ze me bood om een eindeloze rij juridische en procedurele details uit te zoeken die nodig waren om dit verhaal solide en sluitend te maken. Dat ik zulke fijne herinneringen aan die tijd heb, heb ik voornamelijk aan hen allemaal te danken.

E.S.

Lees ook van Karakter Uitgevers B.V.

LEIGHTON GAGE

Kwaad bloed

De helikopter begon opeens hevig te schudden, als een kadaver dat door een jakhals bij de keel werd gevat. De bisschop greep de aluminium steunen aan weerszijden van zijn stoel en klemde zich vast alsof zijn leven ervan afhing.

Mario Silva, hoofdinspecteur bij de federale politie van Brazilië, wordt op het onderzoek naar de dood van de bisschop Dom Felipe Antunes gezet, die wordt vermoord tijdens de inwijding van een kerk in een afgelegen dorpje in het Braziliaanse binnenland.

De druk is groot, want de paus zelf heeft er met de president van het land over gebeld. Samen met zijn assistent Hector Costa bindt Silva de strijd aan met de staatspolitie en een corrupte juridische macht. Maar ook met criminelen, grote landeigenaren en de Kerk zelf. In een race tegen de klok, want al snel volgen er meer gruwelijke moorden...

Terwijl Silva zijn eigen demonen uit de weg probeert te ruimen door de moordenaars van zijn vader en zijn zwager op te sporen, krijgt hij ook te maken met het conflict tussen landarbeiders en landeigenaren – wat escaleert na de verdwijning van de zoon van een lokale landeigenaar.

Kwaad bloed, Leighton Gage's duizelingwekkende debuut, beschrijft in een flitsende en rauwe stijl een land dat aan het oog van de toerist onttrokken blijft. Dit is niet het Brazilië van het strand van Copacabana en sambavoetbal, maar een land dat verdeeld is door een gapende kloof van economische ongelijkheid en waarin de gevolgen van de welig tierende corruptie en het geweld het straatbeeld beheersen.

'Onweerstaanbaar.' – THE NEW YORK TIMES

ISBN 978 90 6112 696 6